LE CLUB DUMAS

ou l'ombre de Richelieu

Ce livre est originellement paru chez
Alfaguara Hispanica, Madrid,
sous le titre :

EL CLUB DUMAS

ARTURO PÉREZ-REVERTE

LE CLUB DUMAS

Traduit de l'espagnol par
Jean-Pierre QUIJANO

roman

À Cala, qui me fit descendre sur le champ de bataille.

L'éclair du flash projeta la silhouette du mort sur le mur. Immobile, il pendait du lustre, au centre du salon. Et tandis que le photographe tournait autour de lui en appuyant sur le déclencheur de son appareil, l'ombre produite par le flash se dessinait successivement sur des tableaux, des vitrines aux étagères chargées de porcelaines, des rayons de livres, des rideaux ouverts sur de grandes fenêtres derrière lesquelles tombait la pluie.

Le juge d'instruction était jeune. Il avait le cheveu rare, en désordre, encore mouillé, comme la gabardine qu'il portait sur ses épaules tandis qu'il dictait son procès-verbal au secrétaire assis sur le sofa, une machine à écrire portative posée devant lui sur une chaise. Le crépitement des touches ponctuait la voix monotone du juge et les commentaires que les policiers échangeaient à voix basse en examinant la pièce :

— ... En pyjama, avec une veste d'intérieur. Le cordon de celle-ci a provoqué la mort par strangulation. Le cadavre a les mains attachées devant lui au moyen d'une cravate. Son pied gauche est chaussé d'une pantoufle, le droit est nu...

Le juge toucha le pied nu du mort et le cadavre pivota lentement, au bout du cordon de soie qui reliait son cou à l'ancrage du lustre. Il tourna d'abord de gauche à droite, puis en sens contraire, mais un peu moins loin déjà, jusqu'à retrouver sa position initiale, comme une aiguille aimantée retrouve le Nord après une brève oscillation. Lorsque le juge s'écarta, il dut faire un mouvement de côté pour éviter un policier en uniforme qui cherchait des empreintes digitales au-dessous du cadavre. *Une potiche brisée gisait à terre, de même qu'un livre ouvert dont une page était soulignée au crayon rouge. C'était un vieil exemplaire du* Vicomte de Bragelonne, *une édition bon marché reliée en toile. Le juge se pencha par-dessus l'épaule de l'agent et jeta un coup d'œil sur le texte souligné :*

« — Oh ! Je suis trahi, murmura-t-il : on sait tout.

— On sait toujours tout, répliqua Porthos qui ne savait rien. »

Il demanda au secrétaire de prendre note du passage et de faire mention du livre dans le procès-verbal, puis il alla rejoindre un homme de haute taille qui fumait devant une fenêtre ouverte.

— Qu'en pensez-vous ? demanda-t-il lorsqu'il l'eut rejoint.

L'homme de haute taille portait un insigne de policier sur la poche de son blouson de cuir. Il prit une bouffée de la cigarette qu'il tenait entre ses doigts avant de répondre, puis jeta le mégot par la fenêtre sans regarder derrière lui.

— Liquide blanc, en bouteille : on peut généralement conclure qu'il s'agit de lait, répondit-il enfin, énigmatique, mais le juge aperçut un sourire flotter sur ses lèvres ; à la différence du policier, il regardait dans la rue où la pluie continuait à tomber violemment.

Quelqu'un ouvrit une porte au fond de la pièce et le courant d'air fit pleuvoir quelques gouttes sur son visage.

— Fermez la porte, ordonna-t-il sans se retourner. Il arrive aussi qu'on maquille des homicides en suicides, continua-t-il en s'adressant au policier.

— Et inversement, corrigea l'autre, toujours très calme.

— Que pensez-vous des mains et de la cravate ?

— Il arrive qu'ils aient peur de reculer au dernier moment... Si c'était autre chose, elles seraient attachées derrière son dos.

— C'était inutile, rétorqua le juge. Le cordon est fin et solide. Une fois qu'il perdait pied, il n'aurait pas eu la moindre chance, même avec les mains libres.

— Tout est possible. Nous en saurons davantage après l'autopsie.

Le juge se retourna pour regarder de nouveau le cadavre. L'agent qui relevait les empreintes digitales se releva, le livre à la main.

— Plutôt curieux, cette page.

Le policier de haute taille haussa les épaules.

— *Je lis peu, répondit-il. Mais ce Porthos était bien un de ces personnages, n'est-ce pas ?... Athos, Porthos, Aramis et d'Artagnan* — *il compta sur ses doigts, puis s'arrêta, pensif. C'est quand même bizarre. Je me suis toujours demandé pourquoi on les appelle les trois mousquetaires, alors qu'ils sont quatre.*

I

Le vin d'Anjou

*Ce début annonce au lecteur qu'il doit
assister à de sinistres scènes.*
(E. Sue, Les Mystères de Paris)

Je m'appelle Boris Balkan et j'ai traduit autrefois *La Chartreuse de Parme* en espagnol. À part cela, mes critiques et recensions paraissent dans les suppléments et revues littéraires de la moitié de l'Europe, je donne des cours d'été sur la littérature contemporaine et j'ai publié plusieurs livres sur le roman populaire du XIXᵉ siècle. Rien de spectaculaire, je le crains ; surtout à une époque où les suicides se déguisent en homicides, où le médecin de Roger Ackroyd écrit des romans, où trop de gens s'entêtent à publier deux cents pages sur les passionnantes expériences qu'ils vivent en se regardant dans le miroir.

Mais restons-en à notre histoire.

Je fis la connaissance de Lucas Corso un jour qu'il vint me voir, *Le Vin d'Anjou* sous le bras. Corso était un mercenaire de la bibliophilie, un chasseur de livres à gages. Ce qui veut dire doigts sales et parole facile, bons réflexes, de la patience et beaucoup de chance. Sans oublier une mémoire prodigieuse, capable de se souvenir dans quel coin poussiéreux d'une échoppe de bouquiniste sommeille ce volume pour lequel on le paiera une fortune. Sa clientèle était restreinte, mais choisie : une vingtaine de libraires de Milan, Paris, Londres, Barcelone ou Lausanne, de ceux qui ne vendent que sur catalogue, investissent à coup sûr et ne tiennent jamais plus d'une cinquantaine de titres à la fois ; aristocrates de l'incunable pour qui parchemin au lieu de vélin ou trois centimètres de plus de marge se comptent en milliers de dollars. Chacals de Gutenberg, piranhas des foires d'antiquaires, sangsues des ventes aux enchères, ils sont capables de vendre leur mère pour une édition princeps ; mais ils reçoivent leurs clients dans des salons aux canapés de cuir d'où l'on voit le Duomo ou le lac de Constance, et ils ne se salissent jamais les mains, ni la conscience. Pour cela, il y a Corso et ses semblables.

Mon visiteur fit glisser de son épaule un sac de toile qu'il déposa par terre, à côté de ses chaussures Oxford mal cirées, avant de tomber en arrêt devant la photo encadrée de Rafael Sabatini qui se trouve sur mon bureau, à côté du stylo que j'utilise pour corriger articles et épreuves. Le geste me plut, car les gens que je reçois accordent d'ordinaire peu d'attention à ce petit cadre qu'ils prennent pour la photo d'un vieil oncle. Je guettais sa réaction et je vis qu'il esquissait un sourire en s'asseyant : une moue juvénile de lapin acculé au fond d'une impasse, de celles qui conquièrent immédiatement la faveur inconditionnelle du public dans les dessins animés. Avec le temps, j'appris qu'il était également capable de sourire comme un loup étique et cruel, et qu'il pouvait jouer l'un ou l'autre de ces personnages selon les circonstances ; mais ce ne fut que beaucoup plus tard. Lors de cette première visite, il me parut convaincant, si bien que je résolus de risquer un signe de connivence :

— *Il naquit avec le don du rire*, citai-je en montrant le portrait, *et le sentiment que le monde était fou...*

Je le vis hocher lentement la tête et j'éprouvai pour lui une sympathie complice que je lui conserve encore, malgré tout ce qui s'est passé depuis. Il avait sorti de quelque part, en escamotant le paquet, une cigarette sans filtre aussi froissée que son vieux manteau et son pantalon de velours. Il la retournait entre ses doigts en m'observant derrière ses lunettes à monture d'acier, perchées de travers sur son nez, ses cheveux semés de fils d'argent tombant en désordre sur son front. Comme s'il empoignait la crosse d'un pistolet, il enfonçait l'autre main dans une de ses poches : énormes fosses déformées par les livres et les catalogues, les papiers de toutes sortes et, je ne l'appris que plus tard, une flasque remplie de gin Bols.

— *... Et ce fut tout son patrimoine*, enchaîna sans effort mon interlocuteur avant de s'installer commodément dans son fauteuil et d'esquisser un nouveau sourire. Mais pour être franc, je préfère *Le Capitaine Blood*.

Je levai mon stylo en l'air pour l'admonester d'un air sévère.

— Vous avez tort. *Scaramouche* est à Sabatini ce que *Les Trois Mousquetaires* sont à Dumas — et je fis un petit salut respectueux dans la direction du portrait. Il naquit avec le don du rire... Il n'y a pas dans toute l'histoire du feuilleton d'aventures deux premières lignes comparables à celles-ci.

— C'est peut-être vrai, reconnut-il après un moment d'apparente réflexion ; puis il déposa sur la table le classeur qui contenait un manuscrit dont chaque page était recouverte d'une enveloppe protectrice de plastique. Et c'est une bien étrange coïncidence que vous veniez de parler de Dumas.

Il poussa la chemise vers moi en la retournant de façon à ce que je puisse voir son contenu. Toutes les pages étaient écrites en français, au recto seulement, sur deux types de papier : le premier blanc, déjà jauni par le temps, l'autre bleu pâle, finement quadrillé, lui aussi vieilli par les années. À chaque couleur correspondait une écriture différente, quoique celle du papier bleu, tracée à l'encre noire, se retrouvât aussi sur les feuilles blanches, sous forme d'annotations postérieures à la rédaction originale dont la calligraphie était plus petite et pointue. Il y avait en tout quinze feuillets, dont onze bleus.

— Curieux..., fis-je en levant les yeux vers Corso — il m'observait en me lançant de tranquilles coups d'œil qui hésitaient entre le manuscrit et mon visage. Où avez-vous donc trouvé cela ?

Il se gratta un sourcil, pesant certainement jusqu'à quel point les renseignements qu'il allait me demander l'obligeaient à me rendre la pareille en me fournissant ce genre de détails. Le résultat fut une troisième moue, cette fois de lapin innocent. Corso était un professionnel.

— Quelque part. Un client d'un client.

— Je vois.

Il fit une courte pause, méfiant. En plus d'être un signe de prudence et de réserve, la méfiance est synonyme d'astuce. Et nous le savions tous les deux.

— Bien entendu, ajouta-t-il, je vous donnerai les noms des intéressés si vous me le demandez.

Je répondis que ce n'était pas nécessaire, ce qui parut le tranquilliser. Il redressa ses lunettes avec un doigt, puis me demanda mon avis sur ce que j'avais entre les mains. Sans lui répondre tout de suite, je feuilletai le manuscrit à l'envers jusqu'à la première page. Le titre était écrit en majuscules, d'un trait de plume plus épais : LE VIN D'ANJOU.

Je lus les premières lignes à haute voix :

> *Après des nouvelles presque désespérées du roi, le bruit de sa convalescence commençait à se répandre dans le camp...*

Je ne pus m'empêcher de sourire. Corso fit un geste qui semblait vouloir m'encourager, m'inviter à prononcer mon verdict.

— Sans le moindre doute, il s'agit d'Alexandre Dumas père. *Le Vin d'Anjou* : chapitre quarante et quelque, si je me souviens bien, des *Trois Mousquetaires*.

— Quarante-deux, confirma Corso. Chapitre quarante-deux.

— Et c'est l'original ?... Le manuscrit authentique de Dumas ?

— C'est pour cette raison que je suis ici. Pour que vous me le disiez.

Je courbai un peu le dos, comme pour éluder une responsabilité qui me paraissait excessive.

— Pourquoi moi ?

C'était une question stupide, de celles qui ne servent qu'à gagner du temps. Corso dut croire à de la fausse modestie, mais il réprima une moue d'impatience.

— Vous êtes un spécialiste, répondit-il d'une voix un peu sèche. Et en plus d'être le critique littéraire le plus influent de ce pays, vous savez tout du roman populaire du XIXᵉ siècle.

— Vous oubliez Stendhal.

— Je ne l'oublie pas. J'ai lu votre traduction de *La Chartreuse de Parme*.

— Voyez-vous... Vous me flattez.

— N'en croyez rien. Je préfère celle de Consuelo Berges.

Nous sourîmes tous les deux. Il continuait à me faire bonne impression et je commençais à me faire une idée de son style.

— Vous connaissez mes livres ?

— Quelques-uns. *Lupin, Raffles, Rocambole, Holmes*, par exemple. Ou vos essais sur Valle-Inclán, Baroja et Galdós. Et puis, *Dumas : la marque d'un géant*. Et votre étude sur *Le Comte de Monte-Cristo*.

— Vous les avez tous lus ?

— Non. Le fait que je m'intéresse professionnellement à des livres ne signifie pas que je sois obligé de les lire.

Il mentait. Ou du moins, il exagérait le côté négatif de sa réponse. Le personnage appartenait à la famille des consciencieux ; avant de venir me voir, il avait jeté un coup d'œil sur tout ce qu'il avait pu trouver à mon sujet. C'était un de ces lecteurs compulsifs qui dévorent le papier imprimé depuis la plus tendre enfance ; au cas, peu probable, où l'enfance de Corso avait pu connaître un moment que l'on puisse qualifier de tendre.

— Je comprends, répondis-je pour dire quelque chose.

Il fronça un moment les sourcils pour s'assurer qu'il n'oubliait rien, puis ôta ses lunettes, souffla sur les verres et se mit à les essuyer avec un mouchoir froissé qu'il sortit des insondables poches de son manteau. Sous les fausses apparences de fragilité que lui donnait ce vêtement trop grand pour lui, avec ses incisives de rongeur et son air tranquille, Corso était solide comme le roc. Il avait des traits nets et précis, taillés à la serpe, des yeux attentifs, toujours prêts à exprimer une ingénuité dangereuse pour celui qui se laissait séduire par les apparences. Parfois, surtout lorsqu'il était immobile, il donnait l'impression d'être plus gauche et lent qu'il ne l'était en réalité. Il appartenait à cette catégorie d'êtres apparemment malmenés par la vie, à qui les hommes offrent des cigarettes et les garçons de café un dernier petit verre gratuit, tandis que les femmes éprouvent l'envie impérieuse de les adopter sur-le-champ. Ensuite, quand on se rend compte vraiment de ce qui se passe, il est déjà trop tard pour leur mettre la main au collet. Ils galopent au loin, gravant de nouvelles entailles sur le manche de leur poignard.

— Revenons à Dumas, proposa-t-il en montrant le manuscrit avec ses lunettes. Quelqu'un qui est capable d'écrire cinq cents pages sur lui devrait pouvoir reconnaître un air de famille devant ses originaux... Vous ne croyez pas ?

Je posai la main sur les pages protégées par leurs enveloppes de plastique, avec l'onction d'un prêtre devant les instruments du culte.

— Je regrette de vous décevoir, mais je ne sens rien.

Nous nous mîmes à rire tous les deux. Corso avait un rire particulier, comme s'il riait entre ses dents : celui de quelqu'un qui n'est pas sûr que lui et son interlocuteur rient bien de la même chose. Un rire retenu et distant, avec un peu d'insolence pour faire bonne mesure ; de ces rires qui flottent longtemps en l'air avant de s'évanouir. Longtemps même après que leur propriétaire s'en est allé.

— Une chose à la fois... Le manuscrit vous appartient ?

— Je vous ai déjà dit que non. Un client vient d'en faire l'acquisition et il s'étonne que personne jusqu'à présent n'ait entendu parler de ce chapitre original et intégral des *Trois Mousquetaires*... Il désire une expertise en règle, et j'y travaille.

— Je m'étonne que vous vous occupiez d'affaires mineures — c'était la vérité ; moi aussi j'avais déjà entendu parler de Corso. Après tout, Dumas, à notre époque...

Je laissai ma phrase en suspens avec un sourire de circonstance, un sourire d'amertume complice ; mais Corso n'accepta pas cet appel du pied et resta sur la défensive :

— Mon client est un ami, précisa-t-il d'une voix neutre. Il s'agit d'un service personnel.

— Je comprends, mais je ne sais si je vais pouvoir vous être utile. J'ai vu quelques originaux, et celui-ci pourrait bien être authentique ; mais de là à le certifier, il y a une marge. Pour cela, il vous faut un bon graphologue... J'en connais un excellent à Paris : Achille Replinger. Il possède une librairie spécialisée dans les autographes et documents historiques, près de Saint-Germain-des-Prés... Spécialiste des auteurs français du XIXe siècle, un homme charmant et un très bon ami à moi — je montrai un des cadres accrochés au mur. C'est lui qui m'a vendu cette lettre de Balzac, il y a des années. Très cher, naturellement.

Je sortis mon agenda pour recopier l'adresse sur une carte que je tendis à Corso. Il la rangea dans un portefeuille usé, rempli de bouts de papier, avant de sortir de son manteau un bloc et un crayon, de ceux qui sont munis d'une gomme à une extrémité. La gomme avait été maintes fois mordillée, comme celle d'un écolier.

— Je peux vous poser quelques questions ?

— Mais bien sûr.

— Étiez-vous au courant de l'existence d'un chapitre autographe complet des *Trois Mousquetaires* ?

Je fis signe que non avant de répondre, tout en revissant le capuchon de mon Montblanc.

— Non. Cette œuvre a été publiée par livraisons dans *Le Siècle*, entre mars et juillet 1844... Une fois le texte composé par le typographe, l'original manuscrit allait au panier. Mais quelques fragments ont cependant survécu ; vous pouvez les consulter en appendice à l'édition Garnier de 1968.

— Quatre mois, c'est peu — Corso mordillait le bout de son crayon, pensif. Dumas écrivait vite.

— À cette époque, tous le faisaient. Stendhal a rédigé sa *Chartreuse* en sept semaines. De toute façon, Dumas avait des collaborateurs, des *nègres* en jargon du métier. Celui des *Mousquetaires* s'appelait Auguste Maquet... Ils travaillèrent ensemble à la suite, à *Vingt Ans après*, ainsi qu'au *Vicomte de Bragelonne* qui termine le cycle. Et puis encore au *Comte de Monte-Cristo* et à quelques autres romans... Ceux-là, vous les aurez sans doute lus, je suppose.

— Naturellement. Comme tout le monde.

— Comme tout le monde à une autre époque, voulez-vous dire — je feuilletais avec respect les pages du manuscrit... Il est loin le temps où une signature de Dumas multipliait les tirages et enrichissait les éditeurs. Presque tous ses romans ont été publiés de cette façon, en feuilletons, avec la mention *Suite au prochain numéro* en bas de page. Et le public attendait le cœur battant le chapitre suivant... Mais vous savez tout cela.

— Je vous en prie. Continuez.

— Que voulez-vous que je vous dise de plus ? Dans le feuilleton type, la clé du succès est simple : le héros ou l'héroïne possèdent des vertus ou des traits qui obligent le lecteur à s'identifier à eux... C'est ce qu'on retrouve aujourd'hui dans le feuilleton télévisé. Mais imaginez l'effet produit, à une époque qui ne connaissait ni la radio ni la télévision, sur une bourgeoisie avide de surprises et de divertissement, peu exigeante lorsqu'il s'agissait de qualité formelle ou de bon goût... C'est ce qu'avait compris le génial Dumas qui fabriqua au moyen d'une savante alchimie un véritable produit de laboratoire : quelques gouttes de ceci, un peu de cela, plus du talent. Résultat : une drogue qui faisait de vous un esclave — et je me montrai du doigt, non sans orgueil. Qui en fait encore.

Corso prenait des notes. Pointilleux, sans scrupules et mortel comme un mamba noir, ainsi qu'allait plus tard le définir une de ses connaissances un jour que son nom était venu sur le tapis. Il avait une façon singulière de se placer en face de ses interlocuteurs, de vous regarder derrière ses lunettes posées de travers et d'acquiescer lentement, comme avec un certain doute raisonnable et bienveillant ; un peu comme une pute en train de réciter, pour vous faire plaisir, un sonnet sur Cupidon. Comme pour vous donner la possibilité de rectifier le tir avant qu'il ne soit trop tard.

Au bout d'un moment, il s'arrêta et leva les yeux.

— Mais vos travaux ne se limitent pas au roman populaire. Vous êtes un critique réputé... — il semblait hésiter, chercher le mot juste — dans d'autres domaines plus sérieux. Dumas lui-même disait de son œuvre que c'était de la littérature facile... On croirait presque à du mépris pour le public.

Cette feinte situait bien mon interlocuteur ; c'était une de ses signatures, comme le valet de Rocambole sur les lieux du crime. Il abordait les questions de loin, apparemment sans prendre parti, mais en vous harcelant de petites piques lancées à l'improviste. Celui qui s'irrite parle, avance des arguments et des justifications, procurant autant d'informations supplémentaires à l'adversaire. Même ainsi, ou peut-être à cause de cela, car je ne suis pas né de la dernière pluie et je comprenais la tactique de Corso, je me sentis agacé :

— Ne donnez pas dans les lieux communs, répondis-je avec impatience. Le feuilleton a produit beaucoup de papier éphémère, mais Dumas était au-dessus de cela... En littérature, le temps est un naufrage dans lequel Dieu reconnaît les siens ; je vous mets au défi de citer des héros imaginaires qui survivent avec autant de santé que d'Artagnan et ses compagnons, sauf peut-être le Sherlock Holmes de Conan Doyle... Le cycle des *Trois Mousquetaires* appartient indubitablement au genre du feuilleton de cape et d'épée ; vous y trouverez tous les vices propres à ce type de littérature. Mais c'est aussi un feuilleton illustre qui dépasse les niveaux habituels du genre. Une histoire d'amitié et d'aventure qui n'a rien perdu de sa fraîcheur, malgré l'évolution des goûts et le discrédit stupide dans lequel est tombée l'action. Depuis Joyce, on dirait que nous devons nous résigner à Molly Bloom et renoncer à Nausicaa après le naufrage, sur la plage... Vous n'avez jamais lu mon opuscule *Vendredi, ou les limbes du Pacifique* ?... En fait d'*Ulysse*, je me contente encore de celui d'Homère.

J'avais un peu haussé le ton sur cette cadence, attendant la réaction de Corso. Il souriait à demi, sans s'engager, mais je me souvenais de l'expression qu'avaient prise ses yeux lorsque j'avais mentionné Scaramouche, et je sentis que j'étais sur le bon chemin.

— Je sais de quoi vous voulez parler, dit-il enfin. Vos opinions sont aussi connues que polémiques, monsieur Balkan.

— Mes opinions sont connues parce que j'ai fait en sorte qu'elles le soient. Quant à mépriser le public, comme vous l'assuriez il y a un moment, vous ignorez peut-être que l'auteur des *Trois Mousquetaires* est monté sur les barricades pendant les révolutions de 1830 et de 1848, qu'il a fourni des armes à Garibaldi, payées de sa bourse... N'oubliez pas que le père de Dumas était un grand général républicain... Cet homme débordait d'amour pour le peuple et la liberté.

— Quoique son respect de l'exactitude des faits fût tout relatif.

— C'est peu de chose. Vous savez ce qu'il répondait à ceux qui l'accusaient de violer l'Histoire ?... « *Je la viole, certes. Mais je lui fais de beaux enfants.* »

Je déposai mon stylographe sur la table et me levai pour m'approcher des vitrines remplies de livres qui couvrent les murs de mon cabinet de travail. J'en ouvris une pour en extraire un volume relié en cuir foncé.

— Comme tous les grands fabulateurs, Dumas savait tromper son monde... La comtesse Dash, qui le connut fort bien, dit dans ses mémoires qu'il suffisait qu'il raconte une anecdote apocryphe pour que ce mensonge soit pris pour un fait historique... Voyez un peu le cardinal Richelieu : ce fut le plus grand homme de son temps. Mais après être passée par les mains mensongères de Dumas, son image nous arrive déformée et sinistre, sous les apparences peu engageantes de celle d'un grand méchant... — je me retournai vers Corso, le livre entre les mains. Connaissez-vous ceci ?... Une œuvre de Gatien de Courtilz de Sandras, un mousquetaire qui vécut à la fin du XVIIe siècle. Il s'agit des mémoires de d'Artagnan, le vrai. Charles de Batz-Castelmore, comte d'Artagnan. Un Gascon né en 1615 qui fut effectivement mousquetaire ; il ne vécut pas à l'époque de Richelieu, mais plutôt du temps de Mazarin. Il mourut en 1673, au siège de Maastricht quand, à l'instar de son homonyme fictif, il allait recevoir le bâton de maréchal... Comme vous le voyez, les viols d'Alexandre Dumas ont donné naissance à de beaux enfants... Le génie du romancier a transformé cet obscur Gascon en chair et en os, dont l'Histoire avait oublié le nom, en un géant de légende.

Assis dans son fauteuil, Corso écoutait toujours. Je lui mis entre les mains le livre qu'il feuilleta avec intérêt et précaution. Il tournait lentement les pages, en les effleurant à peine du bout des doigts, ne touchant que le bord des pages. De temps en temps, il s'arrêtait sur un nom ou un chapitre. Derrière les verres de ses lunettes, ses yeux se déplaçaient avec rapidité et assurance. À un moment donné, il s'arrêta pour noter quelque chose sur son bloc : « *Mémoires de M. d'Artagnan*, G. de Courtilz, 1704, P. Rouge, 4 volumes in-12, 4e édition. » Puis il referma le volume et me regarda longuement.

— Vous l'avez bien dit : c'était un menteur.

— Oui, dus-je admettre en me rasseyant. Mais de génie. Alors que d'autres se seraient bornés à plagier, il a construit un monde romanesque qui tient toujours debout... « *L'homme ne vole pas, il conquiert*, disait-il ; il fait de la province qu'il prend une annexe de son empire : il lui impose ses lois, il la peuple de ses sujets, il étend son sceptre d'or sur elle... » La création littéraire serait-elle autre chose ?... Dans son cas, le filon qu'il exploite est celui de l'histoire de France. La formule était extraordinaire : respecter le cadre et altérer le tableau, piller sans vergogne le trésor qui s'offrait à lui... Dumas transforme les personnages principaux en secondaires, ceux qui furent d'humbles cadets deviennent protagonistes, et il aligne des pages et des pages sur des incidents qui dans la chronique réelle occupent deux lignes... Le pacte d'amitié conclu entre d'Artagnan et ses compagnons n'a jamais existé, notamment parce que certains d'entre eux n'eurent pas l'occasion de se connaître... De même, il n'y a jamais eu de comte de la Fère, ou bien il y en a eu beaucoup, mais aucun d'eux ne s'appela Athos. En revanche, Athos a bel et bien existé ; il s'appelait Armand de Sillègue, seigneur d'Athos, et il est mort d'une estocade lors d'un duel, avant que d'Artagnan n'entre chez les mousquetaires du roi... Aramis était Henri de Aramitz, écuyer, abbé laïque de la sénéchaussée d'Oloron, enrôlé en 1640 dans les mousquetaires que commandait son oncle. Il finit ses jours sur ses terres, entouré de sa femme et de ses quatre enfants. Quant à Porthos...

— Ne me dites pas qu'il y a eu aussi un Porthos.

— Mais si. Il s'appelait Isaac de Portau et il a dû connaître

Aramis, ou Aramitz, puisqu'il est entré chez les mousquetaires trois ans après lui, en 1643. Selon la chronique, il est mort prématurément, d'une maladie, d'une blessure de guerre, ou lors d'un duel, comme Athos.

Corso se mit à tambouriner sur les *Mémoires* de d'Artagnan et tourna légèrement la tête. Il souriait.

— Dans un instant, vous allez me dire aussi que Milady a existé...

— Exactement. Mais elle ne s'appelait pas Anne de Breuil et elle n'était pas non plus duchesse de Winter. Pas plus qu'elle ne portait une fleur de lys marquée à l'épaule. Mais elle était effectivement agent de Richelieu. Il s'agissait de la comtesse Carlisle et, de fait, elle vola deux ferrets de diamants au duc de Buckingham lors d'un bal... Ne faites pas cette tête. La Rochefoucauld le raconte dans ses mémoires. Et La Rochefoucauld était un homme tout à fait sérieux.

Corso me regardait fixement. Il ne semblait pas être de ceux qui ont l'admiration facile, moins encore lorsqu'il s'agit de livres ; mais il paraissait impressionné. Plus tard, quand je le connus mieux, j'en vins à me demander si cette admiration était sincère, ou si elle faisait partie de son répertoire de feintes professionnelles. Maintenant que tout est terminé, je crois en être sûr : j'étais une source supplémentaire de renseignements, et Corso donnait du mou au cerf-volant.

— Tout ceci est passionnant.

— Si vous allez à Paris, Replinger pourra vous en dire bien davantage — je jetai un coup d'œil au manuscrit, sur le bureau. Mais j'ignore si les résultats d'un tel voyage justifieraient la dépense... Que peut valoir ce chapitre sur le marché ?

Il mordilla de nouveau le bout de son crayon, dubitatif :

— Pas beaucoup. Mais je dois aller à Paris pour une autre affaire.

Je souris avec une tristesse complice.

— Parmi mes maigres possessions, je compte un *Don Quichotte* d'Ibarra et une Volkswagen. Naturellement, l'auto m'a coûté plus que le livre.

— Je vois, dis-je sur un ton compréhensif.

Corso esquissa une grimace que l'on pouvait croire de résignation, puis il fit une moue pleine d'amertume qui découvrit ses incisives de rongeur :

— Tant que les Japonais ne se seront pas fatigués de Van Gogh et de Picasso, ajouta-t-il, et qu'ils ne se mettront pas à placer tout leur argent dans des livres rares.

Je me renversai dans mon fauteuil, scandalisé.

— Que Dieu nous garde quand ce jour sera venu !

— Vous parlez pour vous — il me regardait avec malice derrière ses lunettes perchées de travers. Pour ma part, j'espère bien m'en mettre plein les poches, monsieur Balkan.

Il remit son bloc dans la poche de son manteau, puis se leva et jeta son sac de toile sur son épaule. Je ne pus m'empêcher de m'arrêter un instant sur son aspect trompeusement paisible, avec ces lunettes à monture de métal qui ne tenaient jamais droit sur son nez. Plus tard, j'appris qu'il vivait seul, parmi les livres, les siens et ceux des autres, et qu'en plus d'être chasseur à gages, il était spécialiste des jeux napoléoniens, capable de reproduire de mémoire l'ordre de bataille exact à la veille de Waterloo : une histoire familière, un peu étrange, que je ne connus complètement que beaucoup plus tard. Je dois admettre que, peint sous ce jour, Corso semble dépourvu du moindre attrait. Pourtant, pour nous en tenir à la rigueur avec laquelle je veux conter cette histoire, je dois préciser qu'avec sa gaucherie, avec précisément cette maladresse qui pouvait être — j'ignore comment il y parvenait — à la fois caustique et vulnérable, ingénue et agressive, il parvenait à avoir ce que les femmes appellent du charme, tandis qu'il suscitait la sympathie chez les hommes. Sentiment positif qui s'envole en fumée lorsqu'on se tâte la poche pour constater qu'on vient de se faire délester de son portefeuille.

Corso récupéra le manuscrit et je l'accompagnai à la porte. Il s'arrêta pour me serrer la main dans le vestibule d'où les portraits de Stendhal, Conrad et Valle Inclán observent avec sévérité l'atroce lithographie que l'assemblée des copropriétaires a décidé, avec une seule voix contre, la mienne, d'accrocher il y a quelques mois sur le palier.

Ce n'est qu'à ce moment que j'osai formuler ma question :

— J'avoue que je suis curieux de savoir où l'on a trouvé ce manuscrit.

Il s'arrêta, indécis, avant de répondre. Manifestement, il pesait le pour et le contre. Mais je l'avais reçu aimablement et il était mon débiteur. Et puis, peut-être aurait-il encore besoin de moi. Il n'avait donc pas vraiment le choix.

— Vous le connaissez peut-être, répondit-il enfin. C'est un de mes clients qui l'a acheté, un certain Taillefer.

Je me permis une moue de surprise, mais sans exagération.

— Enrique Taillefer ?... L'éditeur ?

Son regard errait dans le vestibule. Finalement, il hocha une seule fois la tête, de haut en bas.

— Lui-même.

Nous restâmes silencieux tous les deux. Corso haussa les épaules, et je savais fort bien pourquoi. La raison de son geste s'étalait sur les pages de faits divers de tous les journaux ; Enrique Taillefer était mort une semaine plus tôt. On l'avait retrouvé pendu dans son salon : le cordon de sa veste d'intérieur en soie enroulé autour du cou, les pieds ballants dans le vide, au-dessus d'un livre ouvert et d'une potiche brisée en mille morceaux.

Quelque temps plus tard, quand tout fut terminé, Corso consentit à me raconter le reste de l'histoire. C'est ainsi que je peux reconstituer maintenant avec une fidélité raisonnable certains faits dont je ne fus pas le témoin : l'enchaînement de circonstances qui conduisit au dénouement fatal et à la solution de l'énigme entourant *Le club Dumas*. Grâce aux confidences du chasseur de livres, je peux donc ici faire office de docteur Watson et vous informer que l'acte suivant commença une heure après notre entretien, dans le bar de Makarova. Flavio La Ponte, dégoulinant de pluie, hors d'haleine, alla s'accouder au bar à côté de Corso et commanda un demi. Puis il regarda dans la direction de la rue, plein de rancœur mais content de lui, comme s'il venait d'échapper au feu croisé de francs-tireurs. La pluie tombait avec une fureur biblique.

— La maison *Armengol et Fils, Livres anciens et curiosités bibliographiques* pense te chercher des noises, dit-il, sa barbe blonde mouchetée de mousse autour de la bouche. Leur avocat vient de téléphoner.

— Et de quoi m'accusent-ils ? demanda Corso.

— D'avoir trompé une petite vieille pour piller sa bibliothèque. Ils jurent qu'ils s'étaient déjà entendus avec elle.

— Eh bien, ils n'avaient qu'à se lever plus tôt, comme moi.

— C'est ce que j'ai dit, mais ils sont furieux. Quand ils sont venus chercher le lot, le *Persiles* et le *Fuero Real de Castilla* s'étaient envolés. Et pour le reste, tu as fait une évaluation très supérieure à la valeur réelle. La propriétaire refuse de vendre maintenant. Elle demande le double de ce qu'ils lui offrent... —

il but une gorgée de bière en faisant un clin d'œil, rieur et complice. Ratiboiser une bibliothèque, c'est ainsi qu'on appelle cette jolie manœuvre.

— Je sais, je sais — Corso montrait ses crocs dans un sourire cruel. Et la maison Armengol et Fils le sait aussi bien que moi.

— Méchanceté inutile, précisa La Ponte, objectif. Mais ce qui leur fait surtout mal, c'est le *Fuero Real*. Ils disent que tu leur as fait un coup bas en le barbotant.

— Et j'allais le laisser là-bas ! Une glose latine de Díaz de Montalvo, sans indications typographiques, mais imprimée à Séville, chez Alonso del Puerto, vraisemblablement en 1482... — Corso redressa ses lunettes avec son index pour mieux regarder son ami. Qu'en dis-tu ?

— Pour moi, pas de problème ! Mais ils sont plutôt énervés.

— Alors, qu'ils se mettent au tilleul.

C'était l'heure de l'apéritif. Comme il n'y avait pas beaucoup de place au bar, ils étaient serrés épaule contre épaule, dans la fumée des cigarettes et le brouhaha des conversations, veillant à ne pas mettre les coudes dans les petites flaques de mousse qui couvraient le zinc.

— Et apparemment, ajouta La Ponte, ce *Persiles* est l'édition princeps. Reliure signée Trautz-Bauzonnet.

Corso secoua la tête.

— Non, Hardy. En maroquin.

— Encore mieux. De toute façon, je leur ai donné ma parole que je n'avais rien à voir avec cette affaire. Tu sais que je suis allergique aux disputes.

— Mais pas à ton trente pour cent.

L'autre leva la main, très digne.

— Je t'arrête. Ne mélange pas les torchons et les serviettes, Corso. La belle amitié que nous nous portons est une chose. Le pain de mes enfants en est une autre, tout à fait différente.

— Tu n'as pas d'enfants.

La Ponte fit une grimace moqueuse.

— Laisse-moi un peu de temps. Je suis encore jeune.

Il était plutôt petit, beau garçon, coquet, très soigné de sa personne, le sommet du crâne dégarni. Il s'arrangea un peu les cheveux avec la paume de la main, puis examina le résultat dans le miroir du bar. Il jeta ensuite un regard professionnel à

l'entourage, à l'affût d'une éventuelle présence féminine. Il y
était toujours attentif, comme à construire des phrases courtes
dans sa conversation. Son père, libraire fort instruit, lui avait
appris à écrire en lui dictant des morceaux choisis d'Azorín.
Peu de gens se souviennent encore d'Azorín, mais La Ponte
continuait à construire comme lui. Avec beaucoup de points.
Cela lui donnait un certain aplomb dialectique à l'heure de
séduire les clientes dans l'arrière-boutique de sa librairie de la
calle Mayor, là où se trouvait la réserve des classiques éro-
tiques.

— Et puis, reprit-il, j'ai quelques affaires en suspens avec
Armengol et Fils. Des affaires délicates. Rentables à court
terme.

— Avec moi aussi, rétorqua Corso par-dessus son verre de
bière. Tu es le seul libraire pauvre pour qui je travaille. Et ces
livres, c'est toi qui vas les vendre.

— D'accord, s'excusa La Ponte sans s'émouvoir. Tu sais
que je suis un type pratique. Pragmatique. Vil et méprisable.

— Je sais.

— Dans un western, j'accepterais au grand maximum une
balle dans le dos, et encore par pure amitié.

— Au grand maximum, reconnut Corso.

— De toute façon, ça n'a pas d'importance — La Ponte
regardait autour de lui, distrait. J'ai déjà un acheteur pour le
Persiles.

— Alors, paye-moi un autre verre. Sur ta commission.

Corso et lui étaient de vieux amis. Ils aimaient leurs demis
avec un grand faux col et le Bols dans sa bouteille de marin en
terre foncée, mais surtout les livres anciens et la brocante du
vieux Madrid. Ils s'étaient connus bien des années plus tôt,
quand Corso fouinait dans les librairies spécialisées pour le
compte d'un client qui s'intéressait à une *Celestina* fantôme que
quelqu'un donnait comme antérieure à l'édition connue de
1499. La Ponte n'avait pas ce livre ; il n'en avait même jamais
entendu parler. En revanche, il comptait parmi ses trésors une
édition du *Dictionnaire des raretés et invraisemblances bibliographiques* de Julio Ollero qui faisait allusion à la question. De
leur conversation sur les livres était née une certaine affinité,
confirmée lorsque La Ponte avait mis le verrou à la porte de sa
boutique et que tous les deux étaient allés vider tout ce qu'il y
avait à vider dans le bar de Makarova, tout en échangeant des

souvenirs sur Melville, dont le *Pequod* avait vu grandir La Ponte depuis sa plus petite enfance, en même temps que les escapades d'Azorín. « *Appelez-moi Ismahel* », avait-il dit en faisant cul sec à son troisième Bols. Et Corso l'avait appelé Ismahel, en citant de mémoire et en son honneur l'épisode du forgeage du harpon d'Achab :

> *Et l'on donna trois coups dans la chair païenne, et les barbes du harpon promis à la Baleine blanche prirent leur trempe...*

Ce qu'on arrosa comme il se devait, jusqu'à ce que La Ponte cesse de regarder les jeunes filles qui entraient et sortaient du bar pour jurer à Corso son amitié éternelle. Au fond, c'était un type un peu naïf — en dépit de son cynisme militant et du côté charognard de la profession de libraire d'occasion qu'il exerçait — et il ignorait que son nouvel ami aux lunettes de guingois exécutait une subtile manœuvre d'enveloppement : quelques coups d'œil sur ses rayons lui avaient permis de repérer plusieurs titres sur lesquels il pensait négocier. Mais il est sûr que La Ponte, avec sa petite barbe blonde et bouclée, ses yeux aussi doux que ceux du gabier Billy Budd et ses rêves de chasseur de baleines frustré, avait su conquérir la sympathie de Corso. N'était-il pas capable de réciter la liste complète des membres d'équipage du *Pequod* — Achab, Stubb, Starbuck, Flask, Perth, Parsi, Quiequeg, Tasthego, Daggoo... —, les noms de tous les bateaux cités dans *Moby Dick* — *Goney, Town-Ho, Jeroboam, Jungfrau, Bouton de Rose, Soltero, Deleite, Raquel...* —, et de plus, il savait exactement, preuve suprême, ce qu'était l'ambre gris. Ils parlèrent de livres et de baleines. Et c'est ainsi que fut fondée cette nuit-là la Fraternité des Harponneurs de Nantucket, avec Flavio La Ponte comme secrétaire général et Lucas Corso comme trésorier, seuls et uniques membres au demeurant, placée sous le bienveillant patronage de Makarova qui refusa de leur faire payer la dernière tournée pour terminer la soirée en partageant avec eux une dernière bouteille de gin.

— Je vais à Paris, annonça Corso en regardant dans la glace une grosse femme qui glissait toutes les quinze secondes des pièces de monnaie dans la fente d'une machine à sous, comme si la musiquette et le mouvement des fruits et cloches de couleur allaient la faire rester là, hypnotisée et parfaitement immobile, à part sa main qui appuyait sur les boutons du jeu, jusqu'à la fin des temps. Je vais m'occuper de ton *Vin d'Anjou*.

Il vit que son ami pinçait le nez et l'observait en coin. Paris, c'était des frais supplémentaires, des complications. La Ponte était un libraire modeste et pingre.

— Tu sais bien que je ne peux pas me le permettre.

Corso vidait lentement son verre.

— Si, tu peux — il sortit quelques pièces pour payer la tournée. J'y vais pour une autre affaire.

— Une autre affaire... répéta La Ponte en le regardant avec intérêt.

Makarova posa deux autres bières sur le comptoir. C'était une grande blonde, dans la quarantaine, cheveux courts, un anneau à l'oreille, souvenir du temps où elle naviguait à bord d'un chalutier russe. Elle portait des pantalons étroits et une chemise dont elle retroussait les manches jusqu'aux épaules. Et ses biceps excessivement développés n'étaient pas la seule chose masculine qu'on pouvait flairer en elle. Elle avait toujours une cigarette allumée au coin de la bouche, qu'elle laissait brûler là. Son allure balte et sa démarche lui donnaient l'air d'un ouvrier ajusteur dans une fabrique de roulements à billes de Leningrad.

— J'ai lu le livre, dit-elle à Corso en avalant les *r* ; la cendre de sa cigarette tomba sur sa chemise humide. Cette typesse, la Bovary. Pauvre conne.

— Je suis heureux de voir que tu as compris le fond de l'histoire.

Makarova passa le chiffon devant eux. À l'autre bout du bar, Zizi la surveillait tout en faisant tinter la caisse enregistreuse. C'était le pôle opposé de Makarova : beaucoup plus jeune, menue, et très jalouse. Parfois, à l'heure de la fermeture, elles se battaient à coups de poing, complètement saoules, devant les derniers clients de confiance. En une occasion, après une de ces disputes qui lui avait cette fois valu un œil au beurre noir, Zizi avait pris ses cliques et ses claques, furieuse et d'humeur vindicative. Jusqu'à ce qu'elle rentre, trois jours plus tard, les larmes de Makarova avaient fait *flic-flac* en tombant dans les verres de bière. Ce soir-là, elles fermèrent tôt et on les vit s'en aller enlacées par la taille, s'embrassant dans l'ombre des porches comme deux petites jeunes filles amoureuses.

— Il va à Paris, expliqua La Ponte en désignant Corso du menton. Il cache bien son jeu, celui-là.

Makarova ramassa les verres vides tout en regardant Corso à travers la fumée de sa cigarette.

— Il cache toujours quelque chose, répondit-elle, gutturale et flegmatique. Quelque part.

Puis elle déposa les verres dans l'évier et s'en alla s'occuper d'autres clients en faisant rouler ses épaules de débardeur. Corso était l'unique spécimen masculin qui échappait à son dédain pour le sexe opposé, ce qu'elle avait coutume de clamer haut et fort quand elle lui offrait un verre. Zizi elle-même le regardait avec une certaine neutralité. En une occasion où Makarova avait fait un tour au violon après avoir cassé la figure à un agent lors d'une manifestation de gays et de lesbiennes, Zizi avait attendu toute la nuit au commissariat, assise sur un banc. Corso l'avait accompagnée, armé de sandwichs et d'une bouteille de gin, non sans avoir auparavant pris contact avec ses relations dans la police afin d'arrondir un peu les angles. Tout cela rendait La Ponte absurdement jaloux.

— Pourquoi Paris ? demanda-t-il, même si son attention était ailleurs. Son coude gauche venait de s'enfoncer dans quelque chose de délicieusement mou. Et il parut enchanté de découvrir que sa voisine de bar était une jeune blonde armée d'énormes nichons.

Corso prit une gorgée de bière.

— Je vais aller aussi à Sintra, au Portugal — il continuait à regarder la grosse de la machine à sous. Complètement plumée, elle tendait un billet à Zizi pour faire de la monnaie. Une affaire pour Varo Borja.

Il entendit son ami siffler entre ses dents : Varo Borja, le plus grand libraire du pays. Un catalogue dépouillé, mais choisi. Et il possédait une solide réputation de bibliophile qui ne regardait pas à la dépense. Impressionné, La Ponte demanda une autre bière et de plus amples renseignements, avec cet air de buse rapace qu'il prenait automatiquement dès qu'il entendait le mot *livre*. Son caractère, quoique pingre, poltron et fier de l'être, ignorait l'envie, sauf lorsqu'il s'agissait de la propriété de femmes jolies et harponnables. Sur le plan professionnel, à part la satisfaction de mettre la main sur de belles pièces acquises à peu de risque, il éprouvait un respect sincère pour le travail et la clientèle de son ami.

— Tu as entendu parler des *Neuf Portes* ?

Le libraire, qui fouillait dans ses poches en prenant tout son temps pour que Corso paye cette fois encore et qui était sur le point de se retourner pour étudier plus à loisir son opulente voisine, parut oublier aussitôt sa proie. Il était bouche bée.

— Ne me dis pas que Varo Borja veut ce livre...

Corso déposa ses dernières pièces sur le comptoir. Makarova leur servit deux demis.

— Il l'a depuis longtemps. Et il l'a payé une fortune.

— Je n'en doute pas. Il n'en existe que trois ou quatre exemplaires connus.

— Trois, précisa Corso.

L'un se trouvait à Sintra, dans la collection Fargas. L'autre à la Fondation Ungern, à Paris. Et le troisième, provenant de la vente de la bibliothèque Terral-Coy de Madrid, était celui dont Varo Borja avait fait l'acquisition. Fasciné, La Ponte caressait les boucles de sa barbe. Naturellement, il avait entendu parler de Fargas, le bibliophile portugais. Quant à la baronne Ungern, cette vieille folle avait fait fortune en écrivant des livres sur l'occultisme et la démonologie. Son dernier succès, *Isis nue*, battait tous les records de vente dans les grands magasins.

— Ce que je ne comprends pas, reprit La Ponte, c'est ce que tu as à voir dans tout ça.

— Tu connais l'histoire du livre ?

— Très superficiellement, reconnut l'autre.

Corso trempa un doigt dans la mousse de sa bière et se mit à dessiner sur le zinc :

— L'époque, milieu du XVII⁰ siècle. Le lieu, Venise. Le protagoniste, un imprimeur du nom d'Aristide Torchia qui se met en tête d'éditer le *Livre des Neuf Portes du Royaume des Ombres*, une espèce de manuel pratique pour invoquer le diable... L'époque n'est pas propice à ce genre de littérature : le Saint-Office parvient à obtenir, sans grand effort, qu'on lui livre Torchia. Les chefs d'accusation : pratique des arts diaboliques dans toutes leurs variantes, aggravée par le fait que l'imprimeur a reproduit neuf gravures du célèbre *Delomelanicon*, le classique des livres noirs, que la tradition attribue à la main de Lucifer lui-même...

Makarova s'était approchée et tendait l'oreille, très attentive, en s'essuyant les mains sur sa chemise. La Ponte, sur le point de porter son verre à ses lèvres, s'arrêta en ébauchant instinctivement une grimace d'avidité professionnelle.

— Et cette édition ?

— Tu peux l'imaginer : ils en ont fait un joli feu de joie — Corso se composa un sourire cruel et chagrin ; il semblait véritablement regretter de ne pas avoir été témoin du spectacle. On dit qu'on entendait crier le diable au milieu des flammes.

Les coudes appuyés sur les gribouillis humides à côté des manettes de la bière pression, Makarova poussa un grognement sceptique. Son assurance de blonde, nordique et virile, n'était pas compatible avec les superstitions et les brumes méridionales. La Ponte, plus impressionnable, plongea le nez dans sa bière, pris d'une soif subite :

— Si on a entendu quelqu'un crier, je suppose que c'était l'imprimeur.

— Tu parles !

La Ponte frémit en s'imaginant la scène.

— Torturé, continua Corso, avec cette conscience professionnelle dont l'Inquisition faisait preuve face aux arts du Malin, l'imprimeur a fini par avouer, entre deux hurlements, qu'il restait encore un livre, un seul, en lieu sûr. En un lieu connu de lui seul. Puis il a fermé la bouche et ne l'a pas rouverte avant d'être brûlé vif. Et même alors, il s'est contenté de crier *Aïe !*

Makarova dédia un sourire méprisant à la mémoire de l'imprimeur Torchia, ou peut-être à celle de ces bourreaux incapables de lui arracher son ultime secret. La Ponte fronçait les sourcils.

— Tu dis qu'il n'est resté qu'un seul livre. Mais tout à l'heure, tu parlais de trois exemplaires connus.

Corso avait ôté ses lunettes et les regardait à contre-jour pour s'assurer de la propreté des verres.

— C'est bien le problème. Les livres ont apparu et disparu au gré des guerres, des vols et des incendies. Quel est l'exemplaire authentique ? On l'ignore.

— Ils sont peut-être tous faux, lança Makarova, inspirée par son bon sens.

— Peut-être. Et je dois lever le doute, découvrir si Varo Borja est en possession de l'original, ou si on lui a fait prendre des vessies pour des lanternes. C'est pour cette raison que je vais à Sintra et à Paris — il ajusta ses lunettes pour regarder La Ponte. En passant, je m'occuperai aussi de ton manuscrit.

Le libraire acquiesçait, pensif, lorgnant du coin de l'œil l'image de la jeune fille aux gros nichons dans le miroir du bar.

— Par comparaison, il semble un peu ridicule de te faire perdre ton temps avec *Les Trois Mousquetaires*...

— Ridicule ? — Makarova sortit du terrain de la neutralité pour se montrer à présent véritablement offensée. J'ai jamais lu un meilleur roman !

Et elle ponctua cette déclaration d'un solide coup de la paume sur le zinc, faisant saillir dans toute leur robustesse les muscles de ses avant-bras nus. Boris Balkan aurait aimé l'entendre, pensa Corso. Dans la liste très particulière des *best-sellers* de Makarova, pour qui il faisait office de conseiller littéraire, le roman de Dumas partageait les honneurs stellaires avec *Guerre et Paix*, *La Colline de Watership*, et *Carol* de la célèbre Highsmith. Entre autres.

— Rassure-toi, expliqua-t-il à La Ponte. Mon intention est de faire casquer Varo Borja pour toi. Mais j'aurais tendance à penser que ton *Vin d'Anjou* est authentique... Qui s'amuserait à falsifier un truc pareil ?

— Il y a des gens prêts à tout, fit remarquer Makarova avec une infinie sagesse.

La Ponte partageait l'opinion de Corso ; dans ce cas particulier, une manipulation quelconque aurait été absurde. Feu Taillefer lui avait garanti l'authenticité du manuscrit : de la main même du brave Alexandre. Et Taillefer était un homme de confiance.

— Je lui apportais souvent des feuilletons anciens ; il les achetait tous — il but une gorgée en laissant échapper un petit rire par-dessus son verre. Un prétexte comme un autre pour aller reluquer les jambes de sa femme. Une blonde du tonnerre. Spectaculaire. Bref, un jour je le vois ouvrir un tiroir et il pose *Le Vin d'Anjou* sur la table. « Il est à vous, me dit-il sans préambule, si vous vous chargez d'une expertise en bonne et due forme et si vous le mettez immédiatement en vente... »

Un client appela Makarova pour lui demander un bitter sans alcool. Elle l'envoya promener. Toujours immobile derrière le bar, son mégot au coin des lèvres, les yeux mi-clos à cause de la fumée, elle attendait la suite de l'histoire.

— C'est tout ? demanda Corso.

La Ponte fit un geste vague.

— Pratiquement. J'ai essayé de l'en dissuader, car je connaissais sa passion. C'était un de ces bonshommes capables de vendre leur âme pour une pièce rare. Mais il avait pris sa décision. « Si ce n'est pas vous, ce sera un autre. » Évidemment, avec cet argument, il ne pouvait manquer de faire vibrer ma corde sensible. Je veux parler de ma fibre commerciale.

— Précision parfaitement inutile, commenta Corso. C'est la seule fibre que je te connaisse.

En quête de chaleur humaine, La Ponte se retourna vers les yeux couleur de plomb de Makarova ; mais il renonça aussitôt. Il venait de voir qu'il y faisait aussi chaud que dans un fjord norvégien à trois heures du matin.

— Quel bonheur de se sentir aimé, dit-il enfin, un peu fâché.

L'amateur de bitter avait vraiment soif, signala Corso, car il revenait à la charge. En le regardant du coin de l'œil, mais sans bouger d'un pouce, Makarova lui conseilla d'aller se faire voir ailleurs avant qu'on ne lui pète une arcade sourcilière. L'autre, après quelques instants de réflexion, parut comprendre l'essence du message et s'ôta du chemin.

— Enrique Taillefer était un type bizarre — La Ponte lissait une fois de plus ses cheveux sur son début de tonsure, sans perdre un instant de vue l'opulente blonde du miroir. Il voulait que je vende le manuscrit en faisant de la publicité sur l'affaire — il baissa un peu le ton pour ne pas donner d'inquiétudes à la blonde. « Quelqu'un va avoir une surprise », m'a-t-il dit, très mystérieux. Avec un clin d'œil, comme s'il m'annonçait qu'il allait faire la bombe toute la nuit. Quatre jours plus tard, il était mort.

— Mort, répéta Makarova d'une voix gutturale, savourant le mot, pendue à ses lèvres.

— Suicide, précisa Corso ; mais elle haussa les épaules comme s'il n'y avait pas tant de différence entre le suicide et l'assassinat. Un manuscrit douteux, une mort sûre et certaine : assez pour qu'il y ait anguille sous roche.

En entendant parler de suicide, La Ponte approuva en prenant une mine lugubre :

— C'est ce qu'on dit.

— Tu n'en sembles pas convaincu.

— C'est que je ne le suis pas. Tout est très étrange — il fronça les sourcils, sombre à présent, indifférent au miroir. Cette histoire sent mauvais.

— Taillefer ne t'a jamais raconté comment il avait mis la main sur le manuscrit ?

— Au début, je ne lui ai pas demandé. Ensuite, c'était trop tard.

— Tu as parlé à la veuve ?

La question fit s'éclaircir le front de notre libraire. Il se fendait à présent d'un large sourire, d'une oreille à l'autre.

— Je te réserve la primeur de cet épisode — sa voix était celle de qui se souvient d'un coup fumant, oublié dans la fureur de l'action. Comme ça, tu seras payé en nature. Je ne peux pas t'offrir le dixième de ce que tu vas tirer de Varo Borja pour son Livre des neuf bidules.

— À charge de revanche quand tu découvriras un *Audubon* et que tu deviendras millionnaire. Je ne fais que différer les paiements.

La Ponte sembla se froisser. Pour un cynique de son envergure, se dit Corso, il était bien sensible à l'heure de l'apéritif.

— Je croyais que tu m'aidais par pure amitié, protesta le libraire. Tu vois ce que je veux dire. Le Club des Harponneurs de Nantucket. Là-bas ! Elle souffle, etc., etc.

— L'amitié... — Corso regarda autour de lui, comme s'il espérait que quelqu'un lui explique le mot. Les bars et les cimetières sont remplis d'amis irremplaçables.

— Mais tu es de quel bord, salopard ?

— Du sien, soupira Makarova. Corso est toujours de son bord.

Désolé, La Ponte constata que la blonde aux gros nichons s'en allait au bras d'un type élégant, tiré à quatre épingles. Corso continuait à regarder la grosse de la machine à sous. Sa dernière pièce avalée, elle restait plantée à côté de la machine, déconcertée, vide, les bras ballant le long du corps. Un homme de haute taille, brun, vint prendre la relève devant les boutons ; il avait une moustache noire, bien fournie, et une balafre sur la joue. Son aspect évoqua chez Corso un souvenir familier, fugace, trouble. Au grand désespoir de la grosse, la machine crachait maintenant une bruyante avalanche de pièces.

Makarova offrit à Corso une dernière bière. Cette fois, La Ponte dut payer son écot.

II

La main du mort

Milady souriait et d'Artagnan sentait
qu'il se damnerait pour ce sourire.
(A. Dumas, Les Trois Mousquetaires)

Il est des veuves inconsolables, et des veuves auxquelles n'importe quel mâle apporterait avec plaisir le réconfort idoine. Liana Taillefer entrait sans aucun doute dans la seconde catégorie. Grande et blonde, de peau blanche et de mouvements languides. Une de ces femmes avec lesquelles s'écoule une éternité entre le moment où elles sortent une cigarette du paquet et celui où elles expulsent leur première bouffée de fumée, tout cela en regardant droit dans les yeux leur interlocuteur masculin, avec l'aplomb tranquille que procurent une certaine ressemblance avec Kim Novak, des mensurations anatomiques généreuses, presque excessives, et un compte en banque — légataire universelle de feu Taillefer éditeur S.A. — à propos duquel l'expression *solvable* ne serait qu'un timide euphémisme. Il est étonnant de voir la quantité d'argent qu'on peut mettre au garde-manger en publiant des livres de cuisine. *Les Mille Meilleurs desserts galiciens*, par exemple. Ou les quinze éditions, épuisées, d'un classique : *Les Secrets du barbecue*.

L'appartement était situé dans un ancien palais, celui du marquis de los Alumbres, transformé en immeuble de grand luxe. Sur le plan de la décoration, le goût des propriétaires semblait être de ceux qui se forment en peu de temps mais avec beaucoup d'argent. Ce n'est qu'ainsi qu'on pouvait justifier la coexistence d'une faïence de Lladró — une petite fille avec un canard, comme put le constater Lucas Corso sans grande passion — dans la même vitrine que des pastoureaux de Saxe pour lesquels, sans aucun doute, quelque antiquaire déluré avait saigné en bonne et due forme feu Enrique Taillefer, ou l'épouse du susdit. Il y avait aussi un secrétaire Biedermeier, naturellement, et un piano Steinwood à côté d'un tapis aussi oriental que coûteux. Et encore un immense sofa de cuir blanc et d'aspect confortable sur lequel Liana Taillefer croisait, en ce moment même, deux jambes extraordinairement bien tournées que sa robe noire, de rigueur en cette période de deuil, à peine une main au-dessus du genou en position assise mais laissant deviner de voluptueuses lignes un peu plus en amont — vers l'ombre et le mystère, allait dire plus tard Lucas Corso quand il se remémorerait la scène —, encadrait et délimitait exactement comme il convenait. Précisons qu'il faudrait se garder de faire peu de cas de l'observation de Corso, car il n'était qu'en apparence un de ces hommes équivoques que l'on imagine facilement vivre avec une mère âgée qui tricote des bas de laine et apporte le dimanche à son fils une bonne tasse de chocolat chaud au lit ; ce fils que l'on voit parfois dans les films suivre tout seul un corbillard, sous la pluie, les yeux rouges, murmurant *maman* avec toute la détresse de l'orphelin désemparé. Corso n'avait jamais été désemparé de toute sa vie. De mère, il n'en avait pas non plus. Et lorsqu'on finissait par le connaître un peu, on se demandait même s'il en avait jamais eu une.

— Je suis désolé de vous déranger dans ces circonstances, dit Corso.

Il était assis en face de la veuve, engoncé dans son manteau, son sac de toile sur les genoux. Il se tenait bien droit au bord de son siège, tandis que les yeux de Liana Taillefer — bleu acier, grands et froids — l'examinaient de haut en bas, résolus à le classer dans quelque espèce connue de la race masculine. Parfaitement conscient des difficultés de la tâche, il se soumit à cet examen sans chercher à causer une impression particulière. Il connaissait la musique et, en ce moment précis, ses actions étaient à la baisse sur la bourse des valeurs de Taillefer S.A., veuve du susdit. Ce qui réduisait la question à une espèce de curiosité dédaigneuse, après une attente de dix minutes au salon, une fois vaincue certaine donzelle qui, le prenant pour un représentant de commerce, avait bien failli lui claquer la porte au nez. Mais maintenant, la veuve jetait de temps en temps un coup d'œil au classeur que Corso avait sorti de son sac, et les choses commençaient à changer. Quant à lui, il faisait de son mieux pour soutenir le regard de Liana Taillefer derrière ses lunettes en équilibre instable, en évitant les écueils rugissants — Charybde et Scylla : Corso avait des lettres — constitués par ses jambes au midi, et son buste — exubérant, c'était bien le mot, se dit-il ; il le retournait depuis quelque temps dans sa bouche — que le sweater d'angora noir moulait de façon parfaitement dévastatrice au septentrion.

— Il me serait très utile, précisa-t-il enfin, de savoir si vous étiez au courant de l'existence de ce document.

Il lui tendit le classeur en frôlant involontairement ses doigts aux ongles longs, vernis rouge sang. Ou peut-être ses doigts à elle le frôlèrent-ils, lui. Quoi qu'il en soit, ce rapide contact indiquait que les actions de Corso étaient à la hausse ; il feignit donc un embarras de circonstance en grattant les cheveux qui lui tombaient sur le front avec une maladresse calculée, pour qu'elle comprenne bien que sa spécialité n'était pas de molester les jolies veuves. Les yeux bleu acier ne regardaient plus le tapis, mais le fixaient avec une certaine lueur d'intérêt.

— Et pour quelle raison devrais-je être au courant de son existence ? demanda la veuve.

Elle avait une voix grave, un peu rauque. Écho d'une mauvaise nuit. Elle n'avait pas encore ouvert la couverture de plastique et regardait attentivement Corso, comme si elle attendait quelque chose d'autre avant de satisfaire sa curiosité. Corso redressa ses lunettes sur l'arête de son nez et prit un air grave, de circonstance. Ils en étaient encore à la phase protocolaire, si bien qu'il réservait son efficace sourire de lapin honnête pour un moment plus opportun.

— Il appartenait encore tout récemment à votre mari — il hésita une seconde avant de continuer. Que son âme repose en paix.

Elle hocha lentement la tête, comme si la phrase expliquait tout, puis ouvrit le classeur. Corso regardait le mur par-dessus son épaule. Entre un Tapies passable et une autre huile à la signature illisible, un dessin d'enfant, constellé de petites fleurs aux couleurs vives, était encadré avec un nom et une date : *Liana Lasoca. Année 1970-1971.* Corso aurait qualifié l'œuvrette de charmante si les fleurs, les petits oiseaux bien léchés et les fillettes en chaussettes et tresses blondes avaient suscité chez lui des moiteurs sensibles, quelle qu'en soit la nature. Mais ce n'était pas le cas. Il détourna donc les yeux vers un autre cadre,

plus petit, en argent celui-là, sur lequel feu Enrique Taillefer
éditeur S.A., armé d'un taste-vin en or autour du cou et affublé
d'un tablier qui lui donnait vaguement l'air d'un franc-maçon,
souriait au photographe au moment où il s'apprêtait, un de ses
succès de librairie ouvert à la dextre, à découper un cochon de
lait à la ségovienne présenté sur un plat qu'il tenait à senestre.
Il avait l'air d'un homme placide, rondouillard et ventru, heureux du spectacle qu'offrait le petit animal vautré sur son plat ;
et Corso se dit que sa mort prématurée lui avait au moins
épargné d'innombrables problèmes de cholestérol et d'acide
urique. Il se demanda aussi, avec une froide curiosité technique, comment s'arrangeait Liana Taillefer du vivant de son
époux lorsqu'elle avait envie d'un orgasme. Cette pensée suffit à
lui faire lancer un autre bref regard au buste et aux jambes de
la veuve, avant de se ranger à son propre avis : elle semblait
décidément trop femme pour se résigner au cochon de lait.

— C'est le Dumas, dit-elle, et Corso se redressa un peu, aux
aguets ; Liana Taillefer tapotait avec l'un de ses ongles rouges la
couverture de plastique qui protégeait les pages. Le fameux
chapitre. Bien sûr que je le connais... — elle avait penché la
tête, faisant tomber ses cheveux sur son visage, et observait son
visiteur avec méfiance derrière ce rideau blond. Comment se
fait-il qu'il soit en votre possession ?

— Votre mari l'a vendu. J'essaie de l'authentifier.

La veuve haussa les épaules.

— Que je sache, il est authentique — elle poussa un long
soupir en lui rendant la chemise. Vendu, disiez-vous ?...
Comme c'est étrange — elle parut réfléchir. Enrique tenait
beaucoup à ces papiers.

— Vous vous souvenez peut-être de l'endroit où il a pu les
acheter.

— Je ne saurais vous le dire. Je crois que quelqu'un les lui
a offerts en cadeau.

— Il collectionnait les documents autographes ?

— Celui-ci est le seul que je lui aie connu.

— Il ne vous a jamais parlé de son intention de le vendre ?

— Non. Première nouvelle. Qui est l'acheteur ?

— Un libraire qui est mon client. Il le mettra en vente
lorsque je lui aurai remis mon rapport.

Liana Taillefer décida de lui accorder un peu plus d'intérêt ; les actions Corso connaissaient de nouveau une hausse,

modérée, sur la bourse locale. Il retira ses lunettes pour les essuyer avec son mouchoir froissé. Sans elles, il semblait plus vulnérable, ce qu'il savait parfaitement bien. Tout le monde avait envie de l'aider à traverser la rue quand il plissait les yeux comme un petit lapin myope.

— C'est votre travail ? demanda-t-elle. Authentifier des manuscrits ?

Il fit un vague geste affirmatif. La veuve était un peu floue devant ses yeux, étrangement plus proche.

— Parfois. Je cherche aussi les livres rares, les gravures, ce genre de choses. Contre rémunération.

— Et combien demandez-vous ?

— Tout dépend — il remit ses lunettes et la silhouette de la femme retrouva toute sa netteté sur ses rétines. Parfois beaucoup, parfois très peu, le marché a ses hauts et ses bas.

— Une espèce de détective, c'est cela ? avança-t-elle d'une voix amusée. Détective de livres.

C'était le moment de sourire. Ce qu'il fit en découvrant ses incisives, avec une modestie calculée au millimètre. Adoptez-moi tout de suite, disait son sourire.

— Oui. Je suppose qu'on pourrait me décrire ainsi.

— Et vous êtes venu me voir pour le compte de votre client...

— C'est exact — il pouvait maintenant se permettre d'afficher une plus grande assurance et il se mit donc à tapoter le manuscrit avec les jointures de ses doigts. Après tout, ce document vient d'ici. De chez vous.

Elle acquiesça lentement en regardant attentivement le classeur. Elle semblait réfléchir.

— C'est étrange, dit-elle au bout d'un moment. J'ai du mal à imaginer qu'Enrique ait pu vendre cet original de Dumas. Même s'il se comportait étrangement ces derniers temps... Comment avez-vous dit que s'appelait le libraire ? Le nouveau propriétaire.

— Je ne vous l'ai pas dit.

Elle le toisa de haut en bas avec une tranquille surprise, en femme habituée à ne pas laisser aux hommes plus de trois secondes avant de voir ses désirs exaucés.

— Alors, dites-le-moi.

Corso attendit un peu, ce qu'il fallait pour que les ongles de Liana Taillefer se lancent dans un tambourinement impatient sur le bras du sofa.

— Il s'appelle La Ponte, répondit-il enfin. C'était un autre de ses trucs : faire en sorte que les autres s'attribuent des triomphes qui, en réalité, n'étaient que des concessions sans importance de sa part. Vous le connaissez ?

— Bien sûr ; il fournissait mon mari — elle fronça les sourcils, mécontente. Il venait ici de temps en temps lui apporter ces stupides feuilletons. Je suppose qu'il est en possession d'un reçu... J'en voudrais une copie, si vous n'y voyez pas d'inconvénient.

Corso fit un vague signe de tête en s'inclinant un peu vers elle.

— Votre mari s'intéressait beaucoup à Alexandre Dumas ?

— Dumas ? fit Liane Taillefer en souriant. Elle avait rejeté ses cheveux en arrière et ses yeux brillaient, moqueurs. Suivez-moi.

Elle se leva avec un de ces gestes auxquels elle consacrait une éternité et lissa les plis de sa robe en regardant autour d'elle, comme si elle avait subitement oublié l'objet de son mouvement. Elle était nettement plus grande que Corso, même en souliers à talons plats. Elle le précéda vers un cabinet contigu. Tout en la suivant, il observait son dos large de nageuse, sa taille bien prise mais juste à la limite de l'acceptable. Il lui donnait trente ans. Elle semblait promise à se transformer en une de ces matrones nordiques sur les hanches desquelles le soleil ne se couche jamais, faites pour mettre bas sans effort de blonds Erik ou Siegfried.

— J'aurais tant voulu que ce ne soit que Dumas, dit-elle en montrant d'un geste l'intérieur du cabinet. Voyez vous-même.

Corso s'exécuta. Les murs étaient couverts de rayonnages de bois qui fléchissaient sous le poids de gros volumes reliés. Il sentit sécréter ses glandes salivaires, simple réflexe professionnel. Puis il fit quelques pas vers les rayons en tripotant ses lunettes : *La Comtesse de Charny*, A. Dumas, huit volumes, Éditions La Novela Ilustrada, directeur littéraire Vicente Blasco Ibáñez. *Les Deux Dianes*, A. Dumas, trois volumes. *Les Trois Mousquetaires*, A. Dumas, Éditions Miguel Guijarro, gravures d'Ortega, quatre volumes. *Le Comte de Monte-Cristo*, A. Dumas, quatre volumes, Juan Ros éditeur, gravures de A. Gil... Et puis quarante volumes du *Rocambole* de Ponson du Terrail. Les *Pardaillon* de Zévaco, complet. Et encore des œuvres de Dumas, à côté de neuf volumes de Victor Hugo et autant de Paul Féval, dont un *Bossu* pourvu d'une luxueuse reliure en maroquin, tranches dorées. Et le *Pickwick* de Dickens, dans la traduction de Benito Pérez Galdós, flanqué de plusieurs Barbey d'Aurevilly et des *Mystères de Paris* d'Eugène Sue. Encore des Dumas — *Les Quarante-Cinq, Le Collier de la reine, Les Compagnons de Jehú* — et *Colomba* de Mérimée. Quinze volumes de Sabatini, plusieurs autres d'Ortega y Frías, Conan Doyle, Manuel Fernández y González, Mayne Reid, Patricio de la Escosura.

— Impressionnant. Combien de titres avez-vous ici ?

— Je n'en sais rien. Deux mille et quelques. Trois mille peut-être. Presque tous des premières éditions de feuilletons, reliées après leur publication par livraisons... D'autres sont des volumes illustrés. Mon mari les collectionnait avec frénésie et payait ce qu'on lui demandait.

— Un véritable amateur, à ce que je vois.

— Amateur ? Liana Taillefer ébaucha un sourire indéfinissable. Chez lui, c'était une vraie passion.

— Je pensais que la gastronomie...

— Les livres de cuisine n'étaient pour lui qu'un moyen de gagner de l'argent. Enrique avait quelque chose du roi Midas : entre ses mains, n'importe quel médiocre livre de recettes se transformait en succès de librairie. Mais le véritable Enrique vivait ici. Il aimait s'enfermer dans ce cabinet pour feuilleter ses vieux feuilletons, si je puis dire. La plupart sont imprimés sur du mauvais papier, et son obsession était de les conserver. Vous voyez le thermomètre et l'hygromètre ? Il pouvait réciter des pages entières de ses œuvres favorites. Et il lui échappait même des interjections comme palsambleu, diantre, et autres du genre. Il a passé ses derniers mois à écrire.

— Un roman historique ?

— Un feuilleton. En observant tous les lieux communs du genre, naturellement — elle s'avança vers une étagère et prit un lourd manuscrit dont les cahiers étaient cousus à la main ; les pages étaient couvertes, au recto seulement, d'une grande écriture ronde. Que pensez-vous du titre ?

— *La Main du mort, ou le page d'Anne d'Autriche*, lut Corso à haute voix. Le moins qu'on puisse dire, c'est qu'il est, eh bien... — il se passa le doigt sur un sourcil, cherchant le mot juste — je dirais : évocateur.

— Et pesant comme du plomb, ajouta-t-elle en remettant le manuscrit à sa place. Et rempli d'anachronismes. Et complè-

tement stupide, je vous assure. Je crois savoir de quoi je parle :
à la fin de chaque séance d'écriture, il me lisait cahier après
cahier, du début jusqu'à la fin — elle donna quelques petits
coups rancuniers sur le titre, calligraphié en lettres majuscules.
Mon Dieu... J'ai vraiment appris à détester ce page et cette
vipère de reine.

— Il avait l'intention de le publier ?

— Bien sûr. Sous un pseudonyme. Je suppose qu'il aurait
choisi Tristan de Longueville, Paulo Florentini, ou quelque
chose de semblable. C'était tout à fait dans sa manière.

— Et se pendre ? C'était également dans sa manière ?

Les yeux fixés sur les murs couverts de livres, Liana Taillefer gardait le silence. Un silence gênant, se dit Corso ; peut-être
un peu forcé, avec un air absent pour brocher sur le tout.
Comme une actrice qui fait une pause avant de poursuivre avec
conviction son dialogue.

— Je ne saurai jamais ce qui s'est passé, répondit-elle
enfin, et de nouveau son aplomb était parfait. La dernière
semaine, il était renfermé et déprimé ; c'est à peine s'il sortait
de ce cabinet. Et puis un soir, il est parti en claquant la porte. Il
est rentré à l'aube ; j'étais au lit et je l'ai entendu fermer la
porte. Au matin, les cris de la bonne m'ont réveillée : Enrique
s'était pendu au lustre.

Elle regardait Corso, jaugeant l'effet produit. Elle ne
paraissait pas excessivement affligée, pensa le chasseur de
livres en se souvenant de la photo du tablier et du cochon de
lait. Il surprit un battement de ses paupières, comme si ses
yeux se refusaient à verser une larme, mais ils demeurèrent
impeccablement secs. Ce qui ne signifiait rien. Des générations
de maquillage délébile ont appris aux femmes à maîtriser leurs
sentiments. Et le maquillage de Liana Taillefer, une ombre
légère qui accentuait la couleur de son regard, était parfait.

— Il a laissé une lettre ? demanda Corso. Beaucoup de
suicidés le font.

— Il a préféré s'épargner cette peine. Pas une explication,
pas un mot. Rien. Ce manque d'égard m'a valu d'avoir à
répondre aux innombrables questions d'un juge et de plusieurs
policiers. Désagréable, je vous assure.

— Je vous crois sans peine.

— Oui... Je suppose.

Liana Taillefer lui fit comprendre que leur entretien était terminé. Ils se dirigèrent vers la porte et elle lui tendit la main. Le classeur Dumas sous le bras, son sac à l'épaule, Corso la prit et sentit sous ses doigts une paume ferme. Une bonne note, pensa-t-il. Ni veuve joyeuse, ni veuve affolée par le chagrin, ni froideur de celle qui pense que l'imbécile est parti, enfin seuls, tu peux sortir du placard, chéri. Qu'il y eût quelqu'un dans le placard, c'était probable, mais ce n'était pas l'affaire de Corso. Pas plus que ne l'était le suicide d'Enrique Taillefer S.A., pour étrange — et il l'était grandement, pardieu, avec ce page de la reine et le manuscrit volant — qu'il pût paraître. Non, ce n'était pas son affaire, pas plus que la jolie veuve. Pour le moment.

Il regarda Liana Taillefer. Je serais curieux de savoir qui a la bonne fortune de ta compagnie, pensa-t-il avec une froide curiosité technique. Mentalement, il traça un portrait robot : mûr, élégant, cultivé, très à l'aise. Quatre-vingt-cinq chances sur cent qu'il ait été ami du défunt. Puis il se demanda si le suicide de l'éditeur pouvait avoir eu un rapport avec cette liaison, mais il chassa vite cette idée, contrarié. Déformation professionnelle ou ce qu'on voudra, il se laissait parfois aller à l'absurde habitude de raisonner comme un policier, constatation qui le fit frissonner jusqu'à la moelle. On ne sait jamais quels ténébreux abîmes de perversité ou de stupidité se dissimulent au fond de notre âme.

— Je voudrais vous remercier, dit-il en sortant de son répertoire le plus touchant sourire de lapin sympathique qu'il fût capable de composer, du temps que vous m'avez consacré.

Le sourire se perdit dans le vide ; elle regardait le manuscrit Dumas.

— Mais il n'y a pas de quoi. Je souhaiterais seulement savoir comment toute cette affaire se terminera, ce qui me semble logique.

— Je vous tiendrai au courant... Autre chose... Vous avez l'intention de conserver la collection de votre mari, ou comptez-vous vous en défaire ?

Elle le regarda, déconcertée. Corso savait par expérience qu'au décès d'un bibliophile, vingt-quatre heures après le cercueil, la bibliothèque suit par la même porte. Il s'étonnait d'ailleurs qu'aucun des corbeaux de la concurrence n'eût encore mis les pieds ici. Après tout, Liana Taillefer, de son aveu même, ne partageait pas les goûts littéraires de son mari.

— Sincèrement, je n'ai pas eu le temps d'y penser... Vous voulez dire que ces feuilletons vous intéresseraient ?

— Peut-être.

Elle hésita un moment. Peut-être quelques secondes de plus qu'il n'eût été nécessaire.

— Tout est encore trop récent, dit-elle enfin en poussant un soupir parfaitement approprié. Peut-être dans quelques jours.

Corso posa la main sur la rampe et commença à descendre l'escalier. Il traînait les pieds, tardant sur les premières marches avec cette sensation de malaise que l'on éprouve lorsqu'on quitte un lieu en y oubliant quelque chose, sans trop savoir quoi. Mais il avait pourtant la certitude de ne rien oublier. Quand il arriva au premier, il leva les yeux et vit que Liana Taillefer était encore à sa porte et qu'elle le regardait. Elle avait l'air à la fois préoccupée et curieuse, du moins était-ce l'impression qu'elle donnait. Corso descendit encore quelques marches et, comme dans un lent panoramique, le rectangle de son champ de vision se déplaça vers le bas. Après avoir perdu de vue le regard interrogateur des yeux bleu acier, son dernier cadrage glissa le long du corps de Liana Taillefer, de son buste et de ses hanches, jusqu'à ses jambes à la chair ferme et pâle qu'elle tenait un peu écartées, suggestives et fortes, semblables aux colonnes d'un temple.

Corso était encore songeur lorsqu'il franchit le porche et sortit dans la rue. Il pouvait imaginer au moins cinq questions qui appelaient une réponse, de sorte qu'il allait falloir les classer par ordre d'importance. Il s'arrêta sur le trottoir, en face de la grille du Retiro, et jeta un coup d'œil distrait sur sa gauche, dans l'espoir de découvrir un taxi. Une énorme Jaguar était garée à quelques mètres. Le chauffeur, en uniforme gris sombre, presque noir, lisait un journal étalé sur le capot. Il leva les yeux et son regard croisa celui de Corso. L'espace d'une seconde seulement. Puis le chauffeur reprit sa lecture. Il était brun et portait la moustache ; une cicatrice pâle lui balafrait une joue de haut en bas. Son allure parut familière à Corso : il lui rappelait quelqu'un. Peut-être, se souvint-il, cet homme de haute taille qui jouait avec la machine à sous dans le bar de Makarova. Mais il y avait autre chose. L'homme éveillait chez

Corso un lointain souvenir, très vague. Avant qu'il n'ait eu le temps de l'analyser, un taxi libre se présenta auquel un homme en manteau imperméable, attaché-case à la main, faisait signe de l'autre côté de la rue. Corso profita de ce que le chauffeur regardait dans sa direction pour descendre rapidement du trottoir et grimper dans la voiture à la barbe de l'autre.

Il demanda au chauffeur de baisser la radio tandis qu'il s'installait sur la banquette arrière en regardant sans les voir les voitures qui les dépassaient. Il appréciait cette paix qui l'envahissait chaque fois qu'il fermait la porte d'un taxi. C'était ce qui ressemblait le plus à une trêve avec le monde extérieur : tout restait en suspens de l'autre côté de la glace, pendant tout le trajet. Il appuya la tête sur le dossier, enchanté de profiter de ces quelques minutes.

Le moment était venu de penser aux choses sérieuses ; comme le *Livre des Neuf Portes* et le voyage au Portugal, première étape de son travail. Mais Corso ne parvenait pas à se concentrer. Son entretien avec la veuve d'Enrique Taillefer avait laissé trop de questions en l'air, ce qui lui inspirait une étrange inquiétude. Quelque chose ne tournait pas rond dans cette affaire, comme lorsqu'on contemple un paysage sous la mauvaise perspective. Et ce n'était pas tout : il lui fallut plusieurs feux rouges pour se rendre compte que l'image du chauffeur de la Jaguar venait s'interposer dans ses réflexions. Il en fut irrité. Il avait la certitude de ne jamais l'avoir vu de sa vie avant ce soir-là, dans le bar de Makarova. Mais un souvenir irrationnel persistait à battre au fond de sa tête. Je te connais, se dit-il. J'en suis sûr. Une fois, il y a très longtemps, je suis tombé sur un type comme toi. Et je sais que tu es là, quelque part. Dans le coin noir de ma mémoire.

Grouchy n'apparut point, mais cela n'avait plus d'importance. Les Prussiens de Bülow se retiraient des hauteurs de La Chapelle-Saint-Lambert, talonnés par la cavalerie légère de Sumont et de Subervie. Sur le flanc gauche, aucun problème : les lignes rouges de l'infanterie écossaise se sont effritées sous la charge des cuirassiers français. Au centre, la division Jérôme a enfin pris Hougoumont. Et au nord du mont Saint-Jean, les carrés bleus de la bonne Vieille Garde se forment lentement mais implacablement, alors que Wellington se replie dans un délicieux désordre sur ce petit bourg, Waterloo. Il ne reste plus qu'à donner le coup de grâce.

Lucas Corso observa le terrain. La solution, c'était Ney, naturellement. Le brave parmi les braves. Il le mit à l'avant, avec Erlon et la division Jérôme, ou ce qu'il en restait, et les fit avancer au pas de charge sur la route de Bruxelles. Quand ils établirent le contact avec les formations britanniques, Corso se redressa un peu sur sa chaise et retint son souffle, sûr des conséquences de son geste : il venait de décider en une demi-minute à peine de la vie et de la mort de vingt-deux mille hommes. Savourant cette sensation, il s'offrit le plaisir de contempler les lignes serrées, bleu et rouge, dans le doux vert du bois de Soigne, sur les taches rousses des collines. Mon Dieu, que la bataille était belle.

Le choc fut dur, pauvres diables. Le corps d'armée d'Erlon se défit comme la chaumière de paille du petit cochon paresseux, mais Ney et les hommes de Jérôme tinrent bon. La Vieille Garde avançait en balayant tout sur son passage, et les carrés anglais disparurent de la carte les uns après les autres. Wellington n'avait d'autre choix que de battre en retraite, mais Corso lui barra la route de Bruxelles avec la réserve de la cavalerie française. Alors, lentement et délibérément, il assena le coup final. Tenant Ney entre le pouce et l'index, il le fit avancer de trois hexagones, puis totalisa des facteurs de puissance en consultant ses tables : le rapport était de huit contre trois. Wellington était fini. Restait la petite marge laissée au hasard. Il chercha dans la table des équivalences et vit qu'il suffirait d'un trois. Il eut encore un pincement d'inquiétude lorsqu'il jeta les dés pour décider de ce facteur aléatoire dont il fallait tenir compte. Même une fois la bataille gagnée, perdre Ney au dernier moment était un coup à faire palpiter les amateurs. Les dés produisirent un cinq. Corso souriait en coin quand il donna une chiquenaude affectueuse au jeton bleu de Napoléon. J'imagine ce que tu sens, camarade. Wellington et ses derniers cinq mille malheureux sont morts ou prisonniers, et l'Empereur vient de gagner la bataille de Waterloo. Allons enfants de la patrie. Tous les livres d'histoire pouvaient bien aller au diable.

Il s'accorda un long bâillement. Sur la table, à côté du jeu qui représentait le champ de bataille au 1/5 000, parmi les ouvrages de référence, les diagrammes, une tasse de café et un cendrier débordant de mégots, sa montre indiquait trois heures du matin. À côté, sur le petit bar, son étiquette aussi rouge que les tuniques britanniques, Johnnie Walker faisait un geste désinvolte en pleine chevauchée. Joli salopard, pensa Corso. Il se moque bien que plusieurs milliers de ses compatriotes viennent tout juste de mordre la poussière dans les Flandres.

Il tourna le dos à l'Anglais pour diriger son attention sur une bouteille encore intacte de Bols posée sur une étagère, contre le mur, entre le *Mémorial de Sainte-Hélène* en deux volumes et *Le Rouge et le Noir*. Il s'empara de la bouteille, puis posa le Stendhal sur la table et se mit à le feuilleter au hasard en se servant un verre de gin :

> *... Les Confessions de Rousseau. C'était le seul livre à l'aide duquel son imagination se figurait le monde. Le recueil des bulletins de la grande armée et le Mémorial de Sainte-Hélène complétaient son Coran. Il se serait fait tuer pour ces trois ouvrages. Jamais il ne crut en aucun autre.*

Il buvait debout, à petites gorgées, en étirant ses articulations engourdies. Il regarda une dernière fois le champ de bataille où le fracas des armes s'était tu après la boucherie. Il vida son verre en se sentant comme le songe d'un dieu ivre qui manipulerait les vies comme des soldats de plomb. Il imagina lord Arthur Wellesley, duc de Wellington, remettant son épée à Ney. Il y avait des jeunes gens morts dans la boue, des chevaux sans cavalier, et un officier des Écossais Gris qui agonisait sous l'affût démoli d'un canon, tenant entre ses doigts ensanglantés un médaillon en or — un portrait de femme et une mèche blonde. Au fond des ombres dans lesquelles il s'enfonçait sonnaient les mesures de la dernière valse. Et la danseuse le contemplait du seuil, la danseuse dont le diadème scintillait avec les flammes de la cheminée, la danseuse prête à tomber dans les bras du diable sorti de sa boîte. Ou de l'épicier du coin.

Waterloo. Les os du vieux grenadier, son arrière-arrière-grand-père, pouvaient reposer en paix. Il se l'imagina à l'intérieur d'un petit carré bleu sur le jeu, à cheval sur la ligne bistre qui représentait la route de Bruxelles, le visage noirci, les moustaches roussies par la poudre. Il avançait, la gorge sèche, fiévreux après trois jours de combats à la baïonnette. Il avait ce regard absent que Corso avait imaginé mille fois chez tous les hommes, dans toutes les guerres. Comme tous ses camarades, épuisé, il brandissait son bonnet à poil troué par les balles au

bout de son fusil. Vive l'Empereur. Le fantôme solitaire, bour-
soufflé et cancéreux de Bonaparte était vengé. Qu'il repose en
paix. Hip, hip, hip, hourra.

Il se servit un autre verre de Bols et porta un toast muet
dans la direction du sabre accroché au mur, à la santé de
l'ombre fidèle du grenadier Jean-Pax Corso, 1770-1851, Légion
d'honneur, chevalier de l'Ordre de Sainte-Hélène, bonapartiste
irréductible jusqu'à sa mort, consul de France dans cette même
ville méditerranéenne où allait naître un siècle plus tard son
arrière-arrière-petit-fils. Et, le goût du gin dans la bouche, il
récita entre ses dents l'unique héritage transmis de l'un à l'autre
à travers ce siècle et les Corso qui maintenant s'éteignaient avec
lui :

> ... *Et l'Empereur, devant*
> *son armée impatiente*
> *chevauchera dans la clameur.*
> *Armé, je sortirai de terre,*
> *pour encore m'en aller-t-en guerre*
> *derrière mon Empereur.*

Il riait tout seul quand il décrocha le téléphone pour appeler La Ponte. Le bruit que faisait le disque de plastique en
tournant rompait seul le silence. Des livres sur les murs, des
tuiles luisantes de pluie derrière le balcon vitré plongé dans
l'obscurité. La vue n'y avait rien d'exceptionnel, sauf les après-
midi d'hiver, quand le soleil couchant filtrait à travers la fumée
des installations de chauffage et la pollution de la rue, quand
l'air semblait s'enflammer de rouges et d'ocres comme un épais
rideau. La table de travail, l'ordinateur et le jeu de Waterloo se
trouvaient devant ce panorama, à côté du balcon vitré sur
lequel glissaient des gouttes de pluie cette nuit-là. Pas de souvenirs sur les murs, pas de tableaux, pas de photos. Seulement le
vieux sabre de la Vieille Garde dans son fourreau de laiton et de
cuir. Les visiteurs qu'il recevait s'étonnaient de ne pas trouver
chez lui, à part les livres et le sabre, la moindre trace d'une vie
personnelle, un de ces ancrages que tout être humain établit,
par instinct, avec sa mémoire ou son passé. Comme les objets
absents de cette maison, le monde d'où venait Lucas Corso
s'était éteint depuis longtemps. Aucun de ces visages graves qui
parfois se profilaient dans sa mémoire ne l'auraient reconnu,
s'ils étaient revenus à la vie ; et peut-être était-ce mieux ainsi.

Comme si le propriétaire de ces lieux n'avait jamais rien eu ni laissé derrière lui. Comme s'il s'était toujours suffi à lui-même, avec ce qu'il portait sur lui, sorte de vagabond érudit et urbain, ses hardes cachées dans la poche de son manteau. Pourtant, les rares privilégiés qui l'ont vu lors d'un de ces après-midi embrasés, assis sur son balcon vitré, absorbé dans la contemplation du couchant, fasciné, les yeux troublés par le gin hollandais, disent que sa grimace de pauvre petit lapin abandonné paraissait sincère.

La voix endormie de La Ponte s'éleva à l'autre bout du fil.

— Je viens d'écraser Wellington, dit simplement Corso.

Après un silence étonné, La Ponte répondit qu'il en était fort heureux. La perfide Albion, la tourte aux rognons, le chauffage payant dans les hôtels borgnes, cette espèce de cipaye de Kipling, et toute cette saloperie de Balaclava, Trafalgar et les Malouines. Quant à Corso, il lui rappelait qu'il était — le téléphone resta silencieux tandis que La Ponte cherchait à tâtons sa montre — trois heures du matin. Puis il bafouilla quelque chose d'incohérent où l'on ne pouvait comprendre que les mots enfoiré et salaud, dans cet ordre.

Corso riait encore intérieurement quand il raccrocha. Un jour, il avait appelé La Ponte en P.C.V. de Buenos Aires où il assistait à une vente aux enchères, uniquement pour lui raconter une blague : celle de la pute tellement moche qu'elle était morte vierge. Ha, ha. Très bonne. Mais je vais te faire bouffer la note de téléphone à ton retour, espèce de crétin. Et cette autre fois, des années plus tôt, quand il s'était retrouvé dans les bras de Nikon, son premier geste avait été de décrocher le téléphone pour dire à La Ponte qu'il avait fait la connaissance d'une femme très belle et que tout cela ressemblait fort à de l'amour. Chaque fois qu'il le voulait, Corso pouvait fermer les yeux et voir Nikon se réveiller lentement, les cheveux comme une crinière sur l'oreiller. Le téléphone collé à l'oreille, il l'avait décrite à La Ponte en ressentant une étrange émotion, une tendresse inexplicable et inconnue tandis qu'il parlait et qu'elle l'écoutait en le regardant en silence ; et il savait que la voix à l'autre bout du fil — je suis content, Corso, vraiment bien content, il était temps, je suis heureux pour toi — partageait sincèrement son réveil, son triomphe, son bonheur. Ce matin-là, il avait aimé La Ponte autant qu'elle. Ou peut-être avait-il aimé Nikon autant que lui.

Bien du temps avait passé depuis. Corso éteignit la lampe. La pluie continuait à tomber dans la nuit. Dans sa chambre, assis au bord de son lit vide, il alluma une dernière cigarette, immobile dans la pénombre, écoutant l'écho de sa respiration absente entre les draps. Puis il tendit la main pour caresser ses cheveux qui n'étaient plus là, sur l'oreiller. Nikon, son unique remords. Dehors, la pluie redoublait de violence et, sur les vitres, les gouttes d'eau décomposaient en petites étincelles les lueurs de la nuit, criblant les draps de points mobiles, de traînées noires, d'ombres minuscules qui s'écrasaient sans but précis, comme les lambeaux d'une vie.

— Lucas.

Il avait prononcé son propre nom à haute voix, comme elle avait coutume de le faire, elle, la seule qui l'avait toujours appelé ainsi. Ces cinq lettres étaient un symbole de leur patrie commune déchirée qu'à une autre époque tous les deux avaient voulu partager. Corso se concentra sur le bout incandescent de sa cigarette, rouge dans le noir. Il avait cru beaucoup aimer Nikon, jadis. Quand il la trouvait belle et intelligente, infaillible comme une encyclique pontificale, passionnée comme ses photos en noir et blanc : enfants aux grands yeux, vieillards, chiens aux regards fidèles. Quand il la voyait défendre la liberté des peuples et signer des manifestes pour les intellectuels emprisonnés, les ethnies opprimées, et tant d'autres encore. Sans oublier les phoques. Une fois, elle avait réussi à le convaincre de signer quelque chose à propos des phoques.

Il se leva lentement pour ne pas réveiller le fantôme qui dormait à ses côtés, l'oreille à l'affût d'une respiration qu'il lui arrivait parfois d'entendre. Tu es mort, comme tes livres. Tu n'as jamais aimé personne, Corso. Première et dernière fois qu'elle l'avait appelé seulement par son nom de famille ; première et dernière fois qu'elle lui avait refusé son corps, avant de s'en aller pour toujours. À la recherche de ce fils qu'il n'avait jamais voulu avoir.

Il ouvrit la fenêtre et sentit le froid humide de la nuit, tandis que les gouttes de pluie lui mouillaient le visage. Il tira une dernière bouffée de sa cigarette, puis la laissa tomber, point rouge qui s'éteignit dans le noir, trajectoire en arc brisé, ou invisible, vers les ombres.

Il pleuvait cette nuit-là sur d'autres paysages aussi. Sur les dernières traces de Nikon. Sur les champs de Waterloo, l'arrière-arrière-grand-père de Corso et ses camarades. Sur la tombe rouge et noir de Julien Sorel, guillotiné pour avoir cru, après la disparition de Bonaparte, que les statues de bronze agonisaient sur les vieux chemins oubliés. Erreur stupide. Lucas Corso savait mieux que personne qu'il était encore possible de choisir le champ de bataille et de toucher sa solde comme un soldat perdu et lucide, montant la garde entre des fantômes de papier et de cuir, dans le ressac de milliers de naufrages.

III

Gens de robe et gens d'épée

> — *Ceux qui sont dans la tombe ne parlent pas.*
> — *Ils parlent quand Dieu le veut ! répliqua Lagardère.*
> (P. Féval, *Le Bossu*)

Les talons de la secrétaire claquaient sur le plancher verni. Lucas Corso la suivit dans le long couloir — murs d'une suave couleur crème, éclairage indirect, musique d'ambiance — jusque devant une lourde porte de chêne. Elle lui fit signe d'attendre un instant, ce qu'il fit, puis, quand elle s'écarta en lui adressant un sourire bref et impersonnel, il entra dans le bureau. Varo Borja était assis dans un fauteuil inclinable de cuir noir, entre une demi-tonne d'acajou et la fenêtre qui offrait une splendide vue panoramique de Tolède : vieux toits ocre, flèche gothique de la cathédrale sur un ciel d'un bleu limpide et, tout au fond, la masse grise de l'Alcazar.

— Asseyez-vous, Corso. Comment allez-vous ?

— Bien.

— On vous a fait attendre.

Ce n'était pas une excuse, mais la constatation d'un fait. Corso fit la moue.

— Ne vous en faites pas. Je n'ai attendu que trois quarts d'heure aujourd'hui.

Varo Borja ne se donna même pas la peine de sourire tandis que Corso s'installait dans un fauteuil destiné aux visiteurs. Il n'y avait rien sur le bureau, à l'exception d'un système compliqué de téléphone et d'interphone aux lignes ultra-modernes, posé sur la surface où se reflétaient, à l'envers, l'image du libraire et le paysage de la fenêtre en toile de fond.

Varo Borja avait une cinquantaine d'années ; il arborait une calvitie bien bronzée aux rayons ultraviolets et donnait une impression tout à fait fausse de respectabilité. Ses yeux étaient petits, mobiles et vifs ; il dissimulait son ventre sous des gilets de fantaisie ajustés et des vestes droites coupées sur mesure ; il était aussi marquis de quelque chose, avec derrière lui une jeunesse tumultueuse qui lui avait valu un casier judiciaire après une escroquerie retentissante et quatre prudentes années d'exil volontaire au Brésil et au Paraguay.

— Je vais vous montrer quelque chose.

Il avait des manières brusques qui frisaient parfois une grossièreté calculée qu'il cultivait avec soin. Corso le vit se lever et s'avancer vers une petite vitrine qu'il ouvrit avec une clé sortie de·son gousset, attachée à une chaîne d'or. Varo Borja n'avait pas pignon sur rue — à l'exception d'un stand réservé dans les plus grandes foires internationales —, et il ne comptait jamais plus d'une cinquantaine de titres choisis dans son catalogue. Mais il suivait à la trace les livres rares partout dans le monde, combattant avec acharnement, sans répugner aux coups bas pour mettre la main dessus, puis spéculait selon les fluctuations du marché. Sa clientèle se composait de collectionneurs, de conservateurs, de graveurs, d'imprimeurs et d'intermédiaires, comme Lucas Corso.

— Qu'est-ce que vous en dites ?

Corso tendit les mains pour recevoir le livre, avec les précautions qu'on prend pour recevoir dans ses bras un nourrisson. L'ouvrage, en excellent état, était relié en cuir marron, avec dorures au fer d'époque.

— *La Hypnerotomachia di Poliphilo*, de Colonna. Vous l'avez enfin trouvé.

— Il y a trois jours. Venise, 1545. *In casa di figlivoli di Aldo*. Cent soixante-dix gravures sur bois... Le Suisse dont vous m'avez parlé s'y intéresserait toujours ?

— Je suppose que oui. L'ouvrage est complet ?

— Bien entendu. Toutes les xylographies de cette édition, sauf quatre, sont des réimpressions de l'édition de 1499.

— Mon client aurait préféré une première édition, mais je vais essayer de le convaincre de se laisser séduire par une deuxième... Il y a cinq ans, il en a raté une à la vente de Monaco.

— À lui de décider.

— Donnez-moi quelques semaines pour me mettre en rapport avec lui.

— Je préfère traiter directement — Varo Borja souriait comme un requin en appétit de chair humaine. En vous versant naturellement votre commission habituelle.

— Pas question. Le Suisse est *mon* client.

L'autre sourit, ironique.

— Vous ne faites confiance à personne, n'est-ce pas ?... Je vous imagine enfant, en train d'analyser le lait de votre mère avant de vous mettre à téter.

— Vous revendriez celui de la vôtre, je suppose.

Varo Borja regarda fixement le chasseur de livres qui ne sentait plus du tout le clapier et n'avait vraiment plus rien de sympathique ; on aurait dit plutôt un loup montrant ses crocs de travers.

— Vous savez ce que j'aime dans votre personnalité, Corso ?... Le naturel avec lequel vous jouez votre rôle de sicaire à gages, au milieu de tous ces démagogues et faiseurs de promesses qui traînent leurs savates un peu partout ces temps-ci... Vous êtes un de ces individus maigres et dangereux dont se méfiait Jules César... Vous dormez bien ?

— À poings fermés.

— Certainement pas. Je parierais volontiers un ou deux gothiques que vous êtes de ceux qui restent très longtemps les yeux ouverts dans le noir... Vous voulez que je vous dise quelque chose ? Je me méfie d'instinct des hommes maigres, volontaires et enthousiastes. Je ne me sers d'eux que lorsqu'il s'agit de mercenaires bien payés, de gens déracinés et sans complexes. Je me méfie de ceux qui revendiquent une patrie, une famille ou une cause.

Le libraire remit le *Poliphilo* dans sa vitrine. Puis il eut un rire sec, totalement dénué d'humour :

— Vous avez des amis, Corso ?... Parfois, je me demande si quelqu'un comme vous peut en avoir.

— Allez vous faire foutre.

Corso avait formulé cette suggestion avec une froideur impeccable. Varo Borja prit tout son temps pour esquisser un sourire. Il ne semblait pas fâché.

— Vous avez raison. Votre amitié ne m'intéresse pas le moins du monde, puisque ce que je vous achète, c'est votre loyauté mercenaire, solide et durable. N'ai-je pas raison ?... Le point d'honneur professionnel de celui qui exécute son contrat même si le roi qui l'a engagé a pris la fuite, même si la bataille est perdue, même s'il n'y a plus de salut possible...

Il regardait Corso d'un air gouailleur, provocant, guettant sa réaction. Mais celui-ci se borna à faire un geste d'impatience, touchant sans la regarder la montre qu'il portait au poignet gauche.

— Vous pourrez m'écrire le reste. Je ne suis pas payé pour rire de vos plaisanteries.

Varo Borja parut méditer sur cette phrase. Puis il hocha la tête, toujours moqueur.

— Vous avez encore raison, Corso. Revenons à nos affaires... — il regarda autour de lui avant d'entrer dans le vif du sujet. Vous vous souvenez du *Tratado del Arte de la Esgrima*, d'Astarloa ?

— Oui. Une édition de 1870, très rare. Je vous en ai procuré un exemplaire il y a quelques mois.

— Le même client me demande à présent l'*Académie de l'espée*. Vous le connaissez ?

— J'ignore si vous voulez parler du client ou du livre... Vous abusez tellement de l'amphibologie qu'il m'arrive de me perdre.

À son regard revêche, Varo Borja ne parut apprécier que modérément le commentaire.

— Nous ne possédons pas tous votre prose claire et nette, Corso. Je parlais du livre.

— Elzévir XVIIᵉ. Grand in-folio illustré de gravures. On considère que c'est le plus beau traité d'escrime. Et le plus cher.

— L'acheteur est prêt à payer ce qu'il faudra.

— Alors, il faudra le trouver.

Varo Borja avait repris sa place dans son fauteuil devant la fenêtre qui donnait sur la vieille ville et il croisa les jambes, satisfait, les pouces dans les poches de son gilet. Manifestement, ses affaires marchaient bien. Quelques-uns seulement, parmi ses collègues européens les plus éminents, auraient pu s'offrir pareille vue derrière leur bureau. Mais Corso n'était pas impressionné. Ces types-là avaient besoin de gens comme lui, chose que tous les deux savaient fort bien.

Il redressa ses lunettes et regarda le libraire.

— Et pour le *Poliphilo* ?

Partagé entre l'antipathie et l'intérêt, Varo Borja lançait des coups d'œil à la vitrine, puis à son interlocuteur.

— D'accord, répondit-il à contre-cœur. Négociez avec le Suisse.

Corso hocha la tête sans manifester de satisfaction pour cette petite victoire. Le Suisse n'existait pas, mais c'était son affaire. Les acheteurs ne manquaient pas pour un tel livre.

— Parlons de vos *Neuf Portes*, proposa-t-il, et il vit l'expression du libraire s'animer.

— Parlons-en. Vous acceptez le travail ?

Corso se mordillait une envie au pouce. Il la cracha délicatement sur le bureau immaculé.

— Imaginez un instant que votre exemplaire soit faux. Et que l'authentique soit l'un des deux autres. Ou aucun des deux.

Mal à l'aise, Varo Borja semblait chercher du regard la minuscule peau venue du pouce de Corso. Il finit par y renoncer.

— Dans ce cas, dit-il, vous en prendrez bonne note et vous suivrez mes instructions.

— Qui sont... ?

— Chaque chose en son temps.

— J'insiste. Quelles sont ces instructions — il constata que le libraire hésitait un instant. Dans le coin de son cerveau où logeait son instinct de chasseur, quelque chose se mit à battre à contretemps. *Tic, tac.* Le cliquètement presque imperceptible d'une machine déréglée.

— Il faudra voir en temps et lieu, répondit enfin l'autre.

— Qu'est-ce qu'il faudra voir ? — Corso commençait à donner des signes d'impatience. L'un des livres se trouve dans une collection privée et l'autre dans une fondation publique ; aucun d'eux n'est en vente. Ce qui veut dire que l'affaire se terminera là : mon intervention, comme vos prétentions. Je répète : tel livre est faux, ou tel autre l'est, ou tous sont authentiques. De toute façon, quand j'aurai terminé, je passe à la caisse et salut !

Trop simple, disait le petit sourire du libraire.

— Ça dépend.

— C'est ce que je craignais... Vous avez quelque chose derrière la tête, c'est bien ça ?

Varo Borja leva un peu la main, observant son reflet sur la surface polie du bureau. Puis il l'abaissa lentement, jusqu'à ce qu'elle rejoigne son image inversée. Corso regardait cette main large et velue, l'énorme chevalière en or qui ornait le petit doigt. Il ne la connaissait que trop bien. Il l'avait vue signer des chèques tirés sur des comptes inexistants, attester des mensonges éhontés, serrer des mains qui bientôt seraient trahies. Corso entendait toujours ce *tic-tac* suspect. Tout à coup, il ressentait une étrange fatigue. Non, il n'était plus très sûr de vouloir accepter ce travail.

— Je ne suis pas sûr, dit-il à haute voix, de vouloir me charger de ce travail.

Varo Borja dut comprendre ce que signifiait le ton de sa voix, car il changea d'attitude. Immobile, il posa le menton sur ses mains jointes et la lumière tombant de la fenêtre brunit sa calvitie parfaite. Il semblait réfléchir, sans quitter Corso des yeux.

— Je ne vous ai jamais raconté pourquoi je suis devenu libraire ?

— Non. Et je m'en fiche comme de l'an quarante.

L'autre partit d'un éclat de rire théâtral, signifiant ainsi qu'il était prêt à encaisser, magnanime. La mauvaise humeur de Corso pouvait suivre son cours sans conséquences fâcheuses, jusqu'à nouvel ordre.

— Je vous paye pour que vous écoutiez ce que j'ai envie de vous raconter.

— Vous ne m'avez pas encore payé, cette fois.

L'autre ouvrit un tiroir et en sortit un chéquier qu'il posa sur le bureau, pendant que Corso regardait autour de lui, découragé mais résigné. C'était le moment de dire au revoir, ou de rester dans le bureau et d'attendre. C'eût été aussi le moment de lui offrir un petit verre, mais son interlocuteur n'appartenait pas à cette sorte d'amphitryons. Il haussa donc les épaules, touchant du coude la flasque de gin qui faisait une bosse dans sa poche. C'était absurde. Il savait parfaitement qu'il n'allait pas s'en aller, qu'il soit ou non satisfait de ce qu'on allait lui proposer. Et Varo Borja le savait lui aussi. Il écrivit un chiffre, signa et détacha le chèque qu'il poussa vers son interlocuteur.

Sans le toucher, Corso y jeta un coup d'œil.

— Vous venez de me convaincre, soupira-t-il. Je suis tout ouïe.

Le libraire n'avait même pas besoin de s'autoriser un geste de triomphe. Il se contenta d'un bref signe de tête, froid et plein d'assurance, comme s'il venait de conclure une méprisable affaire.

— C'est le hasard qui m'a fait choisir ce métier, commença-t-il à raconter. Un jour, je me suis retrouvé sans un sou en poche, mais avec la bibliothèque d'un grand-oncle décédé pour seul héritage... Deux mille volumes, plus ou moins, dont seulement une centaine valaient la peine. Mais il y avait là une première édition du *Don Quichotte*, deux psautiers du XIIIe siècle et l'un des quatre exemplaires connus du *Champfleury* de Geoffroy Tory... Qu'est-ce que vous en dites ?

— Que vous avez eu trop de chance.

— En effet, acquiesça Varo Borja, neutre et sûr de lui ; il racontait son histoire sans cette complaisance qu'affichent souvent ceux qui ont réussi... À cette époque, j'ignorais tout des collectionneurs de livres rares, mais j'avais compris l'essentiel : qu'ils étaient disposés à payer beaucoup d'argent pour des denrées précieuses. Or je possédais quelques-unes de ces denrées... C'est ainsi que j'appris des mots dont je n'avais pas la moindre idée, comme colophon, macules, nombre d'or ou reliure en éventail... Et à mesure que je me passionnais de plus en plus pour ce métier, je découvrais encore autre chose : qu'il y a des livres qu'on vend et des livres qu'on garde. Pour ces derniers, on entre en bibliophilie comme on entre en religion : pour la vie.

— Vraiment touchant. Et maintenant, dites-moi ce que les *Neuf Portes* et moi avons à voir avec vos vœux perpétuels.

— Vous demandiez tout à l'heure ce qui arriverait si vous découvriez que mon exemplaire était faux... Je peux vous le dire dès à présent : il est faux.

— Et comment le savez-vous ?

— J'en ai la certitude absolue.

Corso fit la moue, extériorisant ainsi l'opinion qu'il avait des certitudes absolues en bibliophilie :

— Pourtant, la *Bibliographie universelle* de Mateu et le catalogue Terral-Coy le citent comme authentique...

— Oui, admit Varo Borja. Quoique Mateu fasse une petite erreur : il parle de huit planches, au lieu des neuf que compte le volume... Mais son authenticité *formelle* ne signifie pas grand-chose. Selon les bibliographies, les exemplaires Fargas et Ungern sont également authentiques.

— Ils le sont peut-être. Tous les trois.

Le libraire secoua la tête.

— C'est impossible. Les actes du procès de l'imprimeur

Torchia ne laissent pas l'ombre d'un doute : un seul exemplaire a survécu — il esquissa un petit sourire mystérieux. Et je m'appuie aussi sur d'autres éléments.

— Par exemple ?

— Ceci ne vous regarde pas.

— Alors, pourquoi avez-vous besoin de moi ?

Varo Borja se renversa dans son fauteuil, puis se leva.

— Suivez-moi.

— Je vous ai déjà dit — Corso secouait la tête — que je n'éprouve aucune curiosité pour cette histoire.

— Vous mentez. Vous mourez de curiosité et, à ce stade, vous travailleriez même pour rien.

Le libraire prit le chèque entre le pouce et l'index, puis le glissa dans une poche de son gilet. Ensuite, il conduisit Corso vers un escalier en colimaçon qui menait à l'étage. Le libraire avait son bureau à l'arrière de sa maison, grande bâtisse du Moyen Âge au cœur de la vieille ville, dont l'achat et la restauration lui avaient coûté une fortune. Par un couloir qui communiquait avec le vestibule et l'entrée principale, il guida Corso jusqu'à une porte dont la serrure était commandée par un moderne clavier de sécurité. La pièce était grande, dallée de marbre noir, avec des poutres au plafond et des fenêtres protégées par des grilles d'époque. Il y avait aussi une table de travail, des fauteuils de cuir et une grande cheminée de pierre. Les murs étaient couverts de vitrines croulant sous les livres et de gravures magnifiquement encadrées : Holbein et Dürer, pensa Corso, en connaisseur.

— Bel endroit, reconnut-il ; c'était la première fois qu'il y mettait les pieds. J'avais toujours cru que vous gardiez vos livres dans votre boutique, à la cave...

Varo Borja s'arrêta à côté de lui.

— Ceux-ci sont à moi ; aucun n'est à vendre. Il y en a qui collectionnent les romans de chevalerie ou les contes galants. Il y en a qui recherchent les *Don Quichotte* ou les livres aux marges brutes. Tous ceux que vous voyez ont un même protagoniste : le diable.

— Je peux jeter un coup d'œil ?

— C'est pour cette raison que je vous ai amené ici.

Corso s'avança. Les reliures étaient toutes anciennes, depuis la peau sur bois des incunables jusqu'au maroquin décoré de plaques et de fleurons. Les dalles de marbre crissèrent sous la semelle de ses chaussures mal cirées quand il s'arrêta devant une vitrine et se pencha pour en examiner le contenu : *De spectris et apparitionibus*, de Juan Rivio. *Summa diabolica*, de Benedicto Casiano. *La Haine de Satan*, de Pierre Crespet. La *Steganografia* de l'abbé Trithème. *De Consummatione saeculi*, de Pontano... Ouvrages précieux et rarissimes que Corso ne connaissait, pour la plupart, que pour les avoir vus cités dans des ouvrages bibliographiques.

— Il n'y a rien de plus beau, vous ne trouvez pas ? dit Varo Borja qui observait attentivement sa réaction. Rien de comparable à ces reflets de patine, à ces dorures sur cuir, derrière la vitre... Sans parler des trésors qu'ils renferment : des siècles d'étude, de sagesse. De réponses aux secrets de l'univers et du cœur de l'homme — il leva les bras, puis les laissa retomber, renonçant à exprimer avec des mots son orgueil de propriétaire. Je connais des gens qui seraient capables de tuer pour une collection comme celle-là.

Corso hochait la tête sans quitter les livres des yeux.

— Vous, par exemple, répondit-il. Mais pas personnellement. Vous vous arrangeriez pour que d'autres le fassent à votre place.

Le rire méprisant de Varo Borja s'éleva dans la pièce.

— C'est un des avantages de l'argent : il vous permet d'engager des sbires pour faire le sale travail. Et vous gardez votre virginité.

Corso regarda le libraire.

— C'est un point de vue, reconnut-il après un instant de réflexion ; on aurait pu croire qu'il réfléchissait vraiment à ce que l'autre venait de dire. Mais je méprise davantage ceux qui ne se salissent pas les mains. Les vierges.

— Je me moque de ce que vous méprisez. Passons plutôt aux choses sérieuses.

Varo Borja fit quelques pas devant les vitrines. Chacune contenait sans doute une centaine de volumes.

— *Ars Diavoli...* — il ouvrit la plus proche pour passer le doigt sur le dos des livres, comme dans une caresse. Vous ne les verrez jamais réunis en un autre lieu. Ce sont les plus rares, les plus choisis. Il m'a fallu des années pour constituer cette collection, mais il me manquait la pièce maîtresse.

Il sortit un in-folio relié en peau noire, à la vénitienne, sans titre extérieur mais avec cinq nerfs sur le dos et un pentacle doré sur le plat de la couverture. Corso le prit dans ses mains et l'ouvrit avec d'infinies précautions. La première page imprimée, le frontispice original, était en latin : DE UMBRARUM REGNI NOVEM PORTIS, Livre des Neuf Portes du Royaume des Ombres. Suivait la marque de l'imprimeur, lieu, nom et date : *Venetiae, apud Aristidem Torchiam*. M.DC.LX.VI. *Cum superiorum privilegio veniaque*. Avec privilège et licence des supérieurs.

Varo Borja observait avec intérêt la réaction de son visiteur.

— On reconnaît un bibliophile à la manière dont il touche un livre, dit le libraire.

— Je ne suis pas bibliophile.

— C'est vrai. Quoiqu'il vous arrive de vous faire pardonner vos manières de lansquenet mercenaire... Et en matière de livres, certains gestes rassurent. Alors que certains contacts de mains sont criminels.

Corso tourna quelques pages. Le texte était en latin, imprimé dans une belle typographie sur un papier épais et d'excellente qualité qui avait parfaitement résisté au passage du temps. L'ouvrage comptait neuf splendides gravures pleine page représentant des scènes d'inspiration médiévale. Il s'arrêta sur l'une d'elles, au hasard. Elle portait le numéro V en chiffres romains, ainsi qu'une lettre ou un chiffre en hébreu, et un autre en grec. En bas, un mot incomplet ou chiffré : *FR.ST.A.* Devant une porte close, un personnage qui semblait être un marchand comptait un sac de pièces d'or, sans se soucier du squelette qui, derrière lui, tenait d'une main un sablier et de l'autre une fourche.

— Qu'en pensez-vous ? demanda le libraire.

— Vous me dites qu'il est faux, mais il n'en a pas l'air. Vous l'avez bien étudié ?

— À la loupe et jusqu'à la moindre virgule. J'en ai eu amplement le temps depuis que j'en ai fait l'acquisition il y a six mois, quand les héritiers de Gualterio Terral se sont décidés à vendre sa bibliothèque.

Le chasseur de livres continuait à feuilleter l'ouvrage. Les planches étaient très belles, d'une élégance simple et énigmatique. Sur une autre gravure, un bourreau vêtu d'une armure, épée brandie en l'air, s'apprêtait à décapiter une jeune femme.

— Je ne pense pas que les héritiers auraient mis en vente

un faux, conclut Corso lorsqu'il eut terminé son examen. Ils ont trop d'argent et ils ne s'intéressent pas aux livres. Et puis, c'est certainement la maison Claymore qui s'est chargée d'établir le catalogue... Enfin, j'ai connu le vieux Terral. Jamais il n'aurait accepté un livre faux, ou trafiqué.

— Je suis d'accord. De plus, Terral avait reçu *Les Neuf Portes* avec la succession de son beau-père, don Lisardo Coy, éminent bibliophile.

— Qui lui-même — Corso posa le livre sur la table et sortit son bloc-notes d'une poche de son manteau — l'avait acheté à un Italien, Domenico Chiara. Selon le catalogue Weiss, l'ouvrage était dans la famille Chiara depuis 1817...

Le libraire hocha la tête, satisfait.

— Je vois que vous avez bien étudié votre affaire.

— Naturellement — Corso le regarda comme s'il venait d'entendre une sottise. C'est mon travail.

Varo Borja lui fit un geste conciliant.

— Je ne doute pas de la bonne foi de Terral et de ses héritiers. Et je n'affirme pas non plus que cet exemplaire n'est pas ancien.

— Vous avez dit qu'il était faux.

— Faux n'est peut-être pas le mot juste.

— Expliquez-vous. Tout concorde avec l'époque — Corso reprit le livre, posa le pouce sur la tranche et fit défiler les pages en tendant l'oreille, attentif au bruit qu'elles faisaient. Jusqu'au papier qui sonne exactement comme il faut.

— Mais il y a quelque chose qui ne sonne pas comme il faut dans ce livre ; et je ne parle pas du papier.

— Peut-être les xylographies.

— Qu'est-ce que vous leur trouvez ?

— Elles me surprennent. On s'attendrait à des gravures sur cuivre. En 1666, plus personne n'utilisait la gravure sur bois.

— N'oubliez pas qu'il s'agit d'une édition singulière. Les planches en reproduisent d'autres plus anciennes, que l'imprimeur aurait découvertes ou vues quelque part.

— Le *Delomelanicon*... Vous croyez vraiment ?

— Ce que je crois ou pas ne vous regarde pas. Mais les neuf planches originales du livre ne sont pas attribuées à n'importe qui... Selon la légende, Lucifer, après sa défaite et son expulsion du ciel, a composé un formulaire magique à l'usage de ses adeptes : le codex magistral des ombres. Le terrible livre gardé secret, brûlé plusieurs fois, vendu à prix d'or par les rares privilégiés qui le possédaient... Ces illustrations sont en réalité des rébus infernaux. Interprétées avec l'aide du texte et les connaissances voulues, elles permettraient d'invoquer le prince des ténèbres.

Corso hocha la tête avec une gravité forcée.

— Je connais de meilleurs moyens de vendre son âme.

— Ne le prenez pas trop à la légère, car la chose est plus sérieuse qu'il ne paraît... Vous savez ce que veut dire *Delomelanicon* ?

— Je crois que oui. Le mot vient du grec : *Delo*, invoquer. Et *Melas* : noir, sombre.

Varo Borja poussa un petit rire grinçant d'approbation railleuse.

— J'oubliais que vous étiez un mercenaire cultivé. Vous avez raison : invoquer les ténèbres, ou les éclairer. Le prophète Daniel, Hippocrate, Flavius Josèphe, Albert le Grand et Léon III ont tous fait allusion à ce livre merveilleux. Alors que les hommes n'écrivent que depuis six mille ans, on attribue au *Delomelanicon* une antiquité trois fois plus ancienne... La première mention directe de l'œuvre figure dans le papyrus de Turis, vieux de trente-trois siècles. Par la suite, entre l'an I avant notre ère et l'an II après Jésus-Christ, il est cité plusieurs fois dans le *Corpus Hermeticum*. Selon l'*Asclemandres*, ce livre permet de *regarder la Lumière face à face*... Et dans un inventaire partiel de la bibliothèque d'Alexandrie, avant sa troisième et dernière destruction en l'an 646, il est fait expressément mention des neuf énigmes magiques qu'il renferme... On ignore s'il en existait un seul exemplaire ou plusieurs, et si l'un d'eux a survécu à l'incendie... Par la suite, nous perdons et retrouvons sa trace au cours de l'Histoire, au gré des incendies, des guerres et des catastrophes.

Corso avança ses incisives en une moue incrédule.

— Comme toujours. Tous les livres merveilleux ont la même légende : depuis Thot, jusqu'à Nicolas Flamel... Un jour, un client passionné de chimie hermétique m'a confié la bibliographie citée par Fulcanelli et ses adeptes. Je n'ai jamais pu le convaincre que la moitié de ces titres n'avait jamais existé.

— Mais ce livre a bel et bien existé. Et son existence présumée doit bien reposer sur quelque chose, puisque le Saint-Office l'a mis à l'Index... Qu'en pensez-vous ?

— Ce que je pense n'a pas d'importance. Il y a des avocats qui ne croient pas à l'innocence de ceux qu'ils défendent et qui parviennent cependant à les faire innocenter.

— C'est précisément de cela qu'il s'agit. Je n'achète pas votre conviction, mais votre efficacité.

Corso tourna encore quelques pages. Une autre gravure, celle qui portait le numéro 1, représentait une ville fortifiée au sommet d'une colline. Un étrange chevalier sans armes chevauchait dans sa direction, un doigt sur les lèvres, comme pour réclamer la complicité ou le silence. La légende qui accompagnait la gravure se lisait ainsi : *NEM. PERV.T QUI N.N LEG. CERT.RIT.*

— La phrase est chiffrée, mais on peut la traduire en clair, précisa Varo Borja, attentif à ses gestes : *Nemo pervenit qui non legitime certaverit....*

— *Nul n'y parvient qui n'a combattu selon les règles... ?*

— Plus ou moins. Pour le moment, c'est la seule des neuf légendes dont nous pouvons établir le texte avec certitude. Elle figure sous une forme pratiquement identique dans les œuvres de Roger Bacon, spécialiste de la démonologie, de la cryptographie et de la magie... Bacon affirmait posséder un *Delomelanicon* qui aurait appartenu au roi Salomon, ainsi que la clé des terribles mystères. Ce livre, composé de rouleaux de parchemin et illustré, a été brûlé vers 1350 sur l'ordre personnel du pape Innocent VI qui dit alors : « *Il renferme une méthode pour invoquer les démons* »... Trois siècles plus tard, Aristide Torchia décidait de l'imprimer à Venise avec les illustrations originales.

— Trop parfaites, objecta Corso. Il ne peut s'agir des illustrations originales : le style serait plus archaïque.

— Nous sommes d'accord. Torchia les a certainement revues au goût du jour.

Sur une autre planche, celle qui portait le numéro III, un pont barré de portes fortifiées enjambait une rivière. Quand il leva les yeux, Corso vit que Varo Borja le regardait avec un sourire énigmatique sur les lèvres, comme un alchimiste sûr de ce qui bout dans sa cornue.

— Encore une dernière référence, reprit le libraire : Giordano Bruno, martyr du rationalisme, mathématicien et paladin de la rotation de la Terre autour du Soleil... — il fit un geste dédaigneux de la main, comme si tout cela eût été secondaire. Mais ce n'est qu'une partie de son œuvre qui compte soixante et un ouvrages dans lesquels la magie occupe une place importante. Et maintenant, voyez un peu : Bruno fait expressément mention du *Delomelanicon*, en utilisant même les mots grecs *Delo* et *Melas*, puis il ajoute : « *Sur le chemin des hommes qui veulent savoir, il y a neuf portes secrètes* », avant de parler des méthodes propres à faire que la Lumière brille de nouveau... « *Sic luceat Lux* », écrit-il ; étrange coïncidence, c'est la même devise — il montra à Corso la marque de l'imprimeur du livre : un arbre frappé par la foudre, un serpent et une devise — qu'utilise Aristide Torchia dans le frontispice des *Neuf Portes*... Qu'en pensez-vous ?

— Beaucoup de bien. Mais en réalité, vous ne tenez rien du tout. Il est trop facile de faire dire n'importe quoi à un texte, surtout s'il est ancien et ambigu.

— Ou s'il est écrit avec certaines précautions. Quoique Giordano Bruno ait oublié la règle d'or de la survie : *Scire, tacere*. Savoir et taire. Apparemment, pour savoir, il savait, mais il avait la langue plus longue qu'il n'aurait fallu. Continuons avec les coïncidences : Giordano Bruno est arrêté à Venise, déclaré hérétique et contumax, puis brûlé vif à Rome, Campo dei Fiori, en février 1600. Les mêmes lieux et les mêmes dates qui, soixante-sept ans plus tard, vont jalonner l'exécution de l'imprimeur Aristide Torchia : arrêté à Venise, torturé à Rome, brûlé au même endroit, Campo dei Fiori, en février 1667. À l'époque, on ne brûlait plus beaucoup. Pourtant, on l'a bel et bien brûlé.

— Je suis vraiment impressionné, dit Corso qui ne l'était pas du tout.

Irrité, Varo Borja fit clapper sa langue.

— Je me demande parfois si vous êtes capable de croire quoi que ce soit.

Corso fit mine de réfléchir un moment avant de hausser les épaules.

— Il y a longtemps, je croyais à certaines choses... Mais j'étais alors jeune et cruel. Maintenant, j'ai quarante-cinq ans : je suis vieux et cruel.

— Moi aussi. Mais je crois quand même en certaines choses. Des choses qui me font battre le cœur.

— Comme l'argent ?

— Ne vous moquez pas. L'argent est la clé qui ouvre la porte secrète des hommes. Qui vous achète, vous, par exemple. Ou qui me procure la seule chose que je respecte au monde :

ces livres — il fit quelques pas dans la pièce, devant les vitrines pleines à craquer. Ce sont des miroirs à l'image et à la ressemblance de ceux qui écrivirent leurs pages. Ils reflètent leurs préoccupations, leurs mystères, leurs désirs, leurs vies, leurs morts... Ils sont une matière vivante : il faut savoir les nourrir, les protéger...

— Et les utiliser.

— Parfois.

— Et celui-ci ne fonctionne pas.

— Exact, il ne fonctionne pas.

— Vous l'avez essayé.

La phrase de Corso était une affirmation, pas une question. Varo Borja lui lança un regard hostile.

— Ne soyez pas stupide. Disons que j'ai la certitude qu'il est faux, point final. C'est pour cette raison que je veux le comparer avec les autres exemplaires existants.

— Je vous répète qu'il n'est pas nécessairement faux. On relève souvent des différences entre deux exemplaires d'un même livre, même provenant de la même édition... En fait, il n'y a pas deux exemplaires identiques, car certains détails les distinguent déjà dès leur naissance. Ensuite, chaque volume vit sa vie propre : il perd des pages, on lui en ajoute d'autres, on en remplace certaines, on le relie... Avec les années, deux livres imprimés sur la même presse n'ont parfois presque plus de ressemblance. Et c'est ce qui a pu se produire avec celui-ci.

— Voyez ce qu'il en est. Enquêtez sur *Les Neuf Portes* comme s'il s'agissait d'un crime. Suivez toutes les pistes, vérifiez toutes les pages, toutes les gravures, le papier, la reliure... Faites remonter votre enquête dans le temps pour découvrir d'où provient mon volume. Ensuite, à Sintra et à Paris, faites la même chose avec les deux autres.

— Il me serait très utile de savoir comment vous êtes arrivé à la conclusion que le vôtre est faux.

— Je ne peux pas vous le dire. Faites confiance à mon intuition.

— Votre intuition va vous coûter beaucoup d'argent.

— Contentez-vous de le dépenser.

Il sortit le chèque de sa poche et le tendit à Corso qui le retourna entre ses doigts, indécis.

— Pourquoi me payez-vous d'avance ?... Ce n'est pas dans vos habitudes.

— Vous allez avoir des frais, importants. Cette somme vous permettra de faire les premiers pas — il lui tendit un épais dossier relié. Vous trouverez ici tout ce que j'ai pu réunir comme documentation sur le livre ; vous en aurez peut-être besoin.

Corso regardait toujours le chèque.

— C'est trop pour une avance.

— Vous devrez peut-être faire face à certaines complications...

— Surprise, surprise.

Sa réponse sarcastique ne l'empêcha pas d'entendre le libraire s'éclaircir la gorge. Ils arrivaient enfin au nœud de l'affaire.

— Si les trois exemplaires sont faux ou incomplets, reprit Varo Borja, vous aurez terminé votre travail et l'affaire sera close... — il fit une pause, passa la main sur sa calvitie bronzée, puis eut un sourire gêné. Mais un de ces livres peut se révéler authentique, et vous disposerez alors d'une autre somme d'argent. Parce que si c'était le cas, je voudrais l'avoir coûte que coûte et par tous les moyens.

— Vous plaisantez ?

— Ai-je l'air de plaisanter, Corso ?

— Mais c'est illégal.

— Vous avez déjà fait des choses illégales.

— Pas de cette envergure.

— Personne ne vous a payé ce que je vous payerai.

— Quelle garantie me donnez-vous ?

— Je vous laisse emporter le livre, puisque vous aurez besoin de l'original pour votre travail... Vous ne trouvez pas que c'est une garantie suffisante ?

Tic, tac. Corso, qui avait toujours *Les Neuf Portes* entre les mains, glissa le chèque entre deux pages comme un signet et souffla sur le livre pour en chasser une poussière imaginaire avant de le rendre à Varo Borja.

— Vous avez dit il y a un instant que l'argent achetait tout. Faites-en vous-même l'expérience. Allez donc voir les propriétaires et mouillez-vous un peu le cul.

Il fit demi-tour et se dirigea vers la porte en se demandant combien de pas il allait faire avant d'entendre la voix du libraire. Il en fit trois.

— Ce n'est pas une affaire pour gens de robe, dit Varo Borja. C'est un travail pour gens d'épée.

Le ton avait changé. Envolé l'aplomb arrogant, le mépris pour le mercenaire dont il louait les services. Un ange — gravé sur bois par Dürer — battit doucement des ailes derrière la vitre d'un cadre, sur le mur, tandis que les chaussures de Corso faisaient lentement demi-tour sur les dalles de marbre noir. À côté des vitrines remplies de livres, à côté de la fenêtre à la grille en fer forgé qui donnait sur la cathédrale, tout au fond, à côté de tout ce qu'il pouvait acheter avec de l'argent, Varo Borja battait des paupières, décontenancé. Il conservait encore sa mimique arrogante ; une de ses mains frappait même avec un dédain mécanique la couverture du livre. Mais bien avant ce moment de gloire, Lucas Corso avait appris à lire la déroute dans les yeux des hommes. Et aussi la peur.

Son pouls battait d'une satisfaction tranquille quand, sans mot dire, il rebroussa chemin pour s'avancer vers Varo Borja. Et lorsqu'il arriva devant lui, il sortit le chèque qui dépassait des pages des *Neuf Portes*, puis il le plia soigneusement et le mit dans sa poche. Finalement, il prit le dossier et le livre.

— Je vous tiendrai au courant.

Il savait qu'il venait de jeter les dés, qu'il avançait sur la première case d'un jeu de l'oie périlleux et qu'il était trop tard pour reculer. Mais il aimait le jeu. Il descendit l'escalier en laissant derrière lui l'écho de son rire sec lâché entre ses dents. Varo Borja se trompait. Certaines choses ne pouvaient s'acheter avec de l'argent.

L'escalier de la porte principale donnait sur un patio intérieur, orné d'un puits et de deux lions vénitiens en marbre, séparé de la rue par une grille. Du Tage montait une humidité désagréable qui fit s'arrêter Corso sous l'arc mudéjar de l'entrée pour remonter le col de son manteau. Puis il s'avança dans les ruelles étroites et silencieuses aux pavés inégaux, jusqu'à une petite place où il y avait un café avec des tables de fer et quelques marronniers aux branches dénudées à l'ombre du clocher d'une église. Il choisit un rectangle de sol tiède et s'installa à la terrasse tandis que ses membres engourdis retrouvaient un peu de chaleur. Un verre de gin vidé d'un trait, suivi d'un autre, sans glace, contribuèrent à normaliser la situation. C'est alors qu'il ouvrit le dossier des *Neuf Portes* et qu'il y jeta pour la première fois un coup d'œil sérieux.

La chemise contenait une étude de quarante-deux pages dactylographiées relatant tous les antécédents historiques du livre, tant dans la version que l'on disait originale, le *Delomelanicon* ou *Évocation des Ombres*, que dans celle de Torchia, *Les Neuf Portes du Royaume des Ombres*, imprimée à Venise en 1666. Divers appendices complétaient le texte avec une bibliographie, des photocopies de citations de textes classiques et divers renseignements sur les deux autres exemplaires connus : propriétaires, restaurations, dates d'acquisition, adresses actuelles. On y trouvait aussi une transcription des actes du procès d'Aristide Torchia, avec le récit d'un témoin oculaire, un certain Gennaro Galeazzo, qui rapportait les derniers moments du malheureux imprimeur :

> ... *Il monta sur l'échafaud sans vouloir se réconcilier avec Dieu et garda un silence obstiné. Quand on alluma le feu, la fumée commença à l'étouffer. Les yeux sortis de leurs orbites, il poussa un cri terrible et se recommanda au Père. Beaucoup dans l'assistance se signèrent, car il demandait à Dieu sa clémence à l'article de la mort. D'autres disent qu'il cria au sol, c'est-à-dire aux entrailles de la terre...*

Une voiture passa à l'autre bout de la place, puis disparut au coin d'une rue qui menait à la cathédrale. Le moteur ronronna encore quelque temps, comme si le conducteur s'était arrêté un moment avant de repartir. Plongé dans la lecture de son livre, Corso y prêta à peine attention. La première page était celle du frontispice. La deuxième était blanche. La troisième, avec un beau *N* capitulaire en tête de chapitre, était la première du texte proprement dit et commençait par une introduction cryptique :

> *Nos p.tens L.f.r, juv.te Stn. Blz.b, Lvtn, Elm, atq Ast.rot. ali.q, h.die ha.ems ace.t pct fo.de.is c.m t. qui no.st ; et h.ic pol.icem am.rem mul. flo.em virg.num de.us mon. hon v.lup et op. for.icab tr.d.o, eb.iet i.li c.ra er. No.is of.ret se.el in ano sag. sig. s.b. ped. cocul.ab sa Ecl.e et no.s r.gat i.sius er.t ; p.ct v.v.t an v.q fe.ix in t.a hom. et ven. os.ta int. nos ma. et D :*
>
> *Fa.t in inf int co.s daem.*
> *Satanas. Belzebub, Lcfr, Elimi, Leviathan, Astaroth*
> *Siq pos mag. diab. et daem. pri.cp dom.*

Après l'introduction, dont l'auteur présumé ne faisait pas de doute, le texte commençait. Corso lut les premières lignes :

*D.mine mag.que L.fr, te D.um m. et.pr ag.sco. et pol.c.or t
ser.ire. a.ob.re quam.d p. vvre ; et rn.io al.rum d. et js.ch.st et
a.s. sn.ts tq.e s. ctas e. ec.les. apstl. et rom. et om. i sc.am. et
o.nia ips. s.cramen. et o.nes.atio et r.g. q.ib fid. pos.nt int.rcd.
p.o. me ; et t.bi po.lceor q. fac. qu.tqu.t m.lum pot., et atra. ad
mala p. omn. Et ab.rncio chrsm. et b.ptm et omn...*

Il leva les yeux vers le porche de l'église dont les archivoltes
rongées par la pluie et les intempéries représentaient le Jugement dernier. Au-dessous, divisant la porte en deux, une niche
perchée au sommet d'une colonne abritait un pantocrator courroucé dont la main droite, dressée en l'air, évoquait plus le
châtiment que la clémence. Dans la gauche, il tenait un livre
ouvert et Corso ne put se soustraire à l'inévitable association
d'idées. Il regarda autour de lui, la flèche de l'église et les
édifices voisins ; les façades avaient conservé leurs armes épis-
copales et Corso se dit que cette place elle aussi avait vu brûler,
à une autre époque, les bûchers de l'Inquisition. Après tout, il
était à Tolède. Creuset de cultes souterrains, de mystères initia-
tiques, de faux convertis. Et d'hérétiques.

Il but une longue gorgée de gin avant de retourner à son
livre. Le texte, en latin abrégé, continuait sur cent cinquante-
sept pages suivies d'une dernière, vierge. Les neuf qui restaient
étaient celles des fameuses planches inspirées, selon la légende,
par Lucifer lui-même. Chaque xylographie portait à son sommet trois chiffres, un romain, l'autre hébreu et le dernier grec,
ainsi qu'une phrase en latin, abrégée comme le reste. Corso
commanda un troisième gin tandis qu'il les passait en revue.
Elles lui rappelaient les personnages du tarot, ou de vieilles
gravures du Moyen Âge : le roi et le mendiant, l'ermite, le
pendu, la mort, le bourreau. Sur la dernière planche, une belle
femme chevauchait un dragon. Trop belle, se dit-il, pour la
morale ecclésiastique de l'époque.

Il tomba sur une illustration identique, sur une photocopie
de la *Bibliographie universelle* de Mateu ; quoique ce ne fût pas
la même, en réalité. Corso avait entre les mains l'exemplaire
Terral-Coy, alors que la gravure reproduite appartenait, selon
ce qu'avait noté le vieil érudit majorquin en 1929, à un autre
livre :

*Torchia (Aristide). De Umbrarum Regni Novem Portis.
Venetiae, apud Aristidem Torchiam.* MDCLXVI. In-folio.

por ti solo ser causada
siente agora el gran dolor
que me das en tu partida
agradesce el gran amor
que te puse con fauor
reparando tu venida.

S. l. ni a. *(hácia 1525).* 4.° let.
gót. *4 hojas sin foliacion con la sign.* a.

HOMERO. La Vlyxea de Homero. Repartida en XIII. Libros.
Tradvzida de Griego en Romance
castellano por el Señor Gonçalo Perez. Venetia, en casa de Gabriel Gio-
lito de Ferrariis, y svs hermanos,
MDLIII. 12.° let. curs. 209 *hojas fo-
liadas, inclusos los prels. y una al
fin, en cuyo reverso se repilen las se-
ñas de la impresion.*

He visto la primera edicion, con el si-
guiente título: *De la Ulyxea de Homero.
XIII. libros, traduzidos de Griego en Romance Castellano por Gonçalo Perez. Anuers, en
casa de Iuan Stelsio,* 1550. 8.° let. cursiva. 4
hojas prels. y 293 fols.
Nic. Antonio menciona otra tambien de
Anuers, 1553. 12.°

Poema en ciento treinta y cinco octavas.
Hal al fin una disertacion en prosa, intitula-
da: *Prueba, que huuo Gigantes, y que oý los
ay,* y por cierto para mi solo prueba que el
autor era sumamente cándido ó tenia mui
grandes tragaderas: sea esto dicho con per-
don de los varios testos biblicos y de Santos
Padres que aduce en confirmacion de sus
ideas gigantescas.

OVIDIO NASON. Metamor-
phoseos del excelente poeta Ouidio
Nasson. Traduzidos en verso suelto y
octaua rima: con sus allegorias al fin
de cada libro. Por el Doctor Antonio
Perez Sigler. Nueuamente agora en-
mēdados, y añadido por el mismo autor
vn Diccionario Poetico copiosissimo.
Bvrgos, Iuan Baptista Varesio, 1609.
12.° let. curs. 21 *hojas prels. y 584 fols.*

Este tomito por ser tan grueso suele ha-
llarse dividido en dos volumenes. No estoi
cierto si mi ejemplar está perfectamente
completo con las 21 hojas de preliminares.

N.NC SC.O TEN.BR. LVX

Sedano, en el tom. VII. del *Autores* llama
á esta primera edicion; sin embargo me
pone en duda el ver lleva la Aprobacion, la
Censura, el Privilegio, la Fe de erratas y la
Tasa fechadas en 1656. Por otra parte tambien puede ser cierto lo sentado por dicho
Sedano, pues D. José Pellicer, al principio
de su introduccion biográfico-literaria, observa que *salen ya á luz pública, despues de*

Il tomba sur une illustration identique, sur une photocopie
de la *Bibliographie universelle* de Mateu...

160 pp. avec frontispice, 9 hors-texte gravés sur bois. Exceptionnellement rare. Trois exemplaires connus seulement. Bibliothèque Fargas, Sintra, Port. (voir illustration). Bibliothèque Coy, Madrid, Esp. (manque la planche 9). Bibliothèque Morel, Paris, Fr.

Manque la planche 9. C'était inexact, comme put le constater Corso. La xylographie numéro neuf se trouvait intacte dans l'exemplaire qu'il avait entre les mains, autrefois de la bibliothèque Coy, puis Terral-Coy, et aujourd'hui propriété de Varo Borja. Il s'agissait sans doute d'une coquille typographique, ou d'une erreur de Mateu. En 1929, quand on avait édité la *Bibliographie universelle*, les techniques d'impression et de diffusion n'étaient pas si bien développées qu'aujourd'hui ; bon nombre d'érudits mentionnaient des livres qu'ils ne connaissaient que de seconde main. L'exemplaire incomplet était peut-être l'un des deux autres. Corso nota quelque chose en marge. À vérifier.

Une horloge sonna trois coups, chassant les pigeons du clocher et des toits. Corso tressaillit, comme s'il revenait à lui. Il fouilla dans son pantalon, sortit un billet de sa poche, le posa sur sa table et se leva. Le gin lui donnait une agréable sensation de distance, étouffant les sons et images venus de l'extérieur. Il glissa le livre et le dossier dans son sac de toile qu'il jeta sur son épaule, puis il resta quelques instants à regarder le visage courroucé du pantocrator du porche. Comme il n'était pas pressé et qu'il avait envie de se changer les idées, il décida d'aller à pied à la gare.

Arrivé devant la cathédrale, il prit un raccourci, par le cloître. Il passa à côté du kiosque de souvenirs, fermé, et observa quelques instants les échafaudages vides qui se dressaient devant les fresques en cours de restauration. L'endroit était désert et ses pas résonnaient sous les voûtes. Il crut un moment entendre des pas derrière lui. Un prêtre qui arrivait en retard à son confessionnal.

Il sortit par la grille de fer qui communiquait avec une ruelle étroite et sombre, gorge aux murs balafrés par les véhicules. Et c'est alors qu'il entendit tourner un moteur, hors de sa vue, sur la gauche, tandis qu'il prenait la direction contraire. Un panneau de signalisation, un triangle, annonçait le rétrécissement de la rue. Quand il arriva à la hauteur du panneau, Corso entendit tout à coup le moteur accélérer. Le bruit montait derrière son dos. Trop vite, pensa-t-il, tandis qu'il commen-

çait à faire volte-face ; mais il avait à peine eu le temps d'amor-
cer son geste qu'il apercevait une masse sombre fonçant sur lui.
Ses réflexes étaient engourdis par le gin, mais son attention
était encore fixée, par pur hasard, sur le panneau de signalisation. L'instinct le poussa vers lui, en quête d'une mince protec-
tion, entre le poteau de métal et le mur. Il se plaqua contre ce
refuge improvisé et l'auto ne lui frappa que la main en passant.
Le coup fut sec et douloureux et les genoux de Corso fléchirent
sous son poids. Il tomba sur les pavés inégaux et vit l'auto se
perdre au bout de la rue dans un crissement de pneus.

Corso continua son chemin vers la gare en frottant sa main
meurtrie. Mais il se retournait maintenant de temps en temps
pour regarder derrière lui et son sac où ballottait *Les Neuf
Portes* lui brûlait l'épaule. Trois secondes d'une vision fugace,
mais c'était suffisant : cette fois, ce n'était pas une Jaguar, mais
une Mercedes noire. Mais celui qui avait failli le renverser était
un homme brun, avec une moustache et une balafre sur la joue.
Le type du bar de Makarova. Celui qu'il avait vu, en uniforme
de chauffeur, en train de lire le journal devant la maison de
Liana Taillefer.

IV

L'homme à la balafre

*D'où il vient, je l'ignore ; mais où il va
je puis vous le dire : il va en enfer à coup sûr.
(A. Dumas, Le Comte de Monte-Cristo)*

La nuit tombait quand Corso rentra chez lui, sentant le battement douloureux de sa main meurtrie au fond de la poche de son manteau. Il se rendit à la salle de bains, ramassa par terre un pyjama froissé et une serviette de toilette, puis tint son poignet cinq bonnes minutes sous l'eau froide. Il ouvrit ensuite quelques boîtes de conserve et dîna debout, dans la cuisine.

La journée avait été étrange, et périlleuse. Il y réfléchissait, déconcerté par cette succession d'événements, moins inquiet cependant que curieux. Depuis longtemps, son attitude devant l'imprévu se réduisait au fatalisme indifférent de celui qui attend que la vie fasse le pas suivant. Cette absence d'engagement, cette neutralité devant les faits, excluait toute vocation pour les premiers rôles. Jusqu'à ce matin-là, dans la ruelle de Tolède, il n'avait jamais été qu'un exécuteur. Les victimes avaient été les autres. Chaque fois qu'il mentait ou qu'il négociait avec quelqu'un, l'échange se déroulait de façon objective, sans lien moral avec les personnes ou les choses qui n'étaient que la matière première de son travail. Lucas Corso restait en marge, mercenaire qui ne s'engageait à rien, sauf à un bénéfice formel ; la tierce personne indifférente. Peut-être cette attitude lui permettait-elle de toujours se sentir à l'abri, de la même manière que, lorsqu'il ôtait ses lunettes, les personnes et objets lointains se diluaient en silhouettes imprécises, floues, dont il pouvait ignorer l'existence en les privant de leur enveloppe formelle. Mais à présent, la douleur concrète qu'il sentait dans sa main meurtrie, cette impression d'une menace prête à faire irruption dans sa vie avec une violence précise dont il était l'objet, lui et pas les autres, faisaient pressentir un inquiétant changement de décor. Lucas Corso, qui tant de fois avait fait office de bourreau, n'avait pas l'habitude de se considérer comme la victime de personne. Et il était troublé.

En plus de sa main qui lui faisait mal, tous ses muscles étaient crispés et il avait la bouche sèche. Il décida donc d'ouvrir une bouteille de Bols et chercha des aspirines dans son sac de toile. Il en avait toujours une bonne provision avec lui, au milieu de livres (les siens et ceux des autres), de crayons, de stylos-bille, de carnets de note à moitié remplis, d'un couteau suisse à multiples accessoires, de son passeport, de son argent et d'un gros carnet d'adresses. Ainsi équipé, il pouvait disparaître d'un moment à l'autre sans rien laisser derrière lui, comme un escargot part avec sa coquille. Ce sac l'aidait à s'improviser une maison, un domicile partout où le conduisait le hasard ou ses clients : aéroports, gares, librairies poussiéreuses, chambres d'hôtes confondues dans sa mémoire comme une seule pièce aux limites changeantes, réveils sans point de repère, en sursaut dans le noir, l'interrupteur qu'on cherche pour tomber sur le téléphone, la désorientation complète, la confusion. Passages à vide arrachés à la vie et à la conscience. Il n'était jamais très sûr de rien, pas même de lui-même, lorsqu'il ouvrait les yeux, durant ces trente premières secondes, quand le corps s'éveille plus rapidement que la pensée ou le souvenir.

Il s'installa devant son ordinateur et posa sur la table, à gauche de la machine, ses carnets de note et plusieurs ouvrages de référence, à droite, *Les Neuf Portes* et le dossier de Varo Borja. Puis il se renversa dans sa chaise en tenant entre les doigts une cigarette qu'il laissa se consumer pratiquement toute seule pendant cinq minutes. Tout ce temps, il ne fit rien, si ce n'est vider à petits coups sa bouteille de Bols en fixant l'écran vide de l'ordinateur et le pentacle de la couverture du livre. Finalement, il parut se réveiller. Il écrasa le mégot dans un cendrier, redressa ses lunettes et se mit à travailler. Le dossier de Varo Borja concordait avec l'*Encyclopédie des imprimeurs et livres rares et curieux,* de Crozet :

TORCHIA, Aristide. *Imprimeur, graveur et relieur vénitien.*

(1620-1667). Marque typographique : un serpent et un arbre frappé par la foudre. Il fait son apprentissage à Leyde (Hollande) dans l'atelier des Elzévir. À son retour à Venise, il publie une série d'œuvres philosophiques et hermétiques en petit format (in-12, in-16), qui furent très appréciées. On notera tout particulièrement Les Secrets de la Sagesse *de Nicolas Tomisso (3 vol., in-12, Venise 1650) et une curieuse* Clé des pensées captives *(1 vol., 132 x 75 mm, Venise 1653).* Les Trois Livres de l'Art *de Paolo d'Este (6 vol., in-8, Venise 1658),* Explications curieuses d'arcanes et figures hiéroglyphiques *(1 vol., in-8, Venise 1659), une réimpression de* La Parole perdue *de Bernardo Trevisano (1 vol., in-8, Venise 1661) et* Les Neuf Portes du Royaume des Ombres *(1 vol., in-folio, Venise 1666). L'impression de ce dernier ouvrage lui valut de tomber entre les mains de l'Inquisition. Son atelier fut détruit, de même que tous les imprimés et manuscrits qui s'y trouvaient. Torchia connut le même sort que son œuvre. Condamné pour magie et sorcellerie, il mourut sur le bûcher le 17 février 1667.*

Il laissa l'ordinateur pour étudier la première page de cet ouvrage qui avait coûté la vie au Vénitien. DE UMBRARUM REGNI NOVEM PORTIS disait le titre. Apparaissait ensuite la marque typographique, l'emblème qui, sous la forme d'un simple monogramme ou d'une illustration compliquée, était en quelque sorte la signature de l'imprimeur. Dans le cas d'Aristide Torchia, comme l'indiquait Crozet, la marque représentait un arbre frappé par la foudre qui lui arrachait une branche. Un serpent se mordant la queue s'enroulait autour du tronc. La gravure était accompagnée de la devise *Sic luceat Lux* : Ainsi brille la lumière. Au bas de la page, un lieu, un nom et une date : *Venetiae, apud Aristidem Torchiam.* Imprimé à Venise, chez Aristide Torchia. Et plus bas : *M.DC.LX.VI. Cum superiorum privilegio veniaque.* Avec licence et privilège des supérieurs.

Corso se remit au clavier :

Exemplaire sans ex-libris ni annotations manuscrites. Complet selon le catalogue de vente de la collection Terral-Coy (Claymore, Madrid). Erreur de Mateu (8 planches au lieu de 9 pour cet exemplaire). In-folio. 299 x 215 mm. 2 gardes vierges, 160 pages et 9 xylographies hors-texte,

DE VMBRARVM REGNI

NOVEM PORTIS

Sic   *Luceat*

Lux

Venetiae, apud Aristidem Torchiam

M. DC. LX. VI.

Cum superiorum privilegio veniaque

א I α

NEM. PERV.T QVI N.N LEG. CERT.RIT

CLAVS. PAT·T

III

VERB. D.SVM C.S.T ARCAN.

IIII

FOR. N.N OMN. A.QVE

ה V ε

FR.ST.A

DIT.SCO M.R.

VII

DIS.S P.TI.R M.

ח　　　　　　　VIII　　　　　　　ר

VIC. I.T VIR.

N.NC SC.O TEN.BR. LVX

numérotées de I à VIIII. Pages : 1 de titre avec marque d'imprimeur. 157 de texte. La dernière blanche, sans colophon. Planches au recto, toutes pleine page. Verso vierge.

Il examina les illustrations une par une. Selon Varo Borja, la légende attribuait le dessin original à la main même de Lucifer. Chaque xylographie était accompagnée d'un nombre ordinal en chiffres romains, avec son équivalent en hébreu et en grec, ainsi que d'une phrase en latin. Il se remit à écrire :

I. NEM. PERV.T QUI N.N LEG. CERT.RIT : *Un chevalier chevauche vers une ville fortifiée. Un doigt sur la bouche, il conseille la prudence ou le silence.*

II. CLAUS. PAT.T. : *Un ermite devant une porte fermée. Une lanterne par terre et deux clés à la main. Un chien l'accompagne. À côté de lui, un signe semblable à la lettre hébraïque Teth.*

III. VERB. D.SUM C.S.T ARCAN. : *Un vagabond, ou un pèlerin, se dirige vers un pont qui enjambe une rivière. À chaque extrémité, une porte fortifiée en interdit l'accès. Sur un nuage, un archer vise dans la direction du chemin qui mène au pont.*

IIII. *(Écrit de cette façon, au lieu de la forme usuelle IV).* FOR N.N OMN. A.QUE : *Un bouffon devant un labyrinthe de pierre. L'entrée est également fermée par une porte. Trois dés par terre révèlent chacun trois de leurs faces, avec les nombres 1, 2 et 3.*

V. FR. ST.A. : *Un avare, ou un marchand, compte des pièces d'or. Derrière lui, la Mort tient dans une main un sablier et dans l'autre une fourche.*

VI. DIT.SCO M.R. : *Un pendu semblable à celui du Tarot, les mains liées derrière le dos, suspendu par un pied à un créneau du mur d'enceinte d'un château, à côté d'une poterne fermée. Par une meurtrière, une main revêtue d'un gantelet brandit une épée ardente.*

VII. DIS.S P.TI.R. M. : *Un roi et un mendiant jouent aux échecs sur un échiquier aux cases blanches. On voit la Lune par la fenêtre. Sous celle-ci et à côté d'une porte fermée, deux chiens se battent.*

VIII. VIC. I.T VIR. : Devant l'enceinte fortifiée d'une ville, une femme agenouillée offre son cou au bourreau. Au fond, une roue de la Fortune avec trois personnages : l'un au sommet, l'autre qui monte, le troisième qui descend.

VIIII. (Écrit de cette façon, au lieu de la forme usuelle IX). N.NC SC.O TEN.BR. LUX : Un dragon à sept têtes chevauché par une femme nue. Elle tient un livre ouvert et une demi-lune lui voile le sexe. Au fond, sur une colline, un château en flammes dont la porte, comme sur les huit autres planches, est fermée.

Il cessa de taper sur son clavier, étira ses muscles engourdis et bâilla. En dehors du cône de lumière de sa lampe de travail et de l'écran de l'ordinateur, la pièce était plongée dans l'obscurité ; derrière le balcon vitré montait la faible clarté des lampadaires de la rue. Il se leva pour regarder dehors, sans savoir très bien ce qu'il espérait découvrir. Peut-être une voiture arrêtée le long du trottoir, phares éteints, et une silhouette sombre à l'intérieur. Mais rien n'attira son attention. Seulement, pendant un instant, la sirène d'une ambulance qui s'éloignait entre les masses grises des immeubles. Il regarda l'horloge de l'église voisine : il était minuit cinq.

Il revint s'asseoir devant l'ordinateur et le livre. Il s'arrêta sur la première illustration, la marque de l'imprimeur de la page de titre, avec ce serpent ourovore qu'Aristide Torchia avait choisi comme emblème pour ses ouvrages. *Sic luceat Lux.* Serpents et diables, invocations et significations occultes. Il leva son verre pour porter un toast moqueur à la mémoire de l'imprimeur qui avait dû être un homme très courageux ou parfaitement stupide. Ces fantaisies se payaient cher dans l'Italie du XVIIe siècle, même imprimées *cum superiorum privilegio veniaque.*

Corso s'arrêta net et lança un juron en regardant autour de lui dans l'obscurité de la pièce, furieux de ne pas avoir compris plus tôt. *Avec privilège et licence des supérieurs.* C'était impossible.

Les yeux rivés sur la page, il se renversa dans son fauteuil pour allumer une autre de ses cigarettes froissées, tandis que les spirales de fumée montaient dans la lumière de la lampe, comme un rideau translucide et gris derrière lequel ondulaient les lignes imprimées.

Ce _Cum superiorum privilegio veniaque_ était absurde. Ou magistralement subtil. Impossible que cette référence à l'_imprimatur_ pût se référer à une autorité établie. L'Église catholique n'aurait jamais autorisé ce livre en 1666, puisque son prédécesseur direct, le _Delomelanicon_, figurait à l'Index des ouvrages interdits depuis cent cinquante ans. Aristide Torchia ne se référait donc pas à une autorisation des censeurs ecclésiastiques. Pas davantage au pouvoir civil, c'est-à-dire le gouvernement de la république de Venise. Ses supérieurs ne pouvaient qu'être d'un autre ordre.

La sonnerie du téléphone interrompit Corso. C'était Flavio La Ponte qui l'appelait pour lui raconter l'achat, avec un lot de livres — vendus en bloc, tout ou rien — d'une collection de tickets de tramway de différents pays européens, 5 775 pour être exact. Classés par pays dans des boîtes à chaussures, ils portaient tous des numéros de série palindromes. La Ponte ne plaisantait pas. Le collectionneur venait de mourir et la famille voulait se débarrasser des tickets. Peut-être Corso connaissait-il quelqu'un que la collection pourrait intéresser. Naturellement. Le libraire savait que cette collection de 5 775 tickets portant des numéros de série palindromes, fruit d'une entreprise aussi hardie que pathologique, ne valait pas un clou. Qui allait acheter une pareille ânerie ? Oui, l'idée était peut-être bonne : le musée des Transports de Londres. Ces Anglais et leurs perversions... Corso pouvait-il se charger de l'affaire ?

La Ponte s'inquiétait également à propos du chapitre de Dumas. Il avait reçu deux coups de téléphone, un homme et une femme qui ne s'étaient pas identifiés et qui s'intéressaient au _Vin d'Anjou_. C'était étrange puisque, en attendant les conclusions de son ami, il s'était abstenu de parler de l'affaire autour de lui. Corso le mit au courant de sa conversation avec Liana Taillefer, au cours de laquelle il avait révélé l'identité du nouveau propriétaire.

— Elle te connaissait, pour t'avoir vu quand tu venais voir son mari. Et j'y pense, elle veut une copie du reçu.

Le libraire éclata de rire à l'autre bout de la ligne. Un reçu ! Mais comment donc ! Taillefer lui avait vendu le manuscrit, point final. Mais si la veuve voulait en parler, ajouta-t-il avec un petit rire lubrique, il n'y voyait pas le moindre inconvénient.

Corso évoqua la possibilité que l'éditeur, avant de mourir, eût parlé du manuscrit à quelqu'un ; mais La Ponte était sceptique. Taillefer insistait beaucoup pour qu'il garde le secret tant qu'il ne lui aurait pas fait signe. Et en fin de compte, il n'avait pas donné signe de vie, à moins qu'on n'interprète ainsi le fait de se pendre à un lustre.

— Tu sais, c'est un signe aussi clair qu'un autre, fit observer Corso.

La Ponte se rangea à son avis avec un ricanement cynique, puis s'enquit des détails de la visite de Corso chez Liana Taillefer. Après quelques nouveaux commentaires plus ou moins salaces, le libraire prit congé sans que Corso lui parle de l'escarmouche de Tolède. Ils se donnèrent rendez-vous pour le lendemain.

Le chasseur de livres raccrocha et se replongea dans l'étude des *Neuf Portes*. Mais d'autres images venaient le troubler, détournant son attention au profit du manuscrit de Dumas. Finalement, il alla chercher le dossier aux feuillets bleus et blancs, frotta sa main endolorie et appela au clavier les fichiers DUMAS. L'écran de l'ordinateur clignota, puis s'arrêta au fichier BIO :

Dumas, Alexandre (Alexandre Davy de La Pailleterie, dit). Né le 24-7-1802. Mort le 5-12-1870. Fils de Thomas Alexandre Dumas, général de la République. Auteur de 257 volumes de romans, mémoires et autres récits. 25 volumes de pièces de théâtre. Mulâtre par son père. La présence de ce sang noir lui donnait des traits exotiques. Portrait physique : haute taille, cou puissant, cheveux crépus, lèvres charnues, longues jambes, grande force physique. Caractère : viveur, volage, tyrannique, fourbe, déloyal, populaire. Il eut vingt-sept maîtresses connues, deux fils légitimes et quatre illégitimes. Il gagna des fortunes et les dilapida en plaisirs, voyages, vins fins et bouquets de fleurs. À mesure qu'il gagnait de l'argent avec son œuvre littéraire, il se ruinait en cadeaux pour ses maîtresses, amis et parasites qui assiégeaient son château de Montecristo. Lorsqu'il se vit forcé de fuir Paris, ce ne fut pas pour des raisons politiques comme son ami Victor Hugo, mais bien pour échapper à ses créanciers. Amis : Hugo, Lamartine, Michelet, Gérard de Nerval, Nodier, George Sand, Berlioz, Théophile Gautier, Alfred de Vigny, etc. Ennemis : Balzac, Badère et d'autres.

Tout ceci ne menait nulle part. Il avait l'impression de
suivre à l'aveuglette d'innombrables pistes fausses ou inutiles.
Et pourtant, il devait y avoir un rapport quelque part. De sa
main valide, il tapa DUMAS.ROM :

Romans d'Alexandre Dumas publiés par livraisons :
1831 : Scènes historiques (Revue des Deux Mondes).
1834 : Jacques Ier et Jacques II (Journal des Enfants). 1835 :
Isabel de Bavière (Dumont). 1836 : Murat (La Presse). 1837 :
Pascal Bruno (La Presse). Histoire d'un ténor (Gazette Musi-
cale). 1838 : Le Comte Horace (La Presse). Une nuit de
Néron (La Presse). La Salle d'Armes (Dumont). Le Capitaine
Paul (Le Siècle). 1839 : Jacques Ortis (Dumont). Vie et Aven-
tures de John Davis (Revue de Paris). Le Capitaine Panphile
(Dumont). 1840 : Mémoires d'un maître d'armes (Revue de
Paris). 1841 : Le chevalier d'Harmental (Le Siècle). 1843 :
Sylvandire (La Presse). La Robe de mariée (La Mode). Albine
(Revue de Paris). Ascanio (Le Siècle). Fernande (Revue de
Paris). Amaury (La Presse). 1844 : Les Trois Mousquetaires
(Le Siècle). Gabriel Lambert (La Chronique). Une fille du
Régent (Le Commerce). Les Frères corses (Démocratie Paci-
fique). Le Comte de Monte-Cristo (Journal des Débats). La
Bouillie de la comtesse Berthe (Hetzel). Histoire d'un casse-
noisette (Hetzel. La Reine Margot (La Presse). 1845. Nanon
de Lartigues (La Patrie). Vingt Ans après (Le Siècle). Le
Chevalier de Maison-Rouge (Démocratie Pacifique). La
Dame de Monsoreau (Le Constitutionnel). Madame de
Condé (La Patrie). 1846 : La Vicomtesse de Cambes (La
Patrie). Le Bâtard de Mauléon (Le Commerce). Mémoires
d'un médecin : Joseph Balsamo (La Presse). L'Abbesse de
Pessac (La Patrie). 1847 : Les Quarante-Cinq (Le Constitu-
tionnel). Le Vicomte de Bragelonne (Le Siècle). 1848 : Le
Collier de la reine (La Presse). 1849 : Les Mariages du père
Olifus (Le Constitutionnel). 1850 : Dieu dispose (Événe-
ment). La Tulipe noire (Le Siècle). Histoire d'une colombe
(Le Siècle). Ange Pitou (La Presse). 1851 : Olympe de Clèves
(Le Siècle). 1852 : Dieu et diable (Le Pays). La Comtesse de
Charny, (Cadot). Isaac Laquedem (Le Constitutionnel).
1853 : Le Pasteur d'Ashbourne (Le Pays). Catherine Blum
(Le Pays). 1854 : Vie et aventures de Catherine-Charlotte (Le
Mousquetaire). Le Gentilhomme de la montagne (Le Mous-
quetaire). Les Mohicans de Paris (Le Mousquetaire). Le

Capitaine Richard (Le Siècle). Le Page du duc de Savoie (Le Constitutionnel). 1856 : Les Compagnons de Jehú (Journal pour tous). 1857 : Le Dernier Roi de Saxe (Le Monte-Cristo). Le Meneur de loups (Le Siècle). Le Chasseur de sauvagine (Cadot). Black (Le Constitutionnel). 1858 : Les Louves de Machecoul (Journal pour Tous). Mémoires d'un policier (Le Siècle). La Maison de glace (Le Monte-Cristo). 1859 : La Frégate (Le Monte-Cristo). Ammalat-Beg (Moniteur Universel). Histoire d'un cabanon et d'un chalet (Revue Européenne). Une aventure d'amour (Le Monte-Cristo). 1860 : Mémoires d'Horace (Le Siècle). Le Père La Ruine (Le Siècle). La Marquise d'Escoman (Le Constitutionnel). Le Médecin de Java (Le Siècle). Jane (Le Siècle). 1861 : Une nuit à Florence sous Alexandre de Médicis (Lévy-Hetzel). 1862 : Le Volontaire de 92 (Le Monte-Cristo). 1863 : La San Felice (La Presse). 1864 : Les Deux Dianes (Lévy). Ivanhoë (Pub. du Siècle). 1865 : La Dame de volupté (Avenir National). Le Comte de Moret (Les Nouvelles). 1866 : Un cas de conscience (Le Soleil). Parisiens et Provinciaux (La Presse). Le Comte de Mazarra (Le Mousquetaire). 1867 : Les Blancs et les Bleus (Le Mousquetaire). La Terreur prussienne (La Situation). 1869 : Hector de Sainte-Hermine (Moniteur Universel). Le Docteur mystérieux (Le Siècle). La Fille du marquis (Le Siècle.)

Il sourit en se demandant ce que feu Enrique Taillefer aurait payé pour réunir tous ces ouvrages. Ses lunettes s'étaient embuées. Il les ôta et essuya soigneusement les verres. Les lignes de l'écran se brouillaient maintenant devant ses yeux, comme ces autres images étranges qui défilaient sans qu'il puisse les identifier. Une fois propres, les verres de ses lunettes rendirent à l'écran sa netteté habituelle ; mais les images de tout à l'heure continuaient à flotter à la dérive, imprécises, sans clé pour leur donner un sens. Et pourtant, Corso se croyait en bon chemin. L'ordinateur clignotait à nouveau :

Baudry, éditeur du Siècle. Publie Les Trois Mousquetaires *entre le 14 mars et le 11 juillet 1844.*

Il jeta un coup d'œil aux autres fichiers. D'après ses notes, Dumas avait eu en tout cinquante-deux collaborateurs au cours de sa carrière littéraire. Avec bon nombre d'entre eux, l'association avait connu une fin tumultueuse. Mais Corso ne s'intéressait qu'à un seul nom :

Maquet, Auguste-Jules. 1813-1886. Collabore avec Alexandre Dumas à diverses pièces de théâtre et à dix-neuf romans, dont les plus connus (Le Comte de Monte-Cristo, Le Chevalier de Maison-Rouge, La Tulipe noire, Le Collier de la reine) *et, surtout, le cycle des* Mousquetaires. *Sa collaboration avec Dumas lui vaut la célébrité et la fortune. Alors que Dumas meurt dans la ruine, Maquet s'éteint dans son château de Saint-Mesme, riche. Aucune de ses œuvres personnelles, écrites sans Dumas, n'a survécu.*

Puis il consulta les notes biographiques. Il y avait quelques paragraphes extraits des *Mémoires* de Dumas :

« *... Mon imagination, aux prises avec la réalité, pareille à un homme qui visite les ruines d'un monument détruit, est forcée d'enjamber par-dessus les décombres, de suivre les corridors, de se courber sous les poternes, pour retrouver, ou à peu près, le plan de l'édifice, à l'époque où la vie l'habitait, où la joie l'emplissait de chants et de rires, où la douleur y demeurait un écho pour les sanglots et pour les rires.* »

Corso abandonna son écran, exaspéré. Cette sensation qu'il avait eue un moment plus tôt l'abandonnait, se perdait dans les recoins de sa mémoire sans qu'il puisse l'identifier. Il se leva et fit quelques pas dans la pièce plongée dans l'obscurité. Puis il orienta la lampe pour éclairer une pile de livres posés par terre, contre le mur. Il se pencha et prit deux gros volumes, une édition moderne des *Mémoires* d'Alexandre Dumas père. Ensuite, il revint à la table et commença à les feuilleter en s'arrêtant sur trois photographies. Sur l'une d'elles, assis, le sang africain parfaitement reconnaissable dans ses cheveux crépus et ses traits mulâtres, Dumas regardait en souriant Isabelle Constant qui — d'après la légende de la photo — était devenue la maîtresse du romancier à l'âge de quinze ans. La deuxième photo montrait Dumas à l'âge mûr, avec sa fille Marie. Au sommet de la célébrité, le patriarche du feuilleton posait devant le photographe, bonhomme et placide. La troisième photo, pensa Corso, était sans doute la plus amusante et la plus significative. Un Dumas de soixante-cinq ans, cheveux poivre et sel mais encore drus, redingote ouverte sur un ventre rebondi, serrait contre lui Adah Menken, une de ses dernières maîtresses qui, selon le texte, après les séances de spiritisme et de magie noire qui lui plaisaient tant, aimait se faire photographier, en

Dumas serrait contre lui Adah Menken, une de ses dernières
maîtresses...

DE VMBRARVM REGNI

NOVEM PORTIS

Sic   *Luceat*

Lux

Venetiae, apud Aristidem Torchiam

M. DC. LX. VI.

Cum superiorum privilegio veniaque

tenue légère, avec les grands hommes de sa vie... Les jambes, les bras et le cou de Menken étaient nus, un scandale pour l'époque, et la jeune femme, plus attentive à l'appareil photographique qu'à l'objet de son étreinte, posait la tête sur la puissante épaule droite du vieillard. Quant à celui-ci, son visage portait les marques d'une longue vie de plaisirs et de débauche. La bouche, entre les lourdes bajoues du noceur, ébauchait un sourire satisfait et moqueur. Les yeux regardaient le photographe avec une expression gouailleuse et ironique, comme pour lui demander sa complicité : le gros barbon avec la jeune fille impudique et ardente qu'il exhibait comme un trophée rare, lui dont les personnages et les aventures avaient fait rêver tant de femmes. Comme si le vieux Dumas demandait qu'on le comprenne d'avoir cédé à l'envie capricieuse de se faire tirer le portrait en compagnie de cette petite, jolie et plutôt bien tournée, ma foi, peau douce et bouche brûlante, que la vie lui avait encore réservée au dernier tournant du chemin, trois ans seulement avant sa mort. Le vieux cochon.

Corso referma le livre en bâillant. Sa montre, une antiquité qu'il oubliait fréquemment de remonter, s'était arrêtée à minuit et quart. Il s'avança vers le balcon vitré et ouvrit une fenêtre pour prendre une bouffée d'air frais. La rue semblait toujours déserte.

Tout cela était bien étrange, se dit-il en revenant à sa table de travail pour éteindre l'ordinateur. Ses yeux se posèrent sur la couverture du manuscrit. Il l'ouvrit machinalement, examina une fois de plus ses quinze feuillets couverts de deux écritures différentes : onze pages bleues, quatre blanches. « *Après des nouvelles presque désespérées du roi...* » Puis il retourna à la pile de livres pour en extraire un énorme volume rouge, une édition fac-similé — J.-C. Lattès 1988 — de tout le cycle des *Mousquetaires*, ainsi que le *Monte-Cristo* dans l'édition Le Vasseur, avec des gravures presque contemporaines de Dumas. Il trouva le chapitre intitulé *Le Vin d'Anjou* à la page 144 et se mit à le lire en comparant le texte avec le manuscrit original. À une petite erreur près, les deux textes étaient identiques. Dans le livre, le chapitre était illustré de deux dessins de Maurice Leloi, gravés par Huyot. Le roi Louis XIII accourt au siège de La Rochelle avec dix mille hommes, précédé d'une escorte où figurent en première place quatre cavaliers, mousquets à la main, vêtus de la casaque de la compagnie de Tréville : trois d'entre eux sont certainement Athos, Porthos et Aramis. Un peu plus tard, ils retrouveront leur ami d'Artagnan, encore simple cadet dans la Compagnie des gardes de M. des Essarts. Le Gascon ignore alors que les bouteilles de vin d'Anjou sont un cadeau empoisonné de sa mortelle ennemie Milady qui entend se venger de l'injure qu'il lui a infligée lorsque, se faisant passer pour le comte de Wardes, il s'est glissé dans le lit de l'espionne de Richelieu, profitant de la nuit d'amour promise à l'autre. De plus, pour aggraver les choses, d'Artagnan a surpris par hasard le terrible secret de Milady : la fleur de lys sur son épaule, marque d'infamie imprimée par le fer du bourreau. Compte tenu de ces préliminaires et du caractère de Milady, le contenu de la deuxième illustration est évident : devant d'Artagnan et ses compagnons stupéfaits, le valet Fourreau expire dans d'atroces souffrances après avoir bu le vin destiné à son maître. Pris par la magie du texte qu'il n'avait pas relu depuis vingt ans, Corso arriva au passage dans lequel les mousquetaires et d'Artagnan parlent de Milady :

— *Eh bien ! dit d'Artagnan à Athos, vous le voyez, cher ami, c'est une guerre à mort.*

Athos secoua la tête.

— *Oui, oui, dit-il, je le vois bien ; mais croyez-vous que ce soit elle ?*

— *J'en suis sûr.*

— *Cependant je vous avoue que je doute encore.*

— *Mais cette fleur de lys sur l'épaule ?*

— *C'est une Anglaise qui aura commis quelque méfait en France, et qu'on aura flétrie à la suite de son crime.*

— *Athos, c'est votre femme, vous dis-je, répétait d'Artagnan, ne vous rappelez-vous donc pas comme les deux signalements se ressemblent ?*

— *J'aurais cependant cru que l'autre était morte, je l'avais si bien pendue.*

Ce fut d'Artagnan qui secoua la tête à son tour.

— *Mais enfin que faire ? dit le jeune homme.*

— *Le fait est qu'on ne peut rester ainsi avec une épée éternellement suspendue au-dessus de la tête, dit Athos, et qu'il faut sortir de cette situation.*

— *Mais comment ?*

— *Écoutez, tâchez de la rejoindre et d'avoir une explication avec elle ; dites-lui : la paix ou la guerre ! ma parole de gentilhomme de ne jamais rien dire de vous, de ne jamais rien faire contre vous ; de votre côté serment solennel de rester neutre à mon égard ; sinon, je vais trouver le chancelier, je vais trouver le roi, je vais trouver le bourreau, j'ameute la cour contre vous, je vous dénonce comme flétrie, je vous fais mettre en jugement, et si l'on vous absout, eh bien, je vous tue, foi de gentilhomme ! au coin de quelque borne, comme je tuerais un chien enragé.*

— J'aime assez ce moyen, dit d'Artagnan.

Les souvenirs en attirent d'autres. Tout à coup, Corso voulut retenir une image fugace et familière qui venait de lui passer par la tête. Il parvint à la fixer avant qu'elle ne s'évanouisse. Une fois de plus, c'était celle de l'homme en costume noir, le chauffeur de la Jaguar devant la maison de Liana Taillefer, au volant de la Mercedes à Tolède... L'homme à la balafre. Et c'était Milady qui avait évoqué son souvenir.

Il se mit à réfléchir, troublé. Et soudain, l'image lui apparut avec une netteté parfaite. Milady, naturellement. Milady de Winter comme d'Artagnan l'avait vue pour la première fois : passant la tête à la portière de sa voiture dans le premier chapitre du roman, devant l'auberge de Meung. Milady en conversation avec un inconnu... Corso tourna rapidement les pages, à la recherche du passage. Il le trouva sans difficulté :

... un homme de quarante à quarante-cinq ans, aux yeux noirs et perçants, au teint pâle, au nez fortement accentué, à la moustache noire et parfaitement taillée...

Rochefort. Le sinistre agent du cardinal, l'ennemi de d'Artagnan ; celui qui le fait rouer de coups de bâton au premier chapitre, qui dérobe la lettre de recommandation destinée à M. de Tréville, qui est indirectement responsable de ce que le Gascon manque de peu de se battre en duel avec Athos, Porthos et Aramis... Après cette pirouette de sa mémoire, cette insolite association d'idées et de personnages, Corso se grattait la tête, dérouté. Quel lien pouvait-il bien y avoir entre le compagnon de Milady et le chauffeur qui avait voulu le renverser à Tolède... ? Et puis, la cicatrice... Le paragraphe ne parlait d'aucune cicatrice ; pourtant — Corso s'en souvenait fort bien — Rochefort avait toujours eu une marque sur le visage. Il tourna plusieurs pages pour en trouver la confirmation au troisième chapitre, lorsque d'Artagnan raconte son aventure à Tréville :

— Dites-moi, continua-t-il, ce gentilhomme n'avait-il pas une légère cicatrice à la tempe ?
— Oui, comme le ferait l'éraflure d'une balle...

Une légère cicatrice à la tempe. La confirmation était là, mais dans le souvenir de Corso, cette cicatrice était *plus grande*, et ce n'était pas la tempe qu'elle marquait, mais bien la joue, comme celle du chauffeur habillé de noir. Et il se mit à réfléchir, jusqu'à finalement éclater de rire. La scène était complète à présent, et en couleurs : Lana Turner dans *Les Trois Mousquetaires*, derrière la vitre de sa voiture, à côté d'un Rochefort sinistre à souhait : non pas de peau très pâle comme dans le texte de Dumas, mais brun, avec un chapeau à plumes et une grande cicatrice — cette fois, oui — qui lui balafrait de haut en bas la joue droite. Le souvenir était donc plus cinématographique que littéraire, ce qui éveilla en Corso une curieuse réaction, à mi-chemin entre l'irritation et l'amusement. Hollywood, Hollywood...

Celluloïd à part, il régnait enfin un certain ordre dans tout cela ; un canon commun, quoique secret, dans une mélodie de notes éparses et énigmatiques. La vague inquiétude que Corso ressentait depuis sa visite à la veuve Taillefer laissait maintenant entrevoir des contours, des visages, une atmosphère et des personnages à la limite de la réalité et de la fiction, reliés entre eux par des liens étranges et encore confus. Dumas et un livre du XVIIe siècle, le diable et *Les Trois Mousquetaires*, Milady et les bûchers de l'Inquisition... Mais tout cela était plus absurde que concret, tenait plus de l'imagination du romancier que de la réalité.

Il éteignit la lumière et alla se coucher. Il tarda cependant un moment à trouver le sommeil, car une image refusait de quitter son esprit ; les yeux ouverts, il la voyait flotter dans le noir. C'était un paysage lointain, celui des lectures de sa jeunesse, peuplé d'ombres qui revenaient vingt ans plus tard, se matérialisaient en des fantasmes tout proches et presque tangibles. La cicatrice. Rochefort. L'homme de Meung. Le sicaire de Son Éminence.

V

Remember

*Ackroyd était assis où je l'avais laissé,
dans un fauteuil, près de la cheminée.
(A. Christie, Le Meurtre de R. Ackroyd)*

C'est ici que j'entre en scène pour la deuxième fois, puisque c'est alors que Corso eut de nouveau recours à moi. Et il le fit, si mes souvenirs sont exacts, quelque temps avant de partir pour le Portugal. Comme il me le confia plus tard, il soupçonnait déjà que le manuscrit Dumas et *Les Neuf Portes* de Varo Borja n'étaient que les pointes d'un iceberg et que, pour tirer l'affaire au clair, il fallait d'abord connaître les autres histoires qui se nouaient entre elles de la même manière que cette cravate entre les mains d'Enrique Taillefer. Ce n'était pas facile, avais-je fini par lui dire, car il n'existe jamais de contours parfaitement nets en littérature ; tout s'appuie sur quelque chose d'autre, et les choses se superposent les unes aux autres, finissant par construire un complexe jeu intertextuel basé sur des effets de miroir et de poupées russes, au point qu'établir un fait précis, une paternité concrète, entraîne des risques que seuls certains collègues tout à fait stupides ou trop sûrs d'eux-mêmes se risquent à prendre. Ce serait comme dire qu'on décèle chez Robert Graves quelque chose de *Quo Vadis*, en oubliant Suétone ou Apollonios de Rhodes. Pour ma part, je sais seulement que je ne sais rien. Et quand je veux savoir, je cherche dans les livres, eux à qui la mémoire ne fait jamais défaut.

— Le comte de Rochefort est l'un des personnages secondaires les plus importants des *Trois Mousquetaires*, expliquai-je à Corso quand il revint me voir. C'est l'agent du cardinal et l'ami de Milady ; le premier ennemi que se fait d'Artagnan. Je peux même établir la date exacte : premier lundi du mois d'avril 1625, à Meung-sur-Loire... Je parle du Rochefort de fiction, naturellement, encore qu'il ait existé un personnage semblable que Gatien de Courtilz, dans les *Mémoires* attribués au véritable d'Artagnan, décrit sous le nom de Rosnas... Mais le Rochefort à la cicatrice n'a jamais existé dans la réalité. Dumas a pris ce personnage dans un autre livre, les *Mémoires de MLCDR (Monsieur le comte de Rochefort)*, peut-être apocryphe, et attribué lui aussi à Courtilz... Certains pensent qu'il pourrait s'agir de ceux de Henri-Louis d'Aloigny, marquis de Rochefort, né vers 1625 ; mais je coupe peut-être les cheveux en quatre.

Je regardais les phares des voitures qui circulaient sur les boulevards en cette fin d'après-midi, derrière la fenêtre du café où j'ai coutume de me réunir avec mes amis. Nous étions là, lui et moi, accompagnés de quelques autres, autour d'une table couverte de journaux, de tasses et de cendriers remplis de mégots mal éteints : un ou deux écrivains, un peintre qui avait connu des jours meilleurs, une journaliste qui en avait connu de moins bons, un acteur de théâtre et quatre ou cinq étudiants, de ceux qui s'asseyent dans un coin et restent bouche bée, en te regardant comme si tu étais Dieu. Parmi eux, engoncé dans son manteau, adossé à la vitre de la fenêtre, Corso buvait du gin et prenait des notes de temps en temps.

— Naturellement, continuai-je, le lecteur qui lit les soixante-sept chapitres des *Trois Mousquetaires* en attendant le duel qui mettra face à face Rochefort et d'Artagnan reste sur sa faim. Dumas règle la question en trois lignes et escamote le ou les combats ; car, lorsque nous retrouvons le personnage dans *Vingt Ans après*, d'Artagnan et lui se sont battus trois fois et Rochefort porte autant de cicatrices de coups d'épée sur le corps. Pourtant, il n'y a plus de haine entre eux, mais une sorte de respect forcé qui n'est possible qu'entre deux vieux ennemis. De nouveau, les hasards de l'aventure font que tous deux se battent dans des camps différents ; mais avec la complicité amicale de deux gentilshommes qui se connaissent depuis vingt ans... Rochefort tombe en disgrâce auprès de Mazarin, s'évade de la Bastille, participe à l'évasion du duc de Beaufort, conspire dans la Fronde et meurt dans les bras de d'Artagnan qui le transperce d'un coup d'épée sans le reconnaître lors d'une échauffourée... « *Le sort l'a voulu*, dit-il en substance au Gascon. *J'ai guéri de trois de vos estocades, mais je ne me remettrai pas de la quatrième.* » Et il meurt. « *Je viens de tuer un vieil ami* », raconte ensuite d'Artagnan à Porthos... Et c'est toute l'épitaphe de l'ancien agent de Richelieu.

Suivit alors une discussion animée et passablement décousue. L'acteur, un vieux beau qui avait joué *Monte-Cristo* à la télévision et qui, cet après-midi-là, ne quittait pas des yeux la journaliste, se mit à raconter avec brio les souvenirs qu'il avait gardés des personnages, encouragé par le peintre et les deux écrivains. C'est ainsi que nous passâmes de Dumas à Zévaco et Paul Féval, pour conclure une fois de plus à la supériorité indiscutable de Sabatini sur Salgari. Je me souviens que quelqu'un mentionna timidement Jules Verne, mais tout le monde s'empressa de le faire taire. Dans ce contexte passionné de capes et d'épées, Jules Verne et ses héros glacés, dépourvus d'âme, n'étaient pas de mise.

Quant à la journaliste, une de ces jeunes femmes à la mode qui tiennent une chronique dans le supplément hebdomadaire d'un journal important, sa mémoire littéraire ne remontait pas plus loin que Milan Kundera. De sorte qu'elle resta presque tout le temps dans une prudente expectative, acquiesçant avec soulagement chaque fois qu'un titre, une anecdote ou un personnage — le Cygne noir, Yáñez, la botte de Nevers — éveillait chez elle le souvenir d'un film entrevu à la télévision. Et pendant ce temps, Corso, patient comme le chasseur tranquille qu'il était, ne me quittait pas des yeux par-dessus son verre de gin, attendant l'occasion de revenir au sujet qui l'intéressait. Ce qu'il fit effectivement, profitant du silence gêné qui s'abattit autour de la table quand la journaliste déclara que, de toute façon, elle trouvait les récits d'aventures trop légers, en gros, quoi, vous voyez ? Superficiels, je ne sais pas si je m'explique bien. Enfin..., voilà.

Corso mordillait la gomme de son crayon Faber :

— Monsieur Balkan, comment interprétez-vous le rôle de Rochefort dans l'histoire ?

Ils me regardèrent tous, et en particulier les étudiants parmi lesquels il y avait deux jeunes filles. Je ne sais pourquoi on me considère dans certains milieux comme une espèce de bonze des belles-lettres. Toujours est-il que, chaque fois que j'ouvre la bouche, les gens sont suspendus à mes lèvres, prêts à m'entendre prononcer les dogmes de la foi. Un article signé de mon nom et publié dans la revue littéraire appropriée peut même consacrer ou couler un écrivain débutant. C'est absurde, tout à fait d'accord ; mais c'est la vie. Voyez par exemple le dernier prix Nobel, l'auteur de *Moi, Onan, À la recherche de moi-même* et l'archiconnu *Oui, c'est moi*. Ce fut ma signature qui le fit remarquer il y a de cela quinze ans, avec une page et demie dans *Le Monde*, publiée le jour des saints Innocents. Je ne me le pardonnerai jamais, mais ainsi va le monde.

— Au début, Rochefort est l'ennemi, répondis-je. Il symbolise les forces occultes, le noir complot... C'est l'agent de la conspiration diabolique tramée autour de d'Artagnan et de ses amis ; l'intrigue du cardinal qui se noue dans l'ombre, mettant leurs vies en péril...

Je vis l'une des étudiantes sourire ; mais je ne pus deviner si son expression, absorbée et un peu moqueuse, était inspirée par mes paroles ou par de secrètes réflexions, étrangères à notre réunion. J'en fus surpris, car j'ai déjà dit que les étudiants m'écoutent d'ordinaire avec le respect qu'un rédacteur de *L'Osservatore Romano* éprouverait en recevant en exclusivité le texte d'une encyclique pontificale. Ce qui fit que je la regardai avec intérêt ; encore qu'au début, quand elle s'était jointe à nous, un blouson bleu sur les épaules, une pile de livres sous le bras, elle eût déjà attiré mon attention avec ses inquiétants yeux verts et ses cheveux châtains coupés très court, à la garçonne. Elle était assise un peu à l'écart des autres, sans s'intégrer au groupe. Des jeunes viennent toujours s'installer à notre table, étudiants en littérature à qui j'offre souvent le café ; mais jusque-là je n'avais jamais vu cette petite jeune fille. Impossible d'oublier ses yeux dont la teinte très claire, presque transparente, contrastait avec le visage bronzé de quelqu'un qui passe beaucoup de temps au soleil et au grand air. C'était une de ces jeunes filles sveltes et souples, aux longues jambes que l'on devine également brunes sous leurs jeans. Je remarquai encore un autre détail : elle ne portait pas de bague, de montre ni de boucles d'oreilles ; intacts, les lobes de ses oreilles n'avaient jamais été percés.

—... Rochefort est aussi l'homme entrevu et jamais rejoint — poursuivis-je, non sans éprouver quelque difficulté à retrouver le fil de ma péroraison. Le masque du mystère marqué d'une cicatrice. Il résume le paradoxe, l'impuissance de d'Artagnan qui le poursuit et ne le rattrape pas, veut le tuer et n'y parvient que vingt ans plus tard, par erreur, quand il n'est déjà plus un adversaire mais un ami.

— Ton d'Artagnan a vraiment la poisse, on dirait — ajouta l'un de mes compagnons, l'aîné des deux écrivains.

Son dernier roman s'était vendu à cinq cents exemplaires, mais il gagnait énormément d'argent en publiant des histoires policières sous le pseudonyme pervers d'Émilie Forster. Je lui lançai un regard reconnaissant, heureux de l'occasion que m'offrait sa remarque.

— De fait. On empoisonne l'amour de sa vie. Malgré ses exploits et les services qu'il rend à la couronne de France, il reste pendant vingt ans un obscur lieutenant de mousquetaires. Et quand il obtient le bâton de maréchal tout à la fin du *Vicomte de Bragelonne*, un bâton qu'il n'aura enfin gagné qu'après quatre livres et quatre cent vingt-cinq chapitres, une balle hollandaise le tue.

— Comme le vrai d'Artagnan, dit l'acteur qui avait réussi à placer une main sur les cuisses de la prestigieuse journaliste.

Je bus une gorgée de café avant d'acquiescer. Corso ne me quittait pas des yeux.

— Nous avons en fait trois d'Artagnan, précisai-je. Nous savons quelque chose du premier, Charles de Batz Castelmore, car la *Gazette de France* de l'époque rapporte qu'il mourut le 23 juin 1673 d'une balle reçue en pleine gorge, durant le siège de Maastricht. La moitié de ses hommes tombèrent avec lui... À part ce détail posthume, il ne fut guère plus privilégié par le sort de son vivant que son homonyme imaginaire.

— Gascon lui aussi ?

— Oui, de Lupiac. Le village existe toujours et une pierre rappelle sa mémoire : « *Ici naquit vers 1615 d'Artagnan dont le véritable nom fut Charles de Batz, mort lors du siège de Maastricht en 1673.* »

— Il y a un décalage historique, fit remarquer Corso en consultant ses notes. Selon Dumas, d'Artagnan avait dix-huit ans quand débute le roman, vers 1625. Mais à cette époque, le véritable d'Artagnan n'en comptait que dix, ajouta-t-il avec un sourire de lapin instruit et sceptique. Trop jeune pour manier l'épée.

— Oui, dus-je admettre. Dumas a pris cette liberté pour qu'il puisse vivre l'aventure des ferrets de diamants avec Richelieu et Louis XIII. Charles de Batz arriva sans doute très jeune à Paris : en 1640, son nom figure parmi ceux des gardes de la compagnie de M. des Essarts, dans des documents relatifs au siège d'Arras. Deux ans plus tard, on le retrouve faisant la campagne du Roussillon... Mais il ne servit jamais comme mousquetaire sous Richelieu, puisqu'il est entré dans ce corps d'élite alors que Louis XIII était déjà mort. Son véritable protecteur fut le cardinal Mazarin... Il existe donc effectivement un décalage de dix ou quinze ans entre les deux d'Artagnan ; mais Dumas, qui élargit l'action jusqu'à la faire porter sur près de quarante années de l'histoire de France après le succès des *Trois Mousquetaires*, s'en tient davantage aux faits historiques dans les volumes suivants.

— Quels sont les faits attestés ? Je me réfère aux interventions historiques du véritable d'Artagnan.

— Il en existe un certain nombre. Son nom apparaît dans la correspondance de Mazarin et dans celle du ministère de la Guerre. Comme le héros de roman, il fut agent du cardinal pendant la Fronde, chargé de missions de confiance à la cour de Louis XIV. On lui confia même une mission délicate, l'arrestation et la conduite sous escorte du ministre des Finances Fouquet, fait que confirme la correspondance de Mme de Sévigné. Et il a peut-être rencontré notre Vélasquez sur l'île des Faisans, quand il accompagna Louis XIV à la rencontre de sa future épouse, Marie-Thérèse d'Autriche...

— Un véritable homme de cour, à ce que je vois. Très différent du bretteur de Dumas.

Je levai la main pour mettre les choses au point.

— Ne vous fiez pas aux apparences. Charles de Batz, ou d'Artagnan, s'est battu jusqu'à sa mort. Il était sous les ordres de Turenne en Flandres et il fut nommé lieutenant des Mousquetaires gris en 1657, grade qui lui donnait le commandement effectif de cette unité. Dix ans plus tard, il était promu capitaine des mousquetaires et il combattit en Flandres avec ce commandement, comparable à celui de général de cavalerie...

Corso fermait à demi les yeux derrière les verres de ses lunettes.

— Pardon — il se penchait vers moi par-dessus le marbre de la table de café, le crayon dressé, laissant inachevé un mot ou une date. C'était en quelle année ?

— Son ascension au rang de général ?... 1667. Mais pourquoi ce détail vous intéresse-t-il ?

Il montrait les incisives en se mordant la lèvre inférieure ; mais la grimace ne dura qu'un instant.

— Pour rien — son visage avait repris son expression impassible. Cette même année, on brûlait à Rome une certaine personne. Curieuse coïncidence... — il me regardait, imperturbable. Le nom d'Aristide Torchia vous dit quelque chose ?

Je fouillai ma mémoire. Pas la moindre idée.

— Rien du tout, répondis-je. Un rapport quelconque avec Dumas ?

Il hésita encore un instant.

— Non, répondit-il enfin sans grande conviction. Je crois que non. Mais continuez. Vous parliez du véritable d'Artagnan, en Flandres.

— Il est mort à Maastricht, comme je vous le disais, à la tête de ses hommes. Une mort héroïque : les Anglais et les Français assiégeaient la place, il fallait franchir un passage dangereux et d'Artagnan voulut y aller en premier, par courtoisie pour ses alliés... Une balle de mousquet lui transperça la jugulaire.

— Il n'a donc jamais été maréchal.

— Non. Ce mérite revient exclusivement à Alexandre Dumas qui a accordé au d'Artagnan du roman ce que ce pingre de Louis XIV avait refusé à son prédécesseur en chair et en os... Je connais quelques livres intéressants sur la question ; notez les titres si vous voulez. L'un d'eux est de Charles Samaran : *D'Artagnan, capitaine des mousquetaires du roi, histoire véridique d'un héros de roman*, publié en 1912. L'autre est *Le Vrai d'Artagnan*. C'est l'œuvre du duc de Montesquiou-Fezensac, descendant direct du vrai d'Artagnan. Publié en 1963, si je ne m'abuse.

Aucun de ces détails n'avait apparemment de rapport avec le manuscrit Dumas, mais Corso les notait comme s'il s'agissait pour lui d'une question de vie ou de mort. De temps en temps, il levait les yeux de son bloc-notes et me lançait des regards inquisiteurs à travers ses lunettes toujours perchées en équilibre instable. Ou bien il penchait la tête, comme s'il cessait d'écouter, apparemment plongé dans de secrètes méditations. Alors que j'étais au courant de tous les détails concernant *Le Vin d'Anjou*, y compris de certaines clés qui demeuraient occultes pour le chasseur de livres, j'étais en revanche loin d'imaginer les incidences complexes que l'affaire des *Neuf*

Portes allait avoir dans cette histoire. Mais Corso, malgré son esprit rompu à la logique, commençait déjà à établir de sinistres relations entre les faits dont il avait connaissance et, si je puis m'exprimer ainsi, le personnage littéraire dont ces faits se nourrissaient. Tout ceci paraîtra peut-être un peu confus, mais nous ne devons pas oublier que la situation l'était véritablement elle aussi pour Corso à cette époque. Et bien que le moment de la présente narration soit indubitablement postérieur au déroulement des graves événements qui se produisirent par la suite, le caractère même de la boucle — souvenez-vous des gravures d'Escher, ou des plaisanteries de Bach — nous oblige à revenir constamment au début, en nous cantonnant dans les limites étroites de l'esprit de Corso. Savoir et ne rien dire, telle est la règle. Même lorsqu'on joue des tours, il n'y aurait pas de jeu s'il n'y avait pas de règles.

— D'accord, dit le chasseur de livres après avoir noté les titres que je lui recommandais. Celui-ci est donc le premier d'Artagnan, le vrai. Et le troisième est celui qu'a inventé Dumas. Je suppose que le lien entre les deux doit être ce livre de Gatien de Courtilz que vous m'avez montré l'autre jour : les *Mémoires de M. d'Artagnan*.

— Exact. C'est ce que nous pourrions appeler le chaînon manquant, le moins célèbre des trois. Un Gascon intermédiaire, littéraire et réel à la fois ; précisément celui dont Dumas se sert pour créer son personnage... Gatien de Courtilz de Sandras, un écrivain contemporain de d'Artagnan, comprit le caractère romanesque du personnage et se mit à la tâche. Un siècle et demi plus tard, Dumas eut vent de l'existence du livre lors d'un voyage à Marseille. Le propriétaire de la maison où il logeait avait un frère, employé à la bibliothèque municipale. Apparemment, le frère lui montra le livre, édité à Cologne en 1700. Dumas vit aussitôt le parti qu'il pouvait en tirer, l'emprunta et ne le rendit jamais.

— Que sait-on de ce prédécesseur de Dumas, Gatien de Courtilz ?

— Plusieurs choses. Notamment parce qu'il avait une fiche de police bien remplie. Né en 1644 ou 1647, il fut mousquetaire, cornette du Royal-Étranger, sorte de légion étrangère de l'époque, et capitaine du régiment de cavalerie de Beaupré-Choiseul. Lorsque la guerre de Hollande prit fin, celle-là même où mourut d'Artagnan, Courtilz resta là-bas, troqua l'épée pour la plume et se mit à écrire des biographies, des ouvrages historiques, des mémoires plus ou moins apocryphes, ainsi qu'à faire courir des cancans et potins scabreux sur la cour de France... Ce qui lui attira des ennuis. *Les Mémoires de M. d'Artagnan* connurent un succès étonnant : cinq éditions en dix ans. Mais ils déplurent à Louis XIV, mécontent de certains détails irrévérencieux qu'on y révélait sur la famille royale, ses parents et alliés. Ces indiscrétions valurent à Courtilz d'être arrêté à son retour en France et d'être logé à la Bastille aux frais de l'État, pratiquement jusqu'à sa mort.

Tout à fait hors de propos, l'acteur profita de ma pause pour glisser une citation de *Sur les Flandres s'est couché le soleil*, de Marquina : « *Un capitaine nous commandait*, récitat-il, /*grièvement blessé, dans les affres de l'heure ultime.*/ *Oh messieurs, quel capitaine que celui-là...* » Ou quelque chose de semblable. Tentative éhontée de briller devant la journaliste sur la cuisse de laquelle il affirmait l'emprise de sa main, avec un geste de propriétaire. Les autres, en particulier le romancier qui signait du nom d'Émilie Forster, lui lancèrent des regards d'envie ou de rancœur mal dissimulée.

Après un silence poli, Corso décida de me redonner la maîtrise de la situation.

— Et que doit le d'Artagnan de Dumas à Courtilz ?

— Beaucoup. Même s'il est vrai que *Vingt Ans après* et *Le Vicomte de Bragelonne* font appel à d'autres sources, l'histoire des *Trois Mousquetaires* se trouve pour l'essentiel chez Courtilz. Dumas l'illumine de son génie et lui donne de l'étoffe, mais tout y est déjà ébauché : la bénédiction du père de d'Artagnan, la lettre de Tréville, le défi lancé aux mousquetaires qui, dans le premier texte, sont frères... Milady apparaît elle aussi. Et d'Artagnan ressemble à d'Artagnan comme deux gouttes d'eau. Celui de Courtilz est un peu plus cynique, plus avare, moins loyal. Mais c'est bien lui.

Corso se pencha au-dessus de la table.

— Vous disiez tout à l'heure que Rochefort symbolise la trame noire qui se tisse autour de d'Artagnan et de ses amis... Mais Rochefort n'est rien d'autre qu'un sbire.

— En effet. À la solde de Son Éminence Armand Jean du Plessis, cardinal de Richelieu...

— Infâme personnage, dit Corso.

— Écrasons l'infâme, renchérit l'acteur, bien décidé à mettre son grain de sel, même si c'était aux dépens de Voltaire.

Impressionnés par cette excursion dans le monde du roman-feuilleton à laquelle ils assistaient cet après-midi-là, les étudiants prenaient des notes ou écoutaient en faisant des yeux ronds. Seule la jeune fille au regard émeraude restait imperturbable, un peu en marge des autres ; comme si elle n'était ici que de passage, par hasard.

— Pour Dumas, continuai-je en reprenant l'initiative, du moins dans la première partie du cycle des *Mousquetaires*, Richelieu constitue le personnage indispensable dans tout feuilleton romantique d'aventures et de mystère : un ennemi puissant tapi dans l'ombre, l'incarnation du Mal. Dans l'histoire de France, Richelieu fut pourtant un grand homme ; mais dans *Les Mousquetaires*, il n'est réhabilité que vingt ans plus tard. L'astucieux Dumas se réconcilie ainsi avec la réalité sans porter préjudice à l'intérêt de son roman. Il est vrai qu'il avait trouvé un autre vilain : Mazarin. Cette rectification, qu'il place même dans la bouche de d'Artagnan et de ses compagnons quand ils font l'éloge, à titre posthume, de la grandeur de leur ancien ennemi, n'a aucun mérite moral. Pour Dumas, c'était un acte de contrition facile... Dans le premier volume du cycle, quand le cardinal prépare l'assassinat de Buckingham et la perdition d'Anne d'Autriche, ou donne carte blanche à la malfaisante Milady, Richelieu incarne à la perfection le rôle du méchant. Son Éminence est à d'Artagnan ce que le prince de Gonzague est à Lagardère, ou encore le professeur Moriarty à Sherlock Holmes. Une présence occulte et diabolique...

Corso fit alors un geste pour m'interrompre. J'en fus surpris, car je commençais à connaître ses manières et je ne le croyais pas enclin à intervenir tant que son interlocuteur n'avait pas épuisé son argument, exprimé la dernière parcelle d'information en sa possession.

— Vous avez fait deux fois allusion au diable, dit-il en consultant ses notes. Et les deux fois à propos de Richelieu... Le cardinal s'intéressait-il aux sciences occultes ?

Ces mots eurent pour effet de produire une situation assez étrange. La jeune fille s'était retournée pour observer Corso avec curiosité. Lui me regardait, et moi, je regardais la jeune fille. Étranger à cet étrange triangle, le chasseur de livres attendait ma réponse.

— Richelieu s'intéressait à bien des choses, expliquai-je. En plus de faire de la France une grande puissance, il trouva le temps de collectionner tableaux, tapisseries, porcelaines et statues. Ce fut aussi un bibliophile averti. Il faisait relier ses livres en veau et maroquin rouge...

—... Avec ses armes, d'argent et trois angles de gueules — Corso fit un geste d'impatience ; ces détails étaient secondaires et il n'avait pas besoin de moi pour les connaître. Il existe un catalogue Richelieu très connu.

— Ce catalogue est incomplet, car la collection n'est pas demeurée intacte : une partie est aujourd'hui conservée à la Bibliothèque nationale, à la Mazarine et à la Sorbonne, tandis que d'autres volumes sont éparpillés entre les mains de particuliers. Richelieu possédait des manuscrits hébreux et syriaques, des ouvrages notables de mathématiques, de médecine, de théologie, de droit et d'histoire... Et vous avez vu juste. Ce qui a le plus surpris les érudits, c'est d'y trouver beaucoup de textes anciens sur les sciences occultes, depuis la Cabale jusqu'à la magie noire.

Corso avala sa salive sans me quitter des yeux. Il paraissait sur le qui-vive, tendu comme la corde d'un arc.

— Un titre en particulier ?

Je lui fis signe que non avant de répondre ; son insistance m'intriguait. La jeune fille continuait à écouter très attentivement ce que nous disions, mais il était évident que je n'étais plus maintenant le centre de son attention.

— Mes connaissances sur Richelieu comme personnage de feuilleton, m'excusai-je, ne vont pas jusque-là.

— Et Dumas ?... Il s'intéressait lui aussi aux arts occultes ?

Cette fois, je fus catégorique :

— Non. Dumas était un viveur qui faisait tout au grand jour, pour divertir et scandaliser ses relations. Il est vrai qu'il était aussi un peu superstitieux : il croyait au mauvais œil, portait une amulette à la chaîne de sa montre et se faisait dire la bonne aventure par Mme Desbarolles. Mais je ne l'imagine pas en train de se livrer à la magie noire dans le fond de son appartement. Il ne fut même pas franc-maçon, comme il l'avoue lui-même dans *Louis XIV et son siècle*... Il avait des dettes, les éditeurs et les créanciers le traquaient de trop près pour qu'il eût le loisir de perdre son temps. Peut-être a-t-il étudié ces questions à un moment donné pour documenter ses personnages. À mon avis, toutes les pratiques maçonniques qu'il décrit dans *Joseph Balsamo* et dans *Les Mohicans de Paris* sont directement tirées de l'*Histoire pittoresque de la franc-maçonnerie* de Clavel.

— Et Adah Menken ?

Je regardai Corso avec un respect sincère. C'était une question de spécialiste.

— Là, ce n'est pas la même chose. Adah-Isaacs Menken, sa dernière maîtresse, était une actrice américaine. Durant l'Exposition de 1867, alors qu'il assistait à une représentation des *Pirates de la savane*, Dumas s'intéressa à une jolie jeune fille qui arrêtait sur scène un cheval lancé au galop. À la sortie du théâtre, la jeune fille embrassa le romancier et lui dit sans autres préliminaires qu'elle avait lu tous ses livres et qu'elle était prête à coucher avec lui sur-le-champ. C'était plus qu'il n'en fallait au vieux Dumas pour s'enticher d'une femme et il accepta de bonne grâce l'hommage. On disait qu'elle avait été l'épouse d'un millionnaire, maîtresse d'un roi, générale dans une république... En réalité, c'était une juive portugaise, née en Amérique, maîtresse d'un homme étrange, mélange de gouape et de pugiliste. Dumas et elle eurent une liaison passablement scandaleuse, car la Menken aimait se faire photographier en petite tenue. Elle fréquenta le 107 rue Malesherbes, dernière adresse de Dumas à Paris... Elle mourut d'une péritonite, à la suite d'une chute de cheval, à l'âge de trente et un ans.

— Et elle s'intéressait à la magie noire ?

— C'est ce qu'on dit. Elle aimait les cérémonies étranges où, habillée d'une tunique, elle brûlait de l'encens et faisait des offrandes au Prince des ténèbres... Parfois, elle se disait possédée par Satan, avec toute une série de connotations que nous qualifierions aujourd'hui de pornographiques. Je suis sûr que le vieux Dumas n'en crut jamais un mot, mais que cette mise en scène devait le divertir beaucoup. J'ai l'impression que la Menken était très ardente au lit lorsqu'elle était possédée par le diable.

Des éclats de rire fusèrent autour de la table. Je me permis même un sourire discret, mais la jeune fille et Corso restèrent terriblement sérieux. Elle semblait réfléchir, ses yeux clairs fixés sur lui, tandis que le chasseur de livres hochait la tête, lentement, d'un air distrait, lointain. Il regardait par la fenêtre du café dans la direction des boulevards et semblait chercher dans la nuit, dans le flot silencieux des phares qui se reflétaient sur ses lunettes, le mot perdu, la clé qui convertirait en une seule toutes les histoires qui flottaient, feuilles sèches et mortes, sur les eaux noires du temps.

De nouveau, je dois passer au second plan, en ma qualité de narrateur presque omniscient des aventures de Lucas Corso. De cette façon, conformément aux confidences ultérieures du chasseur de livres, la relation des faits tragiques qui suivirent pourra se poursuivre dans l'ordre. Nous arrivons ainsi au moment où, de retour chez lui, il constata que le concierge venait de verrouiller la porte d'entrée et qu'il était sur le point de fermer sa loge. Il le croisa alors qu'il remontait les poubelles de la cave.

— On est venu réparer votre téléviseur cet après-midi.

Corso avait suffisamment lu et vu de films pour savoir de quoi il retournait. Il ne put donc s'empêcher de rire devant le concierge stupéfait.

— Il y a longtemps que je n'ai plus de téléviseur...

Suivit alors un torrent confus d'excuses auquel il ne prêta qu'une attention distraite. Tout commençait à être délicieusement prévisible. Comme il s'agissait de livres, il fallait poser le problème plutôt à la manière du lecteur, lucide et critique, qu'à celle du personnage caricatural dont quelqu'un cherchait à lui faire jouer le rôle. De toute façon, il n'avait pas le choix. Après tout, comme il était de nature sceptique et qu'il avait la tension basse, il eût été difficile que la sueur perlât sur son front ou que l'interjection *juste ciel !* jaillît de ses lèvres.

— J'espère ne pas avoir fait de bêtises, monsieur Corso.

— Mais pas du tout. Le technicien était un homme brun, c'est bien ça ?... Avec une moustache et une cicatrice sur le visage.

— Exactement.

— Ne vous faites pas de souci ; c'est un ami qui aime me faire des farces.

Le concierge soupira, soulagé :

— J'aime mieux ça.

Corso n'avait aucune inquiétude pour *Les Neuf Portes* ni pour le manuscrit Dumas ; quand il ne les avait pas avec lui, dans son sac de toile, il les laissait au bar de Marakova. S'agissant d'objets confiés par lui, ils y étaient plus en sûreté qu'en tout autre lieu du monde. Il monta donc calmement l'escalier en essayant de s'imaginer la scène suivante. À ce stade, il s'était transformé en ce que certains appellent un lecteur au deuxième degré : un archétype par trop maladroit l'aurait déçu. Mais il se tranquillisa quand il ouvrit la porte. Pas de papiers par terre, pas de tiroirs renversés, pas même de fauteuils étripés à coups de couteau. Tout était en ordre, exactement comme lorsqu'il était sorti en début d'après-midi.

Il se dirigea vers sa table de travail. Les boîtes de disquettes étaient à leur place, les papiers et documents empilés dans leurs casiers, comme il se souvenait les avoir laissés. L'homme à la cicatrice, Rochefort ou qui que ce pût être, était un type efficace ; mais il y avait des limites à tout. Quand Corso alluma l'ordinateur, un sourire de triomphe apparut sur sa bouche.

DAGMAR PC 555K (S1) ELECTRONIC PLC

DERNIÈRE UTILISATION : 19 :35/JEU/3/21

A⟩ ECHO OFF

A⟩

Utilisé ce même jour à 19 h 35, disait l'écran. Mais il n'avait pas touché à son ordinateur depuis vingt-quatre heures. À 19 h 35, il était avec nous, autour de cette table de café, tandis que l'homme à la cicatrice racontait des boniments au concierge.

Il trouva encore autre chose qu'il n'avait pas remarqué au début, à côté du téléphone. Mais ce n'était pas un hasard ni une maladresse du mystérieux visiteur. Dans le cendrier, parmi les mégots de Corso, il y en avait un autre tout récent qui n'était pas à lui. C'était celui d'un cigare à moitié consumé, la bague encore intacte. Il prit le bout de cigare et le tint entre ses doigts, d'abord incrédule. Mais quand il en comprit finalement la signification, il éclata de rire en montrant ses canines, comme un loup malicieux et méchant.

C'était un Montecristo. Naturellement.

Flavio La Ponte avait eu de la visite lui aussi. Dans son cas, le plombier.

— Je ne trouve pas ça drôle du tout ! dit-il en guise de salutation. Il attendit que Makarova serve les deux gins, puis versa le contenu d'un petit sac de plastique sur le comptoir. Le mégot de cigare était identique, la bague était elle aussi intacte.

— Edmond Dantès a encore frappé ! lança Corso.

La Ponte n'appréciait qu'à moitié le tour romanesque de l'affaire :

— Eh bien, il fume des cigares plutôt chers, le salaud — sa main tremblait et un peu de gin coula dans les boucles de sa barbe blonde. Je l'ai trouvé sur ma table de nuit.

Corso se moquait sans vergogne :

— Tu ne devrais pas t'énerver, Flavio. Prends ça comme un vrai dur — il lui posa la main sur l'épaule. Souviens-toi du Club des Harponneurs de Nantucket.

Le libraire secoua la main, le visage sombre.

— J'ai été un dur. Autrefois. Jusqu'à l'âge de huit ans pour être précis, quand j'ai compris les avantages de la survie. Depuis, je me suis passablement ramolli.

Corso cita Shakespeare entre deux gorgées de gin. Le lâche meurt mille morts, alors que l'homme vaillant, etc. Mais aux consolations qu'on trouve à se frotter aux classiques, La Ponte préférait vivement celles que procurent d'autres frottements.

— En réalité, je n'ai pas peur, dit-il, pensif, tête basse. Ce qui me préoccupe, c'est de perdre des choses... L'argent. Mon incroyable puissance sexuelle. La vie.

C'était des arguments de poids et Corso dut admettre que, dans le domaine des possibilités, celles-ci pouvaient être gênantes. De plus, ajouta le libraire, il y avait encore d'autres indices : des clients étranges qui voulaient le manuscrit Dumas à n'importe quel prix, de mystérieux coups de téléphone nocturnes...

Corso se redressa, tout à coup très attentif.

— On te téléphone en pleine nuit ?

— Oui, mais il n'y a personne au bout du fil. On attend un peu, et puis on raccroche.

Pendant que La Ponte contait ses malheurs, le chasseur de livres toucha le sac de toile qu'il venait de récupérer quelques instants plus tôt. Makarova l'avait gardé toute la journée, sous le bar, entre des casiers de bouteilles et des barils de bière.

— Je ne sais plus quoi faire, conclut La Ponte, tragique.

— Vends le manuscrit et finis-en. Cette histoire commence à sentir mauvais.

Le libraire secoua la tête, tout en demandant un autre gin. Double.

— J'ai promis à Enrique Taillefer que ce manuscrit serait vendu aux enchères.

— Taillefer est mort. Et tu n'as jamais tenu une promesse de ta vie.

La Ponte acquiesça, lugubre, comme s'il n'était vraiment pas nécessaire de le rappeler. Mais quelque chose vint éclairer son visage ; une grimace ahurie se dessina au-dessus de sa barbe. Avec un peu de bonne volonté, on pouvait peut-être la prendre pour un sourire.

— Mais j'y pense ! Devine qui a téléphoné ?

— Milady.

— Tu as presque deviné : Liana Taillefer.

Corso regarda son ami avec une infinie lassitude. Puis il prit son verre de gin et fit cul sec.

— Tu sais, Flavio ?... dit-il enfin en s'essuyant la bouche du revers de la main. Parfois, j'ai l'impression d'avoir déjà lu ce roman.

La Ponte fronça les sourcils.

— Elle veut récupérer *Le Vin d'Anjou*, expliqua-t-il. Tel quel, sans authentification ni rien... — il trempa ses lèvres dans son gin avant d'adresser un sourire incertain à Corso. C'est étrange, tu ne trouves pas ? Cet intérêt subit.

— Qu'est-ce que tu lui as répondu ?

Le libraire haussa les sourcils.

— Que j'avais les mains liées. Que je t'avais confié le manuscrit. Et que nous avions signé un contrat.

— Tu mens. Nous n'avons rien signé du tout.

— Naturellement que je mens. Mais comme ça, je te fais porter le chapeau si les choses se gâtent. Et ça ne m'empêche pas de recevoir des offres : la veuve et ton serviteur, nous devons dîner ensemble un de ces soirs. Pour parler affaires. Je suis le hardi harponneur.

— Harponneur de mes deux, oui ! Tu n'es qu'un fils de pute et un traître.

— Oui. C'est l'Angleterre qui m'a fait ainsi, comme dirait ce pisse-froid de Graham Greene. Au collège, on m'avait surnommé *Ce-n'est-pas-moi*... Je ne t'ai jamais raconté comment j'ai réussi Math élém ? — Il haussa encore une fois les sourcils, avec une tendresse nostalgique pour ce souvenir chéri... J'ai toujours été un délateur né.

— Alors, fais attention avec Liana Taillefer.

— Pourquoi ? — La Ponte se regardait dans le miroir du bar. Il fit un sourire lubrique. Depuis l'époque où j'apportais des romans-feuilletons à son mari, elle m'a toujours plu, la petite mère. Beaucoup de classe.

— Oui, reconnut Corso. Beaucoup de classe très moyenne.

— Écoute, je ne vois vraiment pas pourquoi tu l'as dans le nez. Avec son châssis...

— Il y a anguille sous roche.

— J'adore les anguilles, surtout quand la cuisinière est blonde et accorte.

Corso tapotait le nœud de sa cravate.

— Écoute, crétin. Dans les histoires à suspense, c'est toujours l'ami qui meurt. Tu comprends le raisonnement ?... Nous sommes en plein suspense, et tu es mon ami — il lui fit un clin d'œil lourd d'une écrasante logique. Si tu cherches les sacs de nœuds, tu vas finir par les trouver.

Obsédé par le souvenir de la veuve, La Ponte ne se laissait pas intimider.

— Minute. Je ne me suis jamais fait avoir une seule fois dans ma vie. En plus, je t'ai déjà dit où me toucherait la balle : dans le dos.

— Je suis sérieux. Taillefer est mort.

— Suicide.

— Va savoir... Et d'autres gens pourraient bien mourir.

— Alors, dévoue-toi. Emmerdeur. Maquereau.

Le reste de la soirée passa en variations sur le même thème. Ils se dirent au revoir cinq ou six verres plus tard, après avoir convenu de se téléphoner quand Corso serait au Portugal. La Ponte s'en alla d'un pas chancelant, sans payer, mais il fit cadeau du mégot de Rochefort à Corso. Comme ça, expliqua-t-il, ça t'en fera deux.

VI

Où il est question d'apocryphes et d'intercalations

> *Ils machinent leur petite affaire et quand*
> *ils seront prêts, bientôt je pense, ils frapperont.*
> *(M. Zévaco, Les Pardaillan)*

CENIZA FRÈRES

RELIURE

ET RESTAURATION DE LIVRES

L'enseigne de bois pendait à une fenêtre aux vitres rendues opaques par la poussière. C'était une enseigne toute gondolée, fendillée, décolorée par le temps et la pluie. L'atelier des frères Ceniza se trouvait à l'entresol d'un vieil immeuble de quatre étages, étayé à l'arrière par de gros madriers, dans une rue sombre du vieux Madrid.

Lucas Corso appuya deux fois sur le bouton de sonnette sans obtenir de réponse. Il regarda sa montre, puis s'adossa au mur pour attendre. Il connaissait bien les habitudes de Pedro et Pablo Ceniza ; en ce moment, ils se trouvaient à deux ou trois rues de là, accoudés sur le marbre du bar de *La Taurina*, en train de descendre un demi-litre de vin en guise de petit déjeuner, tout en parlant de livres et de taureaux. Célibataires, ivrognes, grognons et inséparables.

Il les vit arriver dix minutes plus tard, côte à côte, dans leurs blouses grises qui flottaient comme des suaires sur leurs maigres ossements ; courbés par une vie entière à la presse ou aux fers à dorer, à coudre des cahiers ou à dorer le maroquin. Ni l'un ni l'autre n'avait encore cinquante ans, mais on leur aurait donné facilement dix ans de plus, à voir leurs joues creuses, leurs mains et leurs yeux usés par le minutieux travail de l'artisan, leur peau diaphane comme si le parchemin qu'ils travaillaient leur eût transmis sa pâleur froide. La ressemblance physique des deux frères était extraordinaire : même nez très fort, mêmes oreilles collées au crâne, le cheveu rare, ramené en arrière, sans raie. Les seules différences notables résidaient dans la taille et la loquacité : Pablo, le cadet, était plus grand et plus silencieux que Pedro. Celui-ci toussait souvent, d'une toux rauque de fumeur impénitent, et les mains avec lesquelles il allumait une cigarette après l'autre tremblaient constamment.

— Quelle bonne surprise, monsieur Corso ! Nous sommes heureux de vous voir.

Ils le précédèrent dans l'escalier aux marches de bois usées. La porte grinça en s'ouvrant et l'interrupteur fit bientôt la lumière dans l'atelier hétéroclite que présidait une vieille presse, à côté d'une table de zinc couverte d'outils, de cahiers à moitié cousus ou déjà endossés, de massicots, de peaux teintes, de pots de colle, de fers à dorer et de fournitures diverses. Il y avait des livres partout : grandes piles de reliures en maroquin, chagrin ou vélin, paquets de livres prêts à être retournés ou encore inachevés, sans couverture ou avec les plats à nu. Sur des établis et des étagères, des volumes anciens dévorés par les mites ou l'humidité attendaient d'être restaurés. L'atelier sentait le papier, la colle de relieur, la peau neuve ; Corso ouvrit toutes grandes les narines, heureux. Puis il sortit le livre de son sac et le posa sur la table.

— Je voudrais savoir ce que vous en pensez.

Ce n'était pas la première fois. Pedro et Pablo Ceniza s'approchèrent lentement, presque avec méfiance. Comme d'habitude, ce fut le frère aîné qui prit le premier la parole :

— *Les Neuf Portes...* — il touchait le livre sans le déplacer ; ses doigts osseux, jaunis par la nicotine, paraissaient caresser une peau vivante. Un beau livre. Très rare.

Il avait de petits yeux gris de souris. Une blouse grise, les cheveux gris, des yeux gris comme la cendre de son nom de famille, Ceniza. Il fit une grimace d'envie.

— Vous l'aviez déjà vu ?

— Oui. Il y a moins d'un an, quand Claymore nous a chargés de nettoyer vingt livres de la bibliothèque de don Gualterio Terral.

— En quel état est-il arrivé entre vos mains ?

— Excellent. M. Terral savait soigner les livres. Presque tous se présentaient très bien, sauf un Teixeira qui nous a donné un peu de mal. Le reste, y compris celui-ci, n'avait besoin que d'un petit nettoyage.

— C'est un faux, lança Corso à brûle-pourpoint. Du moins, c'est ce qu'on dit.

Les deux frères se regardèrent.

— Faux, faux... murmura l'aîné d'un air bourru. Un mot qu'on emploie souvent à la légère quand il s'agit de livres.

— Souvent à la légère, répéta l'autre, comme un écho.

— Même vous, monsieur Corso. Ce qui nous surprend. Falsifier un livre n'est pas rentable : plus de travail que de bénéfice. Je veux parler de la vraie falsification, pas du fac-similé destiné à tromper les rustres imprudents.

Corso fit un geste pour réclamer leur indulgence.

— Je n'ai pas dit que *tout* le livre était faux, mais que quelque chose l'était. Certains exemplaires, privés d'un ou deux feuillets, peuvent se compléter avec des copies tirées d'autres exemplaires complets.

— Naturellement : c'est l'ABC du métier. Mais ajouter une photocopie ou un fac-similé n'est pas la même chose que compléter un livre selon... — il se retourna à demi vers son frère, sans quitter Corso des yeux. Dis-le, Pablo.

— ... Selon les règles de l'art, ajouta le cadet des Ceniza.

Corso ébaucha une moue complice : le lapin qui partage une carotte.

— Ce pourrait être le cas de cet exemplaire.

— Et qui le dit ?

— Son propriétaire. Qui n'est certainement pas un rustre imprudent.

Pedro Ceniza haussa ses épaules étroites tout en allumant une cigarette à celle qu'il n'avait pas encore terminée. Une toux sèche le secoua lorsqu'il avala la première bouffée ; mais il continua à fumer, imperturbable.

— Vous avez eu accès à un exemplaire authentique, pour les comparer ?

— Non, mais je pourrai bientôt le faire. C'est pour cela que je suis venu vous demander d'abord votre avis.

— Il s'agit d'un livre précieux et nous ne pratiquons pas une science exacte — il se retourna encore vers son frère. C'est vrai, n'est-ce pas, Pablo ?

— Nous pratiquons un art, confirma l'autre.

— Vous l'avez entendu. Nous nous en voudrions de vous décevoir, monsieur Corso.

— Mais vous ne me décevrez pas. Des artisans comme vous, capables de falsifier un *Speculum Vitae* à partir de l'unique exemplaire connu, et de le faire apparaître comme authentique dans l'un des meilleurs catalogues d'Europe, savent ce qu'ils ont entre les mains.

Ils sourirent en même temps d'un même sourire pincé. Dupont et Dupond, pensa Corso. Deux matous rusés après une caresse.

— Notre intervention n'a jamais été prouvée, dit enfin Pedro Ceniza. Il se frottait les mains en regardant le livre du coin de l'œil.

— Jamais, répéta le frère avec une pointe de mélancolie. Ils semblaient regretter qu'un séjour en prison ne leur eût pas valu la notoriété.

— C'est vrai, reconnut Corso. Et on n'a pas trouvé de preuves non plus dans le cas du Chaucer, reliure mosaïque un peu trop généreusement attribuée à Marius Michel, qui figure dans le catalogue de la collection Manoukian. Pas plus qu'avec cette *Bible polyglotte* du baron Bielke, dont les trois pages manquantes ont été remplacées par vous de façon si parfaite qu'aujourd'hui encore les experts n'osent pas mettre en doute son authenticité...

Pedro Ceniza leva une main jaunâtre aux ongles trop longs.

— Il faudrait apporter quelques nuances, monsieur Corso. Falsifier les livres par goût du lucre est une chose, travailler par amour du métier en est une autre bien différente ; créer pour la satisfaction que procure l'acte même de création ou, dans la majorité des cas, de recréation... — le relieur battit un peu des paupières avant de sourire, malicieux ; ses petits yeux de souris brillèrent en se reposant sur *Les Neuf Portes*. Quoique je ne me souvienne pas, et je suis sûr que mon frère non plus, avoir été pour quoi que ce soit dans ces travaux que vous venez de qualifier d'admirables.

— J'ai dit parfaits.

— Ah bon ?... C'est la même chose — il porta sa cigarette à ses lèvres, creusant ses joues pour aspirer une longue bouffée. Mais, quel que soit l'auteur, ou les auteurs, vous pouvez avoir la certitude que leur travail aura été pour eux, ou pour lui, un divertissement personnel ; une satisfaction morale qui ne se paye pas avec de l'argent...

— *Sine pecunia*, confirma le frère.

Pedro Ceniza laissait sortir la fumée de sa cigarette par son nez, la bouche entrouverte, songeur.

— Prenons par exemple ce *Speculum* dont la Sorbonne a fait l'acquisition, comme authentique. À eux seuls, le papier, la typographie, l'impression et la reliure ont sans aucun doute coûté cinq fois plus que le bénéfice réalisé par ceux que vous appelez des falsificateurs. Il y a des gens qui ne comprennent pas cela... Qu'est-ce qui procurerait plus de satisfaction à un peintre doué du talent de Vélasquez et capable d'imiter son œuvre ?... Gagner de l'argent, ou voir son tableau au Prado entre *Les Ménines* et *La Forge de Vulcain* ?

Corso s'empressa de signifier son accord. Pendant huit ans, le *Speculum* des frères Ceniza avait été au nombre des ouvrages les plus précieux de l'université de Paris. Et la découverte de la falsification n'avait pas été le fait d'un expert, mais avait simplement résulté d'un coup du hasard. Un intermédiaire qui n'avait pas su tenir sa langue.

— La police vous fait encore des tracasseries ?

— À peine. N'oubliez pas que l'affaire de la Sorbonne a éclaté en France, entre l'acheteur et les intermédiaires. Il est certain que notre nom a été prononcé, mais on n'a jamais rien prouvé — Pedro Ceniza esquissait à nouveau un sourire pincé, regrettant cette absence de preuves. Nous avons de bons rapports avec la police ; on vient même nous consulter pour identifier des livres volés — il montra son frère avec sa cigarette fumante. Pablo n'a pas son égal lorsqu'il s'agit d'effacer des timbres de bibliothèques, d'éliminer des ex-libris ou des marques d'origine. Parfois, on lui demande de refaire le travail en sens inverse. Vous connaissez la formule : vivre et laisser vivre.

— Que pensez-vous des *Neuf Portes* ?

L'aîné des deux frères regarda l'autre, puis le livre, avant de secouer la tête.

— Rien de particulier n'a attiré notre attention lorsque nous nous en sommes occupés. Le papier et l'encre sont comme ils doivent être. Un simple coup d'œil suffit pour s'en rendre compte.

— En tout cas, pour nous, précisa l'autre.

— Et maintenant ?

Pedro Ceniza tira une dernière bouffée de sa cigarette, devenue un minuscule point rouge qu'il tenait entre les ongles, puis il laissa le mégot tomber par terre, entre ses souliers, où il acheva de se consumer. Le linoléum était constellé de brûlures.

— Reliure vénitienne du XVIIe siècle, en bon état... — les frères se penchaient sur le livre, mais seul l'aîné touchait les pages de ses mains froides et pâles ; on aurait dit deux taxidermistes en train d'étudier la façon d'empailler un cadavre. Maroquin noir, avec des fleurons dorés inspirés de motifs végétaux...

— Plutôt sobre pour Venise, commenta Pablo Ceniza.

Le frère aîné acquiesça avec une nouvelle quinte de toux.

— L'artiste s'est retenu ; sans aucun doute à cause de la nature du sujet... — Il regarda Corso. Vous avez examiné le cœur des plats ? Les reliures du XVIe et du XVIIe siècles réservent des surprises quand elles sont en peau ou en cuir. Le carton intérieur était fait de plusieurs feuilles, encollées et mises sous presse. On utilisait parfois des épreuves du même livre, ou des imprimés plus anciens... Certaines de ces trouvailles sont aujourd'hui plus précieuses que les volumes qu'elles relient — il montra des papiers sur la table. En voici un exemple. Raconte-lui, Pablo.

— Les bulles de la Croisade de 1483... — le frère souriait d'un air équivoque, comme s'il se fût agi de documents pornographiques troublants, au lieu de papiers morts. Dans les plats de mémoires sans valeur du XVIe siècle.

Pedro Ceniza examinait toujours *Les Neuf Portes* :

— La reliure paraît tout à fait normale, dit-il. Tout est conforme. Curieux livre, n'est-ce pas ? Avec ses cinq nerfs sur le dos, sans titre, et le mystérieux pentacle de la couverture... Torchia, Venise 1666. Peut-être l'a-t-il relié lui-même. Beau travail.

— Que pensez-vous du papier ?

— Je vous reconnais bien là, monsieur Corso ; excellente question — le relieur passa la langue sur ses lèvres, comme pour leur donner un peu de chaleur. Puis il fit claquer les pages en faisant courir son pouce sur la tranche, l'oreille tendue, comme l'avait fait Corso chez Varo Borja. Excellent papier. Rien à voir avec les pâtes mécaniques d'aujourd'hui... Vous savez quelle est la durée de vie moyenne d'un livre imprimé à l'heure actuelle ?... Dis-lui, Pablo.

— Soixante-dix ans, répondit l'autre avec rancœur, comme si Corso était le coupable. Soixante-dix misérables années.

Le frère aîné cherchait quelque chose parmi les objets dispersés sur la table. Finalement, il s'empara d'une loupe spéciale à fort grossissement et l'approcha du livre.

— Dans moins d'un siècle, murmura-t-il tandis qu'il soulevait une page pour l'étudier à contre-jour en fermant un œil, presque tout ce qui se trouve aujourd'hui dans les librairies aura disparu. Mais ces volumes, imprimés il y a deux cents ou cinq cents ans, demeureront intacts... Nous avons les livres, comme le monde, que nous méritons... N'est-ce pas, Pablo ?

— Des livres de merde sur du papier de merde.

Pedro Ceniza hochait la tête d'un air approbateur, tout en continuant d'étudier le livre derrière sa loupe.

— Vous avez entendu. Le papier de cellulose jaunit et devient cassant comme une hostie, puis il se transforme en poussière. Il vieillit et meurt.

— Ce n'est pas le cas ici, fit observer Corso en montrant le livre.

Le relieur examinait toujours les feuilles à contre-jour.

— Du papier de fil, comme il se doit. Du bon papier de chiffon, capable de résister au temps et à la bêtise humaine... Non, je me trompe. C'est du lin. Du vrai papier de lin — il se détourna de la loupe et regarda son frère. C'est étrange, ce n'est pas un papier vénitien. Épais, spongieux, fibreux... Espagnol ?

— Valencien, dit l'autre. Du lin de Jativa.

— Exactement. Un des meilleurs d'Europe, à l'époque. L'imprimeur avait peut-être mis la main sur un lot d'importation... Cet homme s'est donné du mal pour faire parfaitement les choses.

— Oui, avec toute sa conscience, ajouta Corso. Ce qui lui a coûté la vie.

— Les risques du métier... — Pedro Ceniza accepta la cigarette froissée que Corso lui offrait et l'alluma aussitôt, en toussant avec indifférence. Pour le papier, vous savez qu'il est difficile de tromper sur ce point. Il aurait fallu utiliser une rame vierge, de la même époque, et même ainsi nous aurions constaté des différences : les feuilles deviennent marron, les encres s'oxydent, s'altèrent avec le temps... Naturellement, les ajouts peuvent toujours se tacher et se laver avec du thé pour les rendre plus sombres... Une bonne restauration, ou addition de feuilles manquantes qui puissent passer pour originales, doit maintenir l'uniformité du livre. Les détails sont essentiels. N'est-ce pas, Pablo ?... Toujours ces bienheureux détails.

— Quel est votre diagnostic ?

— En tenant compte de ce qui était impossible, probable et apparemment certain, nous avons établi que la reliure du livre peut dater du XVIIᵉ siècle... Ce qui ne signifie pas que les feuilles qu'elle recouvre correspondent à cette reliure et non à une autre ; mais prenons quand même cette hypothèse pour acquise. Quant au papier, il présente des caractéristiques semblables à celles d'autres lots dont l'origine a été établie ; il semble donc être lui aussi d'époque.

— D'accord. La reliure et le papier sont authentiques. Passons au texte et aux illustrations.

— Les choses se compliquent. Du point de vue typographique, deux points de départ sont possibles. Premièrement : le livre est authentique, mais son propriétaire qui, selon vous, a des raisons impérieuses pour le savoir, affirme le contraire. Possible, mais peu probable. Passons à la deuxième piste, celle du faux, qui nous permet d'envisager deux possibilités. La première : tout le texte est faux, inventé, imprimé sur papier d'époque, puis relié en récupérant des couvertures anciennes. C'est possible, mais improbable. Ou, pour être plus précis, peu convaincant. Un tel livre serait absolument hors de prix... Mais il existe une deuxième possibilité raisonnable qui justifierait la falsification, à savoir que celle-ci aurait été faite très peu de temps après la première édition du livre. Nous parlons ici d'une réimpression avec des modifications, camouflée comme s'il s'agissait de la première, faite dix ou vingt ans après cette année 1666 qui figure sur le frontispice... Mais, dans quel but ?

— Il s'agissait d'un livre condamné, fit observer Pablo Ceniza.

— C'est effectivement possible, dit Corso. Quelqu'un qui avait accès au matériel utilisé par Aristide Torchia, aux gravures et aux caractères d'imprimerie, a pu en faire une nouvelle édition...

Le frère aîné avait pris un crayon et gribouillait au verso d'une feuille imprimée.

— Ce serait une explication. Mais les autres hypothèses paraissent plus plausibles... Imaginez, par exemple, que la majeure partie des pages du livre soient authentiques, mais qu'il s'agisse d'un exemplaire incomplet, dont certaines feuilles auraient été arrachées ou perdues... Par la suite, quelqu'un complète le volume avec du papier d'époque, une bonne technique d'impression et beaucoup de patience. Dans ce cas, nous aurions deux sous-possibilités : la première, que les pages ajoutées auraient été reproduites à partir d'un autre exemplaire complet ; la seconde, qu'à défaut de pages originales qui puissent être reproduites ou copiées, le contenu de ces pages aurait été inventé — le relieur montra alors à Corso ce qu'il était en train de dessiner. Dans ce cas, nous serions en face d'un véritable cas de falsification, selon ce schéma :

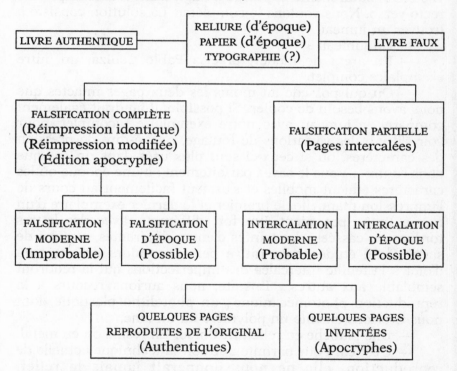

Tandis que Corso et le frère cadet étudiaient le diagramme, Pedro Ceniza se remit à feuilleter *Les Neuf Portes.*

— Je serais enclin à penser, ajouta-t-il au bout d'un moment, quand ils se retournèrent vers lui, que s'il y a eu intercalation de quelques pages, celle-ci a été soit contemporaine de l'impression authentique, soit réalisée de nos jours. Nous écartons l'époque intermédiaire, car reproduire avec une telle perfection une pièce ancienne n'est possible que depuis très peu de temps.

Corso lui rendit le diagramme.

— Imaginez que vous vous trouviez en face d'un livre incomplet et que vous vouliez le compléter avec des techniques modernes... Que feriez-vous ? demanda-t-il.

Les frères Ceniza soupirèrent à l'unisson, profondément et professionnellement, se pourléchant déjà à cette perspective. Tous deux regardaient fixement *Les Neuf Portes*.

— Supposons, décida l'aîné, que nous ayons ce livre de 168 pages et qu'il lui manque la centième... Ou plutôt les pages 100 et 99, naturellement, puisqu'il s'agit d'une feuille imprimée recto verso. Nous voulons le compléter. La solution consiste à trouver un jumeau.

— Un jumeau ?

— En argot de métier, précisa Pablo Ceniza, un autre exemplaire complet.

— Ou qui possède au moins les deux pages intactes que nous avons besoin de copier. Si possible, il faudrait également comparer le jumeau avec notre exemplaire incomplet, pour voir s'il y a des variations de foulage, c'est-à-dire de pression des caractères, ou si ceux-ci sont plus usés dans un cas que dans l'autre... Vous le savez parfaitement : à une époque où les caractères étaient mobiles et s'usaient facilement au cours de l'impression manuelle, le premier et le dernier exemplaire d'un même tirage pouvaient être fort différents, avec des lettres tordues ou cassées, des teintes d'encre différentes, et ainsi de suite. Cette étude comparative permettra alors d'ajouter ou d'ôter à la feuille intercalée des imperfections qui la rendront semblable aux autres... Ensuite, nous aurions recours à la reproduction photomécanique : un photolitho plastique dont nous tirerions ensuite un polymère ou un zinc.

— Une planche en relief, fit Corso. En résine ou en métal.

— C'est ça. Pour parfaite que soit la technique actuelle de reproduction, elle ne nous donnerait jamais le relief, l'empreinte sur le papier qui caractérise l'ancienne impression avec du bois ou du plomb encré. Nous devons donc reporter la page complète dans un matériau moulable, résine ou métal, très semblable sur le plan technique à la page composée avec les caractères mobiles de plomb qu'on utilisait en 1666. Puis nous mettons cette planche sous presse pour procéder à une impression manuelle, comme il y a quatre siècles... Naturellement, sur du papier d'époque, traité avant et après avec des méthodes de vieillissement artificiel... Il faut également modifier l'encre avec des agents chimiques après avoir étudié à fond sa composition, pour qu'elle soit identique à celle des autres pages. Et le délit sera consommé.

— Mais supposons que le feuillet original n'existe pas. Qu'il n'y ait pas de référence à partir de laquelle copier ces deux fausses pages.

Les frères Ceniza sourirent en même temps, sûrs d'eux.

— C'est justement là, dit l'aîné, que le travail devient plus intéressant.

— Documentation et imagination, ajouta l'autre.

— Et naturellement, de l'audace, monsieur Corso. Supposez que Pablo et moi ayons entre les mains cet exemplaire incomplet des *Neuf Portes*. En pareil cas, nous disposerions des 166 autres pages, c'est-à-dire de tout le catalogue des lettres et symboles utilisés par l'imprimeur. Nous prélèverions alors des échantillons jusqu'à obtenir un alphabet complet. On peut ensuite réaliser une reproduction sur papier photographique de cet alphabet, plus facile à manipuler, en multipliant chaque lettre le nombre de fois nécessaire pour composer toute la page... L'idéal, le fin du fin, serait de reproduire les caractères en plomb fondu, à la manière des anciens imprimeurs... Mais l'opération serait malheureusement trop complexe et trop coûteuse. Nous nous adapterions donc aux techniques actuelles. En découpant les lettres au massicot pour en faire des caractères séparés, nous composerions à la main les deux pages, ligne par ligne, comme un compositeur du XVIIe siècle. De là, nous obtiendrions une autre épreuve sur papier pour éliminer les chevauchements de lettres et autres imperfections, ou ajouter des défauts semblables à ceux du texte original... Il suffirait ensuite de tirer un négatif, puis une reproduction en relief : la plaque.

— Et si les pages manquantes comportent des illustrations ?

— C'est la même chose. Si nous avons accès à la gravure originale, la méthode de reproduction est encore plus simple. Dans le cas présent, le fait que les planches soient xylographiées, avec des lignes plus nettes que la gravure sur cuivre ou à la pointe sèche, permet d'obtenir encore plus aisément un travail très propre.

— Supposons que la gravure originale ait disparu.

— Ce n'est pas davantage un problème. Si nous la connaissons d'après des ouvrages de référence, nous l'imitons. Dans le cas contraire, nous l'inventons. Après étude, naturellement, de la technique utilisée pour les autres planches connues. N'importe quel bon dessinateur peut faire ce travail.

— Et l'impression ?

— Vous savez fort bien que la xylographie n'était qu'une technique de gravure en relief : un bloc de bois découpé dans le sens du fil, recouvert d'un fond blanc sur lequel on dessine la composition. Puis on le taille et on applique de l'encre sur les reliefs pour ensuite reporter le motif sur papier... Quand nous reproduisons des xylographies, nous avons le choix entre deux possibilités : la première consiste à copier le dessin, cette fois de préférence sur résine. L'alternative, si vous disposez d'un bon graveur, est de réaliser une autre xylographie authentique, sur bois donc, avec la même technique que les originaux d'époque, et de la mettre directement sous presse... Dans mon cas, étant donné que je dispose d'un bon graveur, en la personne de mon frère, j'aurais recours à l'impression artisanale sur bois. Chaque fois que possible, l'art doit imiter l'art.

— C'est quand même du travail beaucoup plus propre, ajouta Pablo.

Corso lui fit un sourire complice.

— Comme dans le *Speculum* de la Sorbonne.

— Peut-être. Il est possible que son ou ses auteurs pensaient comme nous... Tu ne crois pas, Pablo ?

— Sans aucun doute des romantiques, fit l'autre, avec un sourire qui hésitait à se former.

— Sans aucun doute — Corso montrait le livre. Et maintenant, votre verdict.

— Je dirais qu'il est authentique, répondit Pedro Ceniza sans hésiter. Nous-mêmes serions incapables de réussir quelque chose d'aussi parfait. Voyez un peu : la qualité du papier, les taches sur les pages, les teintes identiques, les altérations de l'encre, la typographie... Il n'est pas impossible que l'ouvrage renferme des feuillets falsifiés ; mais l'hypothèse me paraît improbable. S'il s'agissait d'une falsification, l'unique explication serait qu'elle est elle aussi d'époque... Combien d'exemplaires connaît-on ?... Trois ? Je suppose que vous avez envisagé la possibilité que les trois soient faux.

— En effet. Mais que pensez-vous des xylographies ?

— Qu'elles sont étranges, bien entendu, avec tous ces symboles... Mais elles sont également d'époque. Le foulage des planches est identique. L'encre, les teintes du papier... Peut-être la clé se trouve-t-elle dans leur contenu, plutôt que dans la question de savoir quand et comment elles ont été imprimées. Nous regrettons de ne pouvoir aller plus loin.

— Détrompez-vous — Corso s'apprêtait à refermer le livre. En réalité, nous sommes allés très loin.

Pedro Ceniza l'arrêta d'un geste.

— Encore une chose... Mais je suppose que le détail ne vous a pas échappé : les marques du graveur.

Corso le regarda, déconcerté.

— Je ne vois pas ce que vous voulez dire.

— Je veux parler des signatures microscopiques qui figurent au bas de chaque illustration... Montre-les-lui, Pablo.

Le frère aîné s'essuya les mains sur sa blouse, comme pour leur ôter une sueur parfaitement impossible. Puis il s'approcha des *Neuf Portes* et montra à Corso certaines pages à travers la loupe.

— Chaque gravure porte les abréviations habituelles : *Inv.* pour *invenit*, avec la signature de l'artiste original, et *Sculp.* pour *sculpsit*, le graveur... Regardez bien. Sur sept des neuf xylographies, l'abréviation *A.TORCH.* figure comme *sculp.* et comme *inv.* Il est donc clair que l'imprimeur lui-même a dessiné et gravé sept planches. Mais sur les deux autres, il apparaît seulement comme *sculp.* Ce qui veut dire qu'il n'a fait que les graver. Et que le créateur du dessin original, l'*inv.*, était quelqu'un d'autre, quelqu'un dont les initiales étaient *L.F.*

Pedro Ceniza qui avait suivi les explications de son frère avec de petits hochements de tête approbateurs alluma sa énième cigarette.

— Pas mal, vous ne trouvez pas ? — et il se mit à tousser en rejetant la fumée, avec une lueur maligne dans ses petits yeux de souris astucieuse, impatient de voir la tête qu'allait faire Corso. Même si c'est lui qu'on a brûlé, cet imprimeur n'était pas seul.

— Effectivement, confirma le frère avec un rire lugubre. Quelqu'un l'a aidé à allumer le bûcher sous ses pieds.

Ce même après-midi, Corso reçut la visite de Liana Taille-fer. La veuve se présenta chez lui sans le prévenir, à cette heure incertaine à laquelle, à côté de son balcon vitré donnant à l'ouest, vêtu d'une chemise de coton fanée et d'un vieux pantalon de velours, le chasseur de livres voyait flamboyer de lueurs rouges et ocres les toits de la ville. Peut-être le moment n'était-il pas très bien choisi, et bien des choses qui se passèrent plus tard auraient été évitées, peut-être, si Liana Taillefer s'était présentée à une autre heure de la journée. Mais nous ne le saurons jamais. Les faits que nous pouvons établir sont les suivants : Corso était devant le balcon vitré et son regard commençait à devenir un peu vitreux à mesure que le contenu de son verre de gin baissait quand retentit la sonnette. C'était Liana Taillefer — blonde, très grande, impressionnante dans sa gabardine anglaise qui couvrait son tailleur et ses bas noirs. Elle avait coiffé ses cheveux en chignon sous un chapeau Borsalino couleur tabac à large bord qu'elle portait un peu de biais, ce qui lui donnait une allure canaille qui lui allait fort bien ; un air de femme belle et sûre de l'être, prête à ce que tous en prennent bonne note.

— Qu'est-ce qui me vaut l'honneur ? demanda Corso. C'était une phrase stupide, même si à cette heure et avec autant de Bols dans le corps, il eût été injuste d'exiger de lui une conversation brillante. Liana Taillefer s'avançait déjà dans la pièce et s'arrêtait devant la table de travail où se trouvait la chemise du manuscrit Dumas, à côté de l'ordinateur et des boîtes de disquettes.

— Vous continuez à y travailler ?

— Bien sûr.

Elle détourna les yeux du *Vin d'Anjou* pour jeter un coup d'œil tranquille autour d'elle, aux livres qui couvraient les murs et qui s'amoncelaient partout. Corso comprit qu'elle cherchait des photos, des souvenirs, des indices qui lui auraient permis de se faire une idée du maître de maison. Elle haussa un sourcil, mécontente et arrogante, quand elle comprit que sa recherche était vaine. Finalement, elle s'arrêta devant le sabre de la Vieille Garde.

— Vous collectionnez les épées ?

Inférence logique, appelle-t-on ce genre de conclusion. De type inductif. Au moins, pensa Corso avec soulagement, le génie de Liana Taillefer pour normaliser les situations embarrassantes n'était pas à la hauteur de son allure. Sauf si elle se moquait de lui. Il rit donc un peu, sur la défensive.

— Je collectionne celle-ci. Et elle s'appelle un sabre.

La femme hocha la tête, sans aucune expression. Impossible de savoir si elle était un peu simplette ou bonne actrice.

— Souvenir de famille ?

— Acquisition, mentit Corso. Je pensais qu'il ferait bien sur ce mur. Les livres finissent par être monotones.

— Pourquoi n'avez-vous pas de cadres, pas de photos ?

— Il n'existe personne dont j'aie envie de me souvenir — il pensa à l'autre photo dans son cadre d'argent, feu Taillefer en tablier, en train de découper son cochon de lait. Votre cas est différent, naturellement.

Elle le regarda fixement, peut-être pour évaluer le degré d'insolence de ses paroles ; il y avait comme une pointe d'acier dans ses yeux bleus, tellement glacés qu'ils donnaient froid. Elle continua à se promener dans la pièce en s'arrêtant devant certains livres, la vue du balcon vitré et, de nouveau, la table de travail. Elle glissa un doigt à l'ongle verni rouge sang sur la chemise du manuscrit Dumas. Peut-être attendait-elle un commentaire de Corso, mais il ne dit rien ; il se contentait d'attendre, patient. Si elle avait une idée en tête, et il ne fallait pas être grand clerc pour comprendre qu'elle en avait une, il la laisserait faire toute seule son sale petit travail. Il n'était pas disposé à lui faciliter les choses.

— Puis-je m'asseoir ?

Cette voix un peu rauque. L'écho d'une mauvaise nuit, se souvint Corso. Il était debout au milieu de la pièce, les mains dans les poches de son pantalon, attendant la suite. Liana Taillefer ôta son chapeau et sa gabardine, puis, après avoir regardé autour d'elle avec un de ses mouvements qui paraissaient interminables, elle opta pour un vieux sofa. Elle se dirigea alors vers lui pour s'y asseoir avec une extrême lenteur — la jupe de son tailleur était bien courte dans cette position —, en croisant les jambes d'une façon que n'importe qui, même le chasseur de livres avec moitié moins de gin derrière la cravate, aurait qualifiée de dévastatrice.

— Je viens parler affaires.

Évidemment. Cet étalage n'était pas le moins du monde désintéressé. Corso avait plus d'estime pour lui-même que personne, mais il était loin d'être un imbécile.

— Parlons donc, dit-il. Vous avez déjà dîné avec Flavio La Ponte ?

Aucune réaction. Pendant quelques secondes, elle continua à le regarder, imperturbable, avec ce même air dédaigneux et sûr de soi.

— Pas encore, répondit-elle enfin, sans perdre son aplomb. Je voulais d'abord vous voir.

— Eh bien, vous me voyez.

Liana Taillefer s'allongea un peu plus sur le sofa. Une de ses mains reposait sur une crevasse du cuir usé par laquelle on pouvait voir le rembourrage de crin.

— Vous travaillez pour l'argent.

— C'est exact.

— Vous vous vendez au plus offrant.

— Parfois — Corso laissa paraître un croc dans le coin de sa bouche ; il était sur son territoire et il pouvait mettre bas le masque du lapin sympathique. En général, ce que je fais, c'est me louer. Comme Humphrey Bogart dans ses films. Ou comme les putes.

Pour une veuve qui faisait de la broderie au pensionnat quand elle était petite, Liana Taillefer ne sembla point scandalisée par ce langage :

— Je veux vous proposer du travail.

— Magnifique ! Tout le monde me propose du travail ces temps-ci.

— Je vous paierai beaucoup d'argent.

— Encore mieux. Tout le monde veut aussi me payer beaucoup d'argent par les temps qui courent.

Elle avait tiré un bout de crin qui sortait du bras défoncé du sofa. Distraite, elle l'enroulait autour de son index.

— Combien demandez-vous à votre ami La Ponte ?

— À Flavio ?... Rien. Personne ne peut lui soutirer un sou à celui-là.

— Alors, pourquoi travaillez-vous pour lui ?

— Vous l'avez dit. C'est mon ami.

Il l'entendit répéter le mot, pensive.

— Le mot paraît étrange dans votre bouche, dit-elle au bout de quelques instants ; elle esquissait un sourire presque imperceptible, de dédain curieux. Vous avez aussi des amies femmes ?

Corso regarda sans se dépêcher les jambes de son interlocutrice, des chevilles aux cuisses. Effrontément.

— J'ai des souvenirs. Le vôtre pourra m'être utile cette nuit.

Elle encaissa la grossièreté sans broncher. Ou peut-être, se demanda Corso, n'avait-elle pas saisi la délicate allusion qu'il faisait à la bricole.

— Dites-moi un chiffre, proposa-t-elle avec froideur. Je veux le manuscrit de mon mari.

L'affaire se présentait de mieux en mieux. Corso alla s'asseoir dans un fauteuil en face de Liana Taillefer. D'où il était, la vue panoramique sur ses jambes gainées de bas noirs était meilleure ; elle avait enlevé ses chaussures pour poser ses pieds nus sur le tapis.

— La dernière fois, vous ne sembliez pas vous y intéresser beaucoup.

— J'y ai repensé. Ce manuscrit présente un caractère...

— Sentimental ? proposa Corso, moqueur.

— Si vous voulez — sa voix était devenue provocante. Mais pas dans le sens que vous croyez.

— Et qu'êtes-vous prête à faire pour l'avoir ?

— Je vous l'ai déjà dit. Vous payer.

Corso fit un sourire insolent.

— Vous m'offensez. Je suis un professionnel.

— Vous êtes un mercenaire professionnel, et ces gens-là changent de camp ; moi aussi je lis des livres.

— J'ai tout l'argent qu'il me faut.

— Je ne parle pas d'argent pour le moment.

Elle s'était presque allongée sur le sofa et l'un de ses pieds nus caressait le cou-de-pied de l'autre. Corso devina les orteils aux ongles rouge sang sous la maille sombre des bas. Quand elle bougea, la jupe se retroussa, laissant entrevoir un peu de peau blanche tout au fond, derrière les jarretelles noires, là où toutes les énigmes se réduisent à une seule, vieille comme le Temps. Le chasseur de livres eut du mal à détourner le regard. Les yeux bleu acier continuaient à le fixer.

Il ôta ses lunettes avant de se relever pour s'approcher du sofa. La femme suivit ses mouvements du regard, impassible ; même lorsqu'il s'arrêta devant elle, si près que leurs genoux se touchaient. C'est alors que Liana Taillefer leva une main et posa ses doigts aux ongles rouge sang en plein sur la braguette de son pantalon de velours. Elle souriait à nouveau, presque imperceptiblement, dédaigneuse et sûre d'elle-même, quand Corso se pencha enfin sur elle et retroussa sa jupe jusqu'à la ceinture.

Ce fut un assaut mutuel plus qu'un échange. Un règlement

de comptes sur le sofa : empoignade crue et dure d'adulte à adulte, avec les gémissements voulus au moment opportun, quelques jurons entre les dents, les ongles de la femme impitoyablement plantés dans les reins de Corso. La chose se passa ainsi, sur un minuscule champ de bataille, tous les deux encore vêtus, la jupe de la femme sur ses hanches larges et fortes que l'homme immobilisait avec ses mains crispées, tandis que les brides du porte-jarretelles se plantaient dans son bas-ventre. Il ne parvint même pas à voir ses seins, même s'il y eut accès une ou deux fois ; une chair dense, chaude et abondante sous le soutien-gorge, le corsage de soie et la veste du tailleur que, dans l'ardeur du combat, Liana Taillefer n'avait pas eu le temps d'ôter. Et maintenant, ils étaient là tous les deux, encore enlacés l'un à l'autre dans le désordre de leurs vêtements froissés, hors d'haleine, semblables à deux lutteurs épuisés. Et Corso qui se demandait comment il allait se tirer de cet imbroglio.

— Qui est Rochefort ? demanda-t-il, prêt à précipiter la crise.

Liana Taillefer le regardait à dix centimètres de distance. Le soleil couchant donnait à son visage des teintes rougeoyantes ; les peignes de son chignon s'étaient défaits et ses cheveux blonds tombaient pêle-mêle sur le cuir du sofa. Pour la première fois, elle paraissait détendue.

— Aucune importance, répondit-elle, maintenant que je récupère le manuscrit.

Corso embrassa l'échancrure en bataille du corsage de la femme, pour lui dire adieu, à lui et à son contenu. Il se doutait bien qu'il n'aurait pas de sitôt une nouvelle occasion de l'embrasser.

— Quel manuscrit ? demanda-t-il pour dire quelque chose, et aussitôt il vit que le regard de la femme se durcissait, que son corps devenait rigide sous le sien.

— *Le Vin d'Anjou*... — pour la première fois, sa voix recelait une pointe d'inquiétude. Vous allez me le rendre, n'est-ce pas ?

Corso n'aima pas qu'elle revînt ainsi au *vous*. Il se souvenait vaguement de l'avoir tutoyée durant l'escarmouche.

— Je n'ai rien dit de semblable.

— Je croyais...

— Vous avez fait erreur.

Un éclair de colère fit briller son regard d'acier. Elle se

... En la maintenant en respect à la pointe de son épée.

dressa, furieuse, et le repoussa d'un brusque mouvement des hanches.

— Canaille !

Corso, qui s'apprêtait à faire quelque plaisanterie cynique pour se sortir d'embarras, se sentit violemment repoussé en arrière et il tomba à genoux par terre. Quand il se releva en rebouclant sa ceinture, Liana Taillefer s'était mise debout, pâle et terrible. Puis, sans se préoccuper de ses vêtements en désordre, de ses magnifiques cuisses encore nues, elle lui donna une gifle tellement magistrale que son tympan gauche résonna comme la peau d'un tambour.

— Misérable !

Le chasseur de livres vacilla ; le coup valait bien ça. Étourdi, il regarda autour de lui comme le boxeur qui cherche un point de repère pour ne pas tomber au tapis. Liana Taillefer traversa son champ de vision sans qu'il puisse lui prêter véritablement attention : son oreille lui faisait horriblement mal. Il regardait stupidement le sabre de Waterloo quand il entendit un bruit de verre brisé. C'est alors qu'elle réapparut dans le contre-jour rougeâtre de la fenêtre. Elle avait baissé sa jupe. D'une main, elle tenait la chemise du manuscrit, de l'autre, le goulot d'une bouteille cassée. Le tranchant de verre était pointé vers la gorge de Corso.

Il leva instinctivement un bras en faisant un pas en arrière. Le danger lui rendait sa lucidité et l'adrénaline coulait à flots dans ses veines. Il repoussa la main armée de la femme et lui donna un coup de poing au cou qui l'arrêta net, le souffle coupé. La scène suivante fut un peu plus paisible : Corso ramassait par terre le manuscrit et la bouteille cassée, Liana Taillefer était de nouveau assise sur le sofa, ses cheveux retombant sur son visage, ses mains plaquées sur son cou endolori, haletante, secouée par des sanglots de colère.

— Vous êtes mort, Corso, l'entendit-il dire enfin.

Le soleil s'était définitivement couché à l'autre bout de la ville et les angles de la pièce se remplissaient d'ombre. Honteux, il alluma la lumière, puis tendit à la femme sa gabardine et son chapeau avant de décrocher le téléphone pour appeler un taxi. Tout ce temps, il évita de la regarder dans les yeux. Ensuite, quand il entendit s'évanouir ses pas dans l'escalier, il resta un moment immobile devant la fenêtre à observer l'ombre des toits se découper au clair de la lune qui montait lentement.

« Vous êtes mort, Corso. »

Il se servit un grand verre de gin. Il ne pouvait chasser de sa tête l'expression de Liana Taillefer quand elle avait compris qu'il l'avait trompée. Des yeux mortels comme une dague, un rictus de furie vindicative. Et elle ne plaisantait pas ; elle avait vraiment voulu le tuer. Une fois de plus, les souvenirs s'éveillèrent lentement, l'envahissant peu à peu, quoique cette fois aucun effort de mémoire ne fût nécessaire pour les faire revivre. C'était une image nette comme le lieu précis d'où elle procédait. Sur la table de travail se trouvait l'édition fac-similé des *Trois Mousquetaires*. Il ouvrit le volume pour y retrouver la scène : page 129. Et là, parmi les meubles en désordre, sautant à bas du lit, poignard à la main, comme un diable vengeur, Milady se précipite sur d'Artagnan en chemise qui recule, terrorisé, en la maintenant en respect à la pointe de son épée.

VII

Le numéro Un et le numéro Deux

C'est que le diable est bien malin ;
c'est qu'il n'est pas toujours si laid qu'on le dit.
(J. Cazotte, Le Diable amoureux)

L'express de Lisbonne allait partir dans quelques minutes quand il vit la jeune fille. Corso était sur le quai, au pied de sa voiture de la Compagnie internationale des wagons-lits — *Companhia Internacional de Carruagems-Camas* — et il la croisa tandis qu'elle se dirigeait avec un groupe de voyageurs vers les voitures de première classe. Elle portait un petit sac à dos et était vêtue du même blouson bleu, mais il ne la reconnut pas au début. Il ne fit que remarquer quelque chose de familier dans ses yeux verts, si clairs qu'ils en paraissaient presque transparents, et dans ses cheveux très courts. Intrigué, il la suivit des yeux un moment, jusqu'à ce qu'elle disparaisse deux wagons plus loin. Le sifflet de la locomotive retentit et, tandis qu'il montait en voiture et que l'employé refermait la portière derrière lui, Corso reconstitua la scène : cette même jeune fille, assise à une extrémité de la table du café, parmi le petit groupe de Boris Balkan.

Il s'avança dans le couloir en direction de son comparti-ment. Les lumières de la gare défilaient de plus en plus vite derrière les fenêtres, à mesure que les battements des roues du convoi s'accéléraient. Un peu gêné par l'exiguïté du comparti-ment, il pendit son manteau et sa veste avant de s'asseoir sur la couchette, à côté de son sac de toile dans lequel, en plus des *Neuf Portes* et de la chemise du manuscrit Dumas, il avait emporté un livre, le *Mémorial de Sainte-Hélène*, de Las Cases :

Vendredi, 14 juillet 1816. L'Empereur a été malade toute la nuit...

Il alluma une cigarette. De temps en temps, quand le train passait devant des lumières qui illuminaient son visage avec le clignotement rapide d'une lampe stroboscopique, Corso jetait un coup d'œil par la fenêtre avant de se replonger dans la lente agonie de Napoléon, victime des mesquineries de son geôlier anglais, sir Hudson Lowe. Il lisait en fronçant les sourcils et en redressant de temps en temps ses lunettes sur son nez. Parfois, il s'arrêtait pour regarder son reflet dans la fenêtre et s'adressait une grimace ironique. À son âge, et avec son passé, il était encore capable de s'indigner de la fin misérable que les vainqueurs avaient imposée au titan déchu, enchaîné à son rocher en plein milieu de l'Atlantique. Curieuse expérience que de revivre ces événements — les faits historiques et les sentiments qu'ils lui inspiraient — avec la lucidité qu'il possédait aujourd'hui. Il était déjà si loin, l'autre Lucas Corso qui admirait avec respect le sabre du vieux grognard de Waterloo ; l'enfant qui acceptait les mythes familiaux avec un enthousiasme belliqueux, bonapartiste précoce, dévoreur avide de ces livres dont les gravures illustraient les glorieuses campagnes, aux noms qui résonnaient comme un tambour battant la charge : Wagram, Iéna, Smolensk, Marengo. Yeux démesurément ouverts et disparus depuis longtemps, fantôme imprécis qui se dessinait parfois dans sa mémoire, entre les pages d'un livre, dans une odeur ou un bruit, sur la vitre noire d'une fenêtre quand la pluie venue du Never-Land claquait dans la nuit, au dehors.

Un employé en veste blanche passa devant sa porte en agitant une cloche. Encore une demi-heure avant la fermeture du wagon-restaurant. Corso referma son livre, enfila sa veste, jeta sur son épaule son sac de toile et sortit de son compartiment. Au bout du couloir, derrière la porte du soufflet qui conduisait au wagon-lit suivant, un courant d'air froid le saisit. Il traversa tandis que les tampons cognaient sous ses pieds, puis il se retrouva en première classe. Alors qu'il s'effaçait pour laisser passer des voyageurs dans le couloir, il jeta un coup d'œil dans le compartiment le plus proche, à moitié vide. La jeune fille était là, à côté de la porte, en pull-over et blue-jeans, ses pieds nus posés sur le fauteuil d'en face. Au moment où Corso passait, elle leva les yeux du livre qu'elle lisait et leurs regards se croisèrent. La jeune fille ne parut pas le reconnaître, si bien que Corso interrompit le bref salut qu'il venait à peine d'ébaucher, instinctivement. Elle dut deviner son geste, car elle le regarda avec curiosité ; mais le chasseur de livres poursuivait déjà son chemin.

Il dîna en se laissant bercer par le battement régulier des roues et il eut même le temps de prendre un café et un gin avant la fin du service. La lune perçait avec des teintes de soie grège au bout de la nuit et les poteaux de téléphone la traversaient à toute allure, délimitant des photogrammes illuminés à contre-jour par un projecteur mal réglé sur la plaine plongée dans la noirceur.

Il retournait à son wagon quand il tomba sur la jeune fille dans le couloir des premières classes. Elle avait tourné la manivelle de la fenêtre et, les bras posés sur la barre d'appui, recevait en plein visage l'air froid du dehors. Lorsqu'il arriva à sa hauteur, Corso se mit de côté pour la croiser dans l'étroit couloir. C'est alors qu'elle se retourna vers lui.

— Je vous connais, dit-elle.

Vus de près, ses yeux étaient encore plus verts et clairs, comme du cristal liquide. Par contraste avec sa peau bronzée, ils paraissaient encore plus lumineux ; à la fin du mois de mars, les cheveux peignés avec une raie à gauche, comme un garçon, elle avait un aspect singulier, sportif, agréablement équivoque. Elle était grande, mince et souple. Et très jeune.

— C'est exact, confirma Corso en s'arrêtant. Il y a quelques jours. Au café.

Elle sourit. Nouveau contraste sur son visage, dents blanches sur une peau très mate. La bouche était grande, bien dessinée. Mignonne la petite, aurait dit Flavio La Ponte en caressant les boucles de sa barbe.

— Vous étiez celui qui posait des questions sur d'Artagnan.

L'air froid qui entrait par la fenêtre ouverte agitait ses cheveux courts. Elle était toujours pieds nus ; ses tennis blanches étaient restées par terre, à côté de son fauteuil vide. Instinctivement, il jeta un coup d'œil au titre du livre qu'elle avait laissé derrière elle : *Les Aventures de Sherlock Holmes*. Édition brochée, bon marché, observa-t-il. Filiale mexicaine des Éditions Porrua.

— Vous allez attraper un rhume.

La jeune fille secoua la tête sans cesser de lui sourire, mais elle tourna la manivelle pour remonter la glace. Corso, qui se disposait à poursuivre son chemin, s'arrêta pour prendre une cigarette. Il allait le faire comme il en avait l'habitude, d'un geste direct de sa poche à ses lèvres, mais il vit qu'elle l'observait.

— Vous fumez ? demanda-t-il, indécis, la main arrêtée en vol.

— Parfois.

Il glissa la cigarette dans sa bouche et en sortit une autre. Une brune, sans filtre, aussi froissée que les paquets qu'il avait toujours sur lui. La jeune fille la prit entre les doigts et lut la marque avant de se pencher pour que Corso lui donne du feu, après avoir allumé la sienne, avec la dernière allumette de sa boîte.

— C'est fort, dit-elle en rejetant la première bouffée de fumée, mais sans les démonstrations d'horreur que Corso attendait. Elle tenait sa cigarette d'une façon insolite : entre le pouce et l'index, le bout tourné vers l'extérieur. Vous voyagez dans ce wagon ?

— Non. Dans le suivant.

— Vous avez de la chance d'être en wagon-lit — elle palpa la poche revolver de ses jeans comme pour chercher un portefeuille inexistant. J'aimerais bien moi aussi. Heureusement, le compartiment est à moitié vide.

— Vous êtes étudiante ?

— Si l'on veut.

Le train vibra à grand fracas en entrant dans un tunnel. La jeune fille se retourna alors, comme si le noir du dehors attirait son attention. Elle s'appuyait contre la glace, contre son reflet, tendue, aux aguets ; et elle semblait épier quelque chose dans le vacarme de l'air comprimé entre les murs de l'étroit passage. Puis, quand le wagon ressortit à l'air libre et que de petites lumières recommencèrent à ponctuer la nuit comme de brefs traits au passage du convoi, elle se remit à sourire, absorbée dans ses pensées.

— J'aime les trains, dit-elle.

— Moi aussi.

La jeune fille était toujours tournée vers la fenêtre. Elle touchait la vitre d'une main, du bout des doigts.

— Vous imaginez un peu ?... ajouta-t-elle. Son sourire

était devenu songeur, comme si des souvenirs intimes étaient venus l'animer. Partir de Paris le soir et se réveiller devant la lagune de Venise, en route pour Istanbul...

Corso fit la moue. Quel âge avait-elle ? Dix-huit peut-être, vingt au maximum.

— Jouer au poker..., ajouta-t-il, entre Calais et Brindisi.

La jeune fille l'étudiait avec plus d'attention.

— Pas mal — elle réfléchit un instant. Et que diriez-vous d'un petit déjeuner au champagne entre Vienne et Nice ?

— Intéressant. Comme espionner Basil Zaharoff.

— Ou prendre une cuite avec Nijinski.

— Voler les perles de Coco Channel.

— Flirter avec Paul Morand... Ou avec Mister Barnabooth.

Ils se mirent à rire tous les deux. Corso, entre ses dents. Elle, avec franchise, en appuyant le front contre la vitre froide de la fenêtre. Elle avait un rire sonore et clair, un rire de garçon, en harmonie avec sa coupe de cheveux et ses yeux verts, si lumineux.

— Ces trains-là ont disparu, dit-il.

— Je sais.

Des feux de signalisation passèrent comme des éclairs. Puis ce fut un quai mal éclairé, désert, avec un écriteau que la vitesse rendait illisible. La lune montait en découpant brutalement, par intervalles, des silhouettes confuses d'arbres et de toits. Elle semblait voler parallèlement au train, lancée avec lui dans une course folle, sans but.

— Comment vous appelez-vous ?

— Corso. Et vous ?

— Irene Adler.

Il l'examina de haut en bas. Elle soutint son regard, impassible.

— Ce n'est pas un nom.

— Corso non plus.

— Vous vous trompez. Je m'appelle Corso. L'homme qui court.

— Vous n'avez pas l'air d'un homme qui court. Vous semblez plutôt tranquille.

Il pencha un peu la tête sans répondre et se mit à regarder les pieds nus de la jeune fille sur la moquette du couloir. Il devinait qu'elle le fixait, qu'elle l'étudiait, et — fait singulier chez Corso — il se sentit vaguement troublé. Trop jeune, se dit-il. Trop séduisante. Il redressa machinalement ses lunettes, prêt à poursuivre son chemin.

— Bon voyage.

— Merci.

Il fit quelques pas, sachant qu'elle le regardait s'éloigner.

— Nous nous reverrons peut-être, l'entendit-il dire derrière son dos.

— Peut-être.

Impossible. C'était un autre Corso qui rentrait chez lui, mal à l'aise, tandis que la Grande Armée était sur le point de fondre dans la neige ; l'incendie de Moscou crépitait sur les traces de ses bottes. Non, il n'allait pas prendre le large de cette façon. Il s'arrêta et pivota sur ses talons avec un sourire de loup efflanqué.

— Irene Adler..., répéta-t-il en feignant de chercher dans sa mémoire. *La Tache écarlate ?*

— Non, répondit-elle calmement. *Un scandale en Bohême...* — elle sourit elle aussi et son regard était comme un trait d'émeraude dans l'obscurité du couloir. *La Femme*, mon cher Watson.

Corso fit mine de se frapper le front, comme s'il venait de comprendre.

— Élémentaire, dit-il. Et il eut la certitude qu'ils se reverraient.

Corso resta moins de cinquante minutes à Lisbonne ; le temps de se rendre de la gare Santa Apolonia à celle du Rossío. Une heure et demie plus tard, il descendait sur le quai de Sintra, sous un ciel bas dont les nuages estompaient, en haut de la colline, les mélancoliques tours grises du château Da Pena. Il n'y avait pas de taxi en vue et il monta à pied jusqu'au petit hôtel situé en face des deux grandes cheminées du Palacio Nacional. Il était dix heures du matin, un mercredi, et l'esplanade était vide de touristes et d'autocars ; il n'eut aucune difficulté à obtenir une chambre avec vue sur le paysage accidenté, dense et verdoyant, où perçaient les toits et les tours des vieilles *quintas* enfouies dans leurs jardins centenaires croulant sous le lierre.

Après une douche et un café, il demanda comment se rendre à la Quinta da Soledade et l'employée de l'hôtel lui indiqua le chemin, plus loin en montant la route. Il n'y avait pas de taxis non plus sur l'esplanade, mais deux ou trois fiacres ; Corso discuta le prix et, quelques minutes plus tard, il passait sous les broderies de pierre néo-manuélines de la Torre da Regaleira. Les sabots du cheval faisaient résonner les anfractuosités des murs sombres, les caniveaux et les fontaines où chantait l'eau, parmi le lierre épais qui recouvrait les murs, les grilles, les troncs d'arbre, les escaliers de pierre tapissés de mousse et les anciens azulejos des vieilles *quintas* abandonnées.

La Quinta da Soledade était une gentilhommière rectangulaire du XVIIIᵉ siècle, coiffée de quatre cheminées, avec une façade dont le crépi ocre s'était décoloré en taches et coulures. Corso descendit du fiacre et resta un moment à observer les lieux avant de pousser la grille. Des deux côtés, perchées sur des colonnes de granit, deux statues de pierre verdies, rongées par l'humidité, dominaient le mur d'enceinte. L'une représentait un buste de femme ; l'autre semblait identique, mais disparaissait sous le lierre qui grimpait jusqu'à elle, comme un inquiétant parasite qui se serait approprié son visage, se coulant parmi ses traits pour les dissimuler.

Tandis qu'il s'avançait vers la maison, il entendit le bruit de ses pas sur les feuilles mortes. L'allée était bordée de statues de marbre, presque toutes tombées et cassées, à côté de leurs socles vides. Le jardin était dans le plus complet abandon, envahi par la végétation qui grimpait sur les bancs et les gloriettes dont le fer forgé oxydait la pierre couverte de mousse. À gauche, à côté d'un étang couvert de plantes aquatiques, une fontaine aux azulejos brisés abritait un angelot joufflu aux yeux vides et aux mains mutilées qui dormait la tête posée sur un livre, en laissant couler un filet d'eau par sa bouche entrouverte. Il se dégageait de ce lieu une infinie tristesse à laquelle Corso ne put se soustraire. Quinta da Soledade, répéta-t-il. Le nom ne mentait pas.

Il gravit un escalier de pierre en levant les yeux, jusqu'à la porte. Entre sa tête et le ciel gris, un ancien cadran solaire ne marquait aucune heure de ses chiffres romains. Il était surmonté d'une légende : *Omnes vulnerant, postuma necat.*

Toutes blessent, lut-il. La dernière tue.

— Vous arrivez à temps, dit Fargas. Pour la cérémonie.

Corso lui serra la main, un peu déconcerté. Victor Fargas était grand et maigre comme un gentilhomme du Greco ; à tel point que, sous son pull-over trop grand de grosse laine, il ressemblait à une tortue sous sa carapace. Sa moustache était taillée avec une précision géométrique. Ses pantalons faisaient des poches aux genoux, et ses chaussures, d'un modèle ancien, usées par les années, brillaient comme des soleils. Ce fut la première impression de Corso, avant que son attention ne se fixe sur l'énorme maison vide aux murs nus, aux plafonds dont les peintures se défaisaient en lagunes vert-de-gris, rongées par le plâtre et l'humidité.

Fargas regarda son visiteur de la tête aux pieds.

— Vous accepterez bien un cognac, dit-il enfin, comme pour conclure un raisonnement intime, et il s'avança dans le couloir en boitant légèrement, sans se soucier de voir si Corso le suivait ou non. Ils passèrent devant d'autres pièces, toutes vides ou encombrées d'épaves de meubles inutilisables entassés dans les coins. Des plafonds pendaient des douilles vides ou des ampoules poussiéreuses, sans abat-jour.

Les seules pièces qui semblaient habitées étaient deux salons qui communiquaient entre eux au moyen d'une porte coulissante dont la vitre était ornée d'armoiries gravées. Elle s'ouvrait sur un paysage de murs vides et de marques laissées sur la tapisserie par les objets qui autrefois les ornaient : traces rectangulaires de tableaux disparus, contours de meubles, clous rouillés, prises de courant destinées à des lampes inexistantes. Au-dessus de ce panorama désolé gravitait un plafond décoré qui représentait une voûte de nuages avec, au centre, le sacrifice d'Abraham : un vieux patriarche aux couleurs craquelées dont la main, armée d'un poignard et sur le point de s'abattre sur un jeune homme blond, était arrêtée par un ange aux ailes gigantesques. Sous la fausse voûte s'ouvrait une porte-fenêtre aux vitres sales, certaines remplacées par du carton, qui donnait sur la terrasse et l'arrière du parc.

— *Sweet home*, dit Fargas.

La plaisanterie avait manqué de conviction. Comme si le maître de maison l'avait usée jusqu'à la corde et qu'il ne croyait plus guère en son effet. L'homme parlait l'espagnol avec un accent portugais marqué, mais distingué. Il se déplaçait avec une lenteur extrême, peut-être à cause de sa jambe invalide, à la façon de ces gens qui ont toute l'éternité devant eux.

— Cognac, répéta-t-il, perdu dans ses réflexions, comme s'il ne se souvenait pas très bien de ce qui les avait amenés là.

Corso fit un vague geste affirmatif que Fargas ne vit pas. Le vaste salon était fermé à l'autre extrémité par une énorme cheminée garnie d'une petite pile de bûches éteintes. Il y avait encore deux fauteuils dépareillés, une table et un buffet, une lampe à pétrole, deux candélabres munis de bougies, un violon dans son étui. C'était tout, ou presque. Mais par terre, posés sur d'anciens tapis effilochés ou sur des tapisseries fanées par le temps, le plus loin possible des fenêtres et de la lumière plombée qu'elles laissaient filtrer, s'alignaient en ordre parfait un grand nombre de livres ; cinq cents ou plus, calcula Corso. Peut-être près d'un millier. Parmi eux, de nombreux codex et incunables. De bons et vieux livres reliés en peau ou en parchemin, antiques volumes aux couvertures cloutées, in-folios, elzévirs, reliures gaufrées, bouillons, fleurons, fermoirs, dos et tranches dorés, titres frappés au fer ou calligraphiés dans le scriptorium des monastères du Moyen Âge. Il remarqua aussi dans les coins une douzaine de souricières rouillées. La plupart vides de fromage.

Fargas qui fouillait dans le buffet se retourna avec un verre et une bouteille de Rémy Martin qu'il regarda à contre-jour afin de s'assurer qu'elle n'était pas vide.

— Palsambleu ! s'exclama-t-il, triomphant. Ou palsamdiable.

Il ne souriait qu'avec la bouche, la moustache tordue, comme le font les vieux premiers au cinéma ; mais ses yeux restaient fixes, inexpressifs, soulignés de poches comme celles qu'aurait pu laisser une trop longue insomnie. Corso observa ses mains fines et racées quand il lui tendit le verre de cognac dont le fin cristal vibra doucement lorsqu'il le porta à ses lèvres.

— Joli verre, dit-il pour meubler la conversation.

Le bibliophile était aussi de cet avis et il fit un geste équivoque, à la fois résigné et moqueur, comme pour proposer une seconde lecture de tout ceci : le verre, les trois doigts de cognac de la bouteille, la maison dépouillée. Et même sa présence en ces lieux : fantôme élégant, pâle et fané.

— Il ne m'en reste qu'un autre semblable, répondit-il, sur le ton de la confidence. C'est pour cela que je les garde.

Corso se contenta de hocher la tête. Son regard parcourut un moment les murs vides pour se reposer ensuite sur les livres.

— C'était certainement une belle propriété.

L'autre haussa les épaules.

— Oui ; c'était. Mais il arrive aux vieilles familles ce qui arrive aux civilisations : un jour, elles se dessèchent et meurent — il regarda autour de lui, sans voir ; on aurait dit que les objets absents se reflétaient dans ses yeux. Au début, on fait appel aux barbares pour qu'ils surveillent le *limes* du Danube, puis on les enrichit, et on finit par en faire des créanciers... Jusqu'au jour où ils se soulèvent, vous envahissent et mettent à sac votre maison — il lança tout à coup un coup d'œil soupçonneux à son interlocuteur. J'espère que vous comprenez de quoi je parle.

Corso lui fit signe que oui. À ce stade, il laissait déjà flotter entre eux son plus beau sourire de lapin complice.

— Je vous comprends parfaitement, confirma-t-il : les bottes cloutées qui piétinent la porcelaine de Saxe. C'est cela que vous voulez dire ?... Les boniches en robes du soir. Les artisans parvenus qui se torchent le cul avec des manuscrits enluminés.

Fargas fit un geste d'approbation. Il souriait, satisfait. Puis il s'avança en boitant vers le buffet, à la recherche du deuxième verre.

— Je crois que je vais prendre un cognac moi aussi.

Ils levèrent leurs verres en silence en se regardant dans les yeux, comme deux membres d'une confrérie secrète qui viennent de se reconnaître à quelque signe convenu. Finalement, le bibliophile montra les livres et fit un geste avec la main qui tenait le verre, comme si, après cette épreuve d'initiation, il invitait Corso à franchir une barrière invisible pour s'approcher d'eux.

— Les voilà. Huit cent trente-quatre volumes, dont moins de la moitié valent la peine — il but une gorgée avant de passer son index sur sa moustache humide en regardant autour de lui. Dommage que vous ne les ayez pas connus en des temps meilleurs, alignés sur leurs rayons de cèdre... J'en avais réuni cinq mille. Vous avez devant vous les survivants.

Corso, qui avait laissé par terre son sac de toile, s'approcha. Il sentait le bout de ses doigts le chatouiller, simple réflexe. Le spectacle était magnifique. Il ajusta ses lunettes et repéra, du premier coup d'œil, un Vasari in-quarto de 1588, première édition, et un *Tractatus* de Berengario de Carpi, reliure en parchemin, du XVIe siècle.

— Je n'aurais jamais imaginé que la collection Fargas, citée dans toutes les bibliographies, puisse se présenter ainsi. Des livres empilés par terre contre un mur, dans une pièce sans meubles, dans une maison vide...

— C'est la vie, mon ami. Mais je dois préciser, à ma décharge, qu'ils sont tous en parfait état ; je les nettoie et je les examine moi-même, j'essaie de les aérer et de les protéger des insectes et rongeurs, de la lumière, de la chaleur et de l'humidité. En réalité, je ne fais pas autre chose de toute ma journée.

— Qu'est devenu le reste ?

Le bibliophile regarda dans la direction de la fenêtre, comme s'il se posait la même question. Il fronça les sourcils.

— Je vais vous expliquer, répondit-il, et il avait l'air d'un homme fort malheureux quand ses yeux retrouvèrent ceux de Corso. À part la *quinta*, quelques meubles et la bibliothèque de mon père, je n'ai hérité que de dettes. Chaque fois que j'ai trouvé de l'argent, je l'ai placé dans des livres, et quand ma rente s'est tarie, j'ai liquidé ce qui restait : tableaux, meubles et vaisselle. Vous savez, je crois, ce que c'est que d'être un bibliophile passionné ; mais moi, je suis bibliopathe. Et ne serait-ce que d'imaginer ma bibliothèque dispersée aux quatre vents est pour moi une souffrance atroce.

— J'ai connu des gens comme vous.

— Vraiment ?... — Fargas le regarda avec curiosité. Pourtant, je doute que vous puissiez vous faire une idée exacte de ce que je veux dire. Je me levais la nuit pour errer comme une âme en peine devant mes livres. Je leur parlais, je leur caressais le dos en leur faisant des serments de fidélité... Tout a été inutile. Un jour, j'ai dû prendre la grande décision : sacrifier la majeure partie pour ne conserver que les volumes les plus précieux et ceux qui me sont le plus chers... Ni vous ni personne ne comprendra jamais ce qu'a été cette épreuve : mes livres, en pâture aux vautours.

— Je peux l'imaginer, dit Corso qui n'aurait pas vu le moindre inconvénient à officier à de pareilles funérailles.

— Vous croyez ? Non. Même si vous viviez un siècle, vous ne le pourriez pas. Il m'a fallu deux mois de travail pour trier ma bibliothèque. Soixante et un jours d'agonie, plus un accès de fièvre qui a bien failli me tuer. Finalement, ils sont venus les emporter, et j'ai cru devenir fou... Je m'en souviens comme si c'était hier, même si deux années ont passé.

— Et maintenant ?

Le bibliophile montra son verre vide, comme s'il symbolisait quelque chose.

— Depuis longtemps déjà, je dois de nouveau recourir à mes livres. Même si je n'ai pas de gros besoins : on vient un jour par semaine pour le ménage, et quelqu'un du village me monte à manger... Presque tout l'argent s'en va dans les impôts que je paye à l'État pour conserver la *quinta*.

Il avait dit *État* comme il aurait pu dire rongeur, ou pourriture. Corso fit une moue compréhensive en jetant un nouveau coup d'œil aux murs dénudés de la maison.

— Vous pourriez aussi la vendre.

— Effectivement, acquiesça Fargas avec indifférence. Mais il y a des choses que vous ne comprenez pas.

Corso s'était penché pour prendre un in-folio relié en parchemin et il le feuilletait avec intérêt. *De Symmetria* de Dürer, Paris 1557, réimpression de la première édition latine de Nuremberg. En bon état et avec de grandes marges. Flavio La Ponte serait devenu complètement fou. N'importe qui aurait perdu la tête.

— Vous vendez souvent des livres ?

— Il me suffit d'en vendre deux ou trois par an. Après bien des tours et détours, je choisis un volume et je le vends. C'est la cérémonie à laquelle je faisais allusion, quand je vous ai ouvert la porte. J'ai un acheteur, un de vos compatriotes, qui vient une ou deux fois par an.

— Je le connais ? risqua Corso.

— Je l'ignore, répondit le bibliophile sans donner de nom. Je l'attends justement d'un jour à l'autre et, quand vous êtes arrivé, je me disposais à choisir une victime... — d'une de ses mains fines, il imita le mouvement d'un couperet qui s'abat, avec un sourire désabusé. Celle qui doit mourir pour que les autres restent ensemble.

Corso leva les yeux au plafond, à la recherche de l'inévitable analogie. Abraham, le front barré d'une profonde ride, faisait des efforts visibles pour libérer sa main droite, armée du poignard, que l'ange immobilisait d'une poigne de fer tandis qu'il adressait de l'autre une sévère admonestation au patriarche. Sous la lame, la tête posée sur une pierre, Isaac attendait son destin avec résignation. Il était blond et rose, comme un de ces éphèbes qui ne disent jamais non. Plus loin, la peinture représentait une espèce de brebis prise dans des ronces et Corso fit mentalement un vœu pour la grâce de l'animal.

— Je suppose qu'il n'y a pas d'autre solution, dit-il en regardant le bibliophile.

— Je l'aurais déjà trouvée... — Fargas sourit sans dissimuler sa rancœur. Mais le lion exige sa part, les requins flairent le sang et le carnage. Malheureusement, il ne reste plus de gens comme le comte d'Artois, qui fut roi de France. Vous connaissez l'anecdote ?... Le vieux marquis de Paulmy possédait soixante mille volumes, mais il était ruiné. Pour échapper à ses créanciers, il vendit sa bibliothèque au comte d'Artois qui exigea alors que le vieillard la conserve jusqu'à sa mort. Et avec l'argent de la vente, Paulmy acheta d'autres livres, enrichissant une bibliothèque qui n'était déjà plus à lui...

Les mains dans les poches de son pantalon, il se promenait devant ses livres en vacillant sur sa jambe invalide, les regardant tour à tour. On aurait dit Montgomery, maigre comme un clou, attifé comme l'as de pique, en train de passer en revue ses troupes à El Alamein.

— Parfois, je m'abstiens de les toucher et de les ouvrir — il s'était arrêté et se penchait pour remettre en place un livre sur le vieux tapis. Je me contente d'enlever la poussière et de les contempler pendant des heures. Je connais dans le moindre détail ce que dissimule chaque reliure... Voyez celle-ci : *De revolutionis celestium*, Nicolas Copernic. Deuxième édition, Bâle 1566. Une bagatelle, n'est-ce pas ? ... Comme la *Vulgata Clementina* que vous voyez à votre droite, entre les six volumes de la *Políglota* de votre compatriote Cisneros et les *Cronicarum* de Nuremberg. Et par ici, regardez donc ce curieux in-folio : *Praxis criminis persequendi* de Simon de Colines, 1541. Ou cette reliure monastique à quatre nerfs et fleurons que vous êtes justement en train de contempler. Vous savez ce qu'elle cache ?... *La Légende dorée* de Jacques de Voragine, Bâle 1493, imprimé par Nicolas Kesler.

Corso feuilleta le livre. C'était un ouvrage splendide, lui aussi pourvu de très grandes marges. Il le remit en place avec soin, puis il se releva en essuyant ses lunettes avec son mouchoir. Ce spectacle aurait fait transpirer un serpent.

— Mais vous êtes fou ! Si vous vendiez tout le lot, vous n'auriez plus aucun problème d'argent.

— Je le sais bien — Fargas se pencha pour redresser

imperceptiblement le livre. Mais si je vendais tout, je n'aurais plus de raison de vivre ; et je me moquerais donc éperdument de ne plus avoir de problèmes.

Corso montra une rangée de livres très détériorés. S'y trouvaient plusieurs incunables et manuscrits dont aucun, à en juger par les reliures, n'était postérieur au XVIIe siècle.

— Je vois que vous avez beaucoup d'éditions anciennes de romans de chevalerie...

— Oui. Héritées de mon père. Son obsession était de réunir les quatre-vingt-quinze livres de la bibliothèque de Don Quichotte, en particulier ceux qui sont cités dans l'index expurgatoire du curé... J'ai aussi reçu de lui ce curieux *Don Quichotte* que vous voyez à côté de la première édition des *Os Lusiadas* : un Ibara de 1780, en quatre tomes. En plus des planches originales, il est enrichi d'autres gravures imprimées en Angleterre dans la première moitié du XVIIIe siècle, de six gouaches originales et du fac-similé de l'acte de naissance de Cervantès, imprimé sur vélin... Chacun ses obsessions. Celle de mon père, qui était diplomate et qui a longtemps vécu en Espagne, était Cervantès. Dans d'autres cas, il s'agit plutôt de manies. Il y a ceux qui ne tolèrent aucune restauration, même invisible, ou qui n'achètent jamais d'exemplaires numérotés au-delà du chiffre 50... La mienne, vous l'aurez déjà compris, c'était les tranches brutes, non rognées. Je courais les ventes aux enchères et les librairies, une règle à la main, et mes jambes se mettaient à trembler si, en ouvrant un volume, je constatais que les pages étaient vierges, qu'elles n'avaient jamais été ébarbées... Vous avez lu le conte burlesque de Nodier sur le bibliophile ? Il m'arrivait la même chose. J'aurais guillotiné avec plaisir les relieurs au massicot trop facile. Et découvrir un exemplaire avec deux millimètres de plus de marge que ce qu'indiquaient les bibliographies canoniques était pour moi le comble de la félicité.

— Ce l'est pour moi aussi.

— À la bonne heure ! Je vous salue comme un frère en religion.

— Ne vous emballez pas. Mon intérêt n'est pas esthétique, mais pécuniaire.

— C'est égal. Vous me faites bonne impression. Je suis de ceux qui croient qu'en matière de livres, la moralité conventionnelle n'existe pas — il était à l'autre bout de la pièce, mais il s'inclina un peu dans la direction de Corso, comme pour lui livrer une confidence. Vous savez, moi aussi je serais capable de tuer pour un livre, comme dans cette légende de votre pays, celle du libraire assassin de Barcelone.

— Je ne vous le conseille pas. On commence comme ça, une simple vétille, et on finit par mentir, par voter aux législatives et autres horreurs.

— Et même par vendre ses propres livres.

— Exactement.

Fargas hochait tristement la tête ; puis il resta immobile, les sourcils froncés par quelque réflexion secrète. Quand il revint à lui, il regarda un long moment Corso, avec beaucoup d'attention.

— Ce qui nous amène, dit-il enfin, à la question qui m'occupait lorsque vous avez sonné à la porte... Chaque fois que je fais face à ce problème, je me sens comme un prêtre qui renierait sa foi... Serez-vous surpris si j'utilise le mot sacrilège ?

— Pas le moins du monde. Je suppose qu'il s'agit exactement de cela.

Fargas se tordait les mains, comme s'il était en proie à un véritable tourment. Son regard glissa autour de lui, sur cette pièce toute nue et les livres par terre, puis s'arrêta une fois de plus sur Corso. Son sourire donnait l'impression d'une grimace postiche que quelqu'un lui aurait peinte sur le visage.

— Oui. Le sacrilège se justifie seulement dans la foi... Seul un croyant est capable de le commettre et de sentir, lorsqu'il s'y abandonne, la terrible dimension de son acte. Nous ne ressentirions jamais d'horreur en profanant une religion qui nous laisserait indifférents ; ce serait comme blasphémer sans un dieu pour se sentir visé. Absurde.

Corso n'eut aucun mal à se déclarer d'accord.

— Je sais de quoi vous voulez parler. C'est le *Tu m'as vaincu, Galiléen* de Julien l'Apostat.

— J'ignorais cette citation.

— Aucune importance, elle est apocryphe. Un certain frère mariste l'employait souvent quand j'étais au collège pour nous inciter à rester dans le droit chemin. Et Julien a fini criblé de flèches sur le champ de bataille, crachant le sang vers un ciel sans dieu.

Le bibliophile acquiesça comme si tout cela lui était extraordinairement proche. Quelque chose de singulier palpitait dans l'étrange rictus de sa bouche, dans la fixité obsessionnelle de ses yeux.

— C'est ainsi que je me sens ces jours-ci, dit-il. Je me lève, incapable de dormir, et je viens me planter ici, décidé à commettre une nouvelle profanation — il s'était approché de Corso en parlant, à tel point que celui-ci crut qu'il allait devoir bientôt faire un pas en arrière. À pécher contre moi-même et contre eux... Je touche un livre, je me repens, j'en choisi un autre et je finis par le remettre à sa place... En sacrifier un pour que les autres restent ensemble, arracher une branche au tronc pour continuer à jouir du reste... — il montra sa main droite. Je préférerais me couper un de ces doigts.

Sa main tremblait. Corso hocha la tête. Il savait écouter ; cela faisait partie de son métier. Il pouvait même comprendre. Mais il n'était pas disposé à entrer dans le jeu ; cette guerre n'était pas la sienne. Comme l'aurait dit Varo Borja, il était un lansquenet à gages et ne se trouvait là qu'en visite. Ce dont Fargas avait besoin, c'était d'un confesseur, ou d'un psychiatre.

— Personne n'offrirait un escudo, dit-il d'un ton badin, pour la phalange d'un bibliophile.

La plaisanterie se perdit dans l'immense vide qui emplissait les yeux de son interlocuteur. Il regarda à travers Corso sans le voir. Dans ses pupilles dilatées et absentes, il n'y avait que des livres.

— Alors, lequel choisir ?... reprit Fargas. Corso avait plongé la main dans la poche de son manteau pour en sortir une cigarette qu'il lui offrait, mais l'autre ignora son geste, absorbé, obsédé, sourd à tout, sauf à ses propres paroles ; étranger à tout, sauf aux hallucinations de sa conscience au supplice. Après bien des réflexions, j'ai sélectionné deux candidats — il ramassa deux livres par terre et les posa sur la table. Dites-moi ce que vous en pensez.

Corso se pencha et ouvrit l'un des volumes. Il tomba sur une page ornée d'une gravure, une xylographie représentant trois hommes et une femme au travail dans une mine. C'était la deuxième édition latine du *De re metallica* de Georgius Agricola, sortie des presses de Froben et Episcopius à Bâle, cinq ans seulement après la première édition de 1556. Il poussa un grognement de satisfaction en allumant sa cigarette.

— Vous voyez qu'il n'est pas facile de choisir — Fargas

épiait la réaction de Corso. Il le regardait d'un air inquiet, avide, tandis que l'autre tournait les pages en les effleurant à peine du bout des doigts. Je ne dois vendre qu'un seul livre à la fois ; et pas n'importe lequel. Le sacrifié doit mettre les autres à l'abri pendant encore six mois... Mon tribut au minotaure — il se toucha la tempe. Nous en avons tous un au centre du labyrinthe... Notre raison le crée et il nous impose sa propre horreur.

— Pourquoi ne vendez-vous pas d'un coup plusieurs livres moins précieux ?... Vous réuniriez peut-être la somme dont vous avez besoin, tout en conservant vos pièces les plus rares. Ou vos favorites.

— En mépriser quelques-uns au bénéfice des autres ?... — le bibliophile frémit. Impossible ; tous possèdent la même âme immortelle, jouissent d'un droit identique à mes yeux. Je peux avoir mes préférences, sans aucun doute. Comment l'éviter ?... Mais jamais je ne les distingue par un geste, par une parole qui les grandirait face à leurs compagnons moins favorisés. Au contraire. Souvenez-vous que Dieu lui-même a désigné son fils pour le sacrifice ; pour la rédemption des hommes. Et Abraham... — il faisait sans doute allusion à la peinture du plafond, car il sourit tristement dans le vide en levant les yeux, sans terminer sa phrase.

Corso avait ouvert le deuxième volume, un in-folio avec une reliure italienne en parchemin du xviiie. C'était un magnifique Virgile, l'édition vénitienne de Giunta, imprimée en 1544. L'ouvrage fit revenir sur terre le bibliophile.

— Très beau, n'est-ce pas ? — il s'avança et le lui arracha des mains avec un geste d'impatience. Regardez la page de titre, la bordure architectonique qui l'entoure... Cent trois xylographies parfaites, sauf celle de la page 345 qui a fait l'objet d'une petite restauration ancienne, presque imperceptible, dans le coin inférieur. Entre parenthèses, c'est ma préférée. Voyez donc : Énée aux enfers, à côté de Sibylle. Avez-vous jamais vu quelque chose de semblable ? Regardez les flammes derrière le triple mur, le chaudron des condamnés, l'oiseau qui dévore les entrailles... — le pouls du bibliophile battait presque visiblement sur ses poignets et sur ses tempes. Il enflait la voix en rapprochant le volume de ses yeux pour mieux lire. Son visage rayonnait —: « *Moenia lata videt, triplici circundata muro, quae rapidus flammis ambit torrentibus amnis...* » — il s'arrêta, en extase. Le graveur se faisait une belle conception, violente et médiévale, de l'Hadès virgilien.

— Splendide volume, confirma le chasseur de livres en tirant une bouffée de sa cigarette.

— Plus encore. Touchez le papier. *Esemplare buono e genuino con le figure assai ben impresse*, assurent les anciens catalogues... — après son accès de fièvre, Fargas replongeait dans le vide ; de nouveau, il était absent, perdu dans les profondeurs obscures de son cauchemar. Je crois que c'est celui-là que je vais vendre.

Corso rejeta la fumée de sa cigarette, agacé.

— Je ne vous comprends pas. Il est clair que c'est un de vos favoris. Avec l'Agricola. Vos mains tremblent quand vous le touchez.

— Mes mains ?... Dites plutôt que mon âme se consume dans les tourments de l'enfer. Je croyais vous l'avoir expliqué... Le livre à sacrifier ne peut jamais m'être indifférent. Sinon, que serait cet acte douloureux ?... Une sordide opération commerciale conclue selon les lois du marché, quelques livres sans importance en échange d'un autre précieux... — il secoua violemment la tête, méprisant, regarda d'un œil torve autour de lui, cherchant quelqu'un à qui cracher son dédain. Ce sont les plus aimés, ceux qui brillèrent entre tous par leur beauté, par l'amour qu'ils surent inspirer, ce sont ceux-là que je prends par la main et que j'accompagne jusqu'au seuil même du sacrifice... La vie peut me dépouiller, c'est vrai. Mais elle ne fera pas de moi un misérable.

Il fit quelques pas au hasard dans la pièce. La tristesse du décor, son infirmité, son pull-over de laine et son vieux pantalon accentuaient son aspect las et fragile.

— C'est pour cette raison que je reste dans cette maison, reprit-il. Les ombres de mes livres perdus errent entre ces murs — il s'était arrêté devant la cheminée et regardait la misérable pile de bûches dans l'âtre. Parfois, j'ai l'impression qu'ils viennent demander réparation à ma conscience... Alors, pour les apaiser, je prends ce violon que vous voyez là et je me mets à jouer pendant des heures, en parcourant dans le noir la maison, comme un condamné... — il s'était retourné pour regarder Corso et sa silhouette se découpait à contre-jour sur les vitres sales de la fenêtre. Le bibliophile errant.

Il s'approcha lentement de la table et posa une main sur

chaque livre, comme s'il avait retardé jusqu'à cet instant le moment de prendre une décision. Il souriait maintenant, curieux.

— Lequel choisiriez-vous, si vous étiez à ma place ?

Corso s'agita, gêné.

— Laissez-moi en dehors de cette affaire. J'ai la chance de ne pas être à votre place.

— Vous l'avez dit : la chance. Grande finesse de jugement. Un niais m'envierait, je suppose. Tout ce trésor chez moi... Mais vous ne m'avez pas dit lequel vendre. Quel fils ira au sacrifice — et son visage se crispa subitement, angoissé ; on aurait dit qu'un mal intérieur le rongeait, dans sa chair et dans sa conscience... que son sang retombe sur moi, ajouta-t-il à voix très basse, comme dans un sifflement — jusqu'à la septième génération.

Il remit l'Agricola à sa place sur le tapis et caressa le parchemin du Virgile en murmurant « son sang » entre ses dents. Il avait les yeux humides et semblait incapable de contenir le tremblement de ses mains.

— Je crois que je vais vendre celui-ci, confirma-t-il.

Si Fargas n'était pas encore cinglé, il le serait bientôt. Corso regarda les murs dénudés, la trace des tableaux sur la tapisserie maculée de taches d'humidité. Cette improbable septième génération se moquait bien de son imprécation. Comme dans son propre cas, celui de Lucas Corso, les Fargas allaient s'éteindre ici. Ou reposer, enfin. La fumée de sa cigarette montait jusqu'aux peintures détériorées du plafond, tout droit comme la fumée d'un sacrifice par une aube paisible. Il jeta un coup d'œil par la fenêtre, sur le jardin envahi par les mauvaises herbes, à la recherche de l'équivalent d'un agneau pris dans les ronces, mais il n'y avait que des livres. L'ange ouvrit la main qui immobilisait le couteau en l'air et s'en fut en pleurant. Et en avant la musique ! Pauvre type.

Corso tira une dernière bouffée et jeta sa cigarette dans la cheminée. Il était fatigué et sentait le froid sous son manteau. Il avait entendu trop de choses entre ces murs nus, et il fut heureux de ne pas voir de miroir qui puisse refléter l'expression de son visage. Il regarda sa montre d'un geste mécanique, sans faire attention à l'heure. Avec cette fortune alignée sur ces vieux tapis, Victor Fargas avait fait payer avec usure son étrange piété. Et Corso se dit qu'il était temps de parler affaires.

— Et *Les Neuf Portes* ?

— Oui, quoi donc ?

— C'est ce livre qui m'amène ici. Je suppose que vous avez reçu ma lettre.

— Votre lettre !... Oui, bien sûr. Je me souviens. Mais, avec tout ça... Excusez-moi. *Les Neuf Portes*, naturellement.

Il regarda autour de lui, hébété, somnambule qu'on vient d'arracher au sommeil. Tout à coup, il semblait infiniment fatigué, comme après un long effort. Il leva un doigt pour demander un instant de réflexion, puis s'avança en claudiquant vers un angle du salon. Là, sur une tapisserie française jetée par terre, sur laquelle Corso reconnut la victoire d'Alexandre contre Darius, malgré l'usure des motifs aux couleurs fanées, une cinquantaine de volumes étaient alignés.

— Vous saviez, demanda Fargas en montrant la scène représentée sur le gobelin, qu'Alexandre avait réservé aux livres d'Homère le coffre dans lequel son rival gardait ses trésors ?... — il hocha la tête, satisfait, en regardant le profil effiloché du Macédonien. Frère bibliophile. Bon garçon.

Corso se moquait bien des intérêts littéraires d'Alexandre le Grand. Il s'était mis à genoux et lisait les titres imprimés sur le dos de certains livres. Il s'agissait uniquement de traités anciens de magie, d'alchimie et de démonologie : *Les Trois Livres de l'Art, Destructor omnium rerum, Disertazioni sopra le apparizioni de' spiriti e diavoli, De origine, moribus et rebus gestis Satanae...*

— Qu'en pensez-vous ? demanda Fargas.

— Pas mal.

Le bibliophile rit sans joie. Il s'était agenouillé sur la tapisserie, à côté de Corso, et touchait les livres d'un geste mécanique pour s'assurer qu'aucun n'avait bougé d'un millimètre depuis la dernière fois qu'il les avait passés en revue.

— Pas mal, vous pouvez le dire. Au moins dix sont des volumes rarissimes... J'ai hérité toute cette partie de la bibliothèque de mon grand-père, passionné des arts hermétiques, astrologue amateur et franc-maçon... Regardez. Un classique, le *Dictionnaire infernal* de Collin de Plancy, dans la première édition de 1842. Et ici, une édition de 1571 du *Compendi dei secreti*, de Leonardo Fioravanti... Ce in-12 si curieux est la seconde édition du *Livre des prodiges* — il en ouvrit un autre et montra une gravure à Corso. Regardez Isis... Vous connaissez ce livre ?

— Naturellement. L'*Œdipus Ægiptiacus* d'Atanasius Kircher.

— Exact. Édition romaine de 1652 — Fargas remit le livre à sa place et en prit un autre dont la reliure vénitienne était bien connue de Corso : peau noire, cinq nerfs, pas de titre, un pentacle sur la couverture. Et voici celui que vous cherchez : *De Umbrarum Regni Novem Portis*... Les neuf portes du royaume des ombres.

Bien malgré lui, Corso frissonna. Au moins dans son aspect extérieur, le volume était identique à celui qu'il avait dans son sac de toile. Fargas le lui tendit et il se releva en feuilletant les pages. Ils se ressemblaient comme deux gouttes d'eau, ou presque. Sur celui-ci, la peau du plat inférieur était un peu abîmée et le dos portait la marque d'un cartouche de titre que l'on avait ensuite arraché. Le reste était impeccable, comme dans l'exemplaire de Varo Borja, y compris la gravure numéro VIIII qui était intacte.

— Complet et en bon état, dit Fargas en interprétant correctement les gestes de Corso. Il y a trois siècles et demi qu'il se promène de par le monde et il semble aussi frais quand on l'ouvre que s'il sortait de la presse... À croire que l'imprimeur avait conclu un pacte avec le diable.

— C'est peut-être le cas.

— J'aimerais bien connaître la formule — le bibliophile embrassa d'un geste le salon désolé, les rangées de livres par terre. Mon âme pour les garder tous.

— Vous pouvez toujours essayer — Corso montra *Les Neuf Portes*. On dit que la formule se trouve dans ce livre.

— Je n'ai jamais cru à ces sottises. Mais il serait peut-être temps de commencer. Vous ne croyez pas ?... Mieux vaut tard que jamais.

— Le livre vous semble en bon ordre ?... Vous avez remarqué quelque chose de bizarre ?

— Non, rien du tout. Il est complet et les gravures se suivent dans l'ordre : neuf, plus la page de titre, comme mon grand-père l'avait acheté au début du siècle. Il concorde avec les catalogues et avec les deux autres exemplaires : l'Ungern de Paris et le Terral-Coy.

— Ce n'est plus le Terral-Coy. Il fait maintenant partie de la collection de Varo Borja, à Tolède.

Le regard du bibliophile se fit soupçonneux. Corso sentit qu'il s'était mis sur la défensive.

— Varo Borja, dites-vous ?... — il faillit ajouter quelque chose, mais se ravisa au dernier moment. Une collection remarquable. Et bien connue — il se remit à errer dans la pièce avant de regarder les livres alignés sur la tapisserie. Varo Borja... répéta-t-il, songeur. Spécialiste de la démonologie, n'est-ce pas ? Un libraire richissime. Il y a des années qu'il court derrière ces *Neuf Portes* que vous avez entre les mains ; toujours prêt à payer n'importe quoi... J'ignorais qu'il avait réussi à se procurer un autre exemplaire. Et vous travaillez pour lui.

— À l'occasion, reconnut Corso.

L'autre hocha plusieurs fois la tête, perplexe, avant de fixer à nouveau son attention sur les livres rangés par terre.

— Il est étrange qu'il vous envoie, vous. Après tout...

Il s'arrêta, laissant sa phrase en suspens. Il regardait le sac de Corso.

— Vous avez apporté le livre ?... Vous me permettez de le regarder ?

Ils se dirigèrent vers la table et Corso posa son exemplaire à côté de celui de Fargas. Il entendait la respiration pressée de l'autre. L'extase était revenue sur le visage du bibliophile :

— Regardez-les bien — il parlait à voix basse, comme s'il eût craint de réveiller quelque chose d'endormi entre ces pages. Ils sont parfaits, magnifiques, identiques... Deux des trois uniques exemplaires qui ont échappé au feu, réunis pour la première fois depuis leur dispersion, il y a trois cent cinquante ans... — ses mains tremblaient de nouveau ; il se frottait les poignets pour apaiser le tumulte de son sang qui se précipitait dans ses veines. Regardez l'erratum de la page 72. Le s cassé ici, à la quatrième ligne de la page 87... Même papier, impression identique... N'est-ce pas merveilleux ?

— Si — Corso s'éclaircit la gorge. Et j'aimerais rester ici un moment. Pour les étudier sérieusement.

Fargas le regarda avec des yeux perçants. Il semblait hésiter.

— Comme vous voudrez, dit-il enfin. Mais si votre exemplaire est le Terral-Coy, son authenticité ne fait pas de doute. — Il lança à Corso un regard curieux, cherchant à lire dans ses pensées. Varo Borja le sait certainement.

— Je suppose — Corso affichait son plus beau sourire, sans se compromettre. Mais je me fais payer pour m'en assurer

— il accentua encore un peu son sourire ; le moment était venu d'aborder un des aspects délicats de la question. J'y pense... En parlant de me faire payer, je suis autorisé à vous faire une offre.

La curiosité du bibliophile se transforma en méfiance.

— Quel type d'offre ?

— Une proposition financière. Substantielle — Corso posa la main sur le second exemplaire. Elle pourrait résoudre vos problèmes pendant quelque temps.

— C'est Varo Borja qui paye ?

— Ce pourrait être lui.

Fargas se caressait le menton.

— Il a déjà un exemplaire, conclut-il. Il cherche peut-être à réunir les trois ?

Le type était sans doute un peu piqué, mais il n'était pas bête. Corso fit un geste vague, sans trop s'avancer. Peut-être. Histoires de collectionneurs. Mais s'il vendait, Fargas pourrait conserver le Virgile.

— Vous ne comprenez pas, fit le bibliophile, même si Corso ne comprenait que trop bien. C'est strictement impossible.

— Alors, oublions tout ça. Ce n'était qu'une idée.

— Je ne vends pas au hasard, je choisis mes livres, je croyais vous l'avoir bien expliqué.

Ses veines s'étaient nouées sur le dos de ses mains crispées. Il commençait à se fâcher et Corso dut passer cinq bonnes minutes à lui envoyer des signaux d'apaisement. Cette offre était secondaire, une simple démarche comme une autre. Ce qu'il souhaitait réellement, conclut-il, c'était de faire une étude comparée des deux exemplaires. Finalement, à son grand soulagement, Fargas fit un geste affirmatif.

— Je n'y vois pas d'inconvénient, dit-il. Sa méfiance s'atténuait un peu. Manifestement, Corso lui plaisait, sinon les choses se seraient passées différemment. Mais je ne peux pas vous offrir beaucoup de confort...

Il le guida dans le couloir complètement dépouillé jusqu'à une petite pièce où un piano éventré gisait dans un coin. Il y avait encore une table avec un chandelier à sept branches en bronze, couvert de coulées de cire, et deux chaises branlantes.

— Au moins, vous serez tranquille ici, dit Fargas. Et la fenêtre a encore toutes ses vitres.

Il fit claquer ses doigts, comme s'il venait de se souvenir de quelque chose, et sortit un instant pour revenir avec la bouteille de cognac presque vide à la main.

— Varo Borja a donc fini par mettre la main dessus...
répéta-t-il, et il semblait sourire intérieurement, heureux de
quelque chose qui lui causait manifestement une profonde
satisfaction. Puis il posa la bouteille et le verre par terre, loin
des deux exemplaires des *Neuf Portes*, regarda autour de lui
comme l'aurait fait un amphitryon attentif pour s'assurer qu'il
ne manquait rien, puis adressa un dernier et ironique salut à
Corso avant de s'en aller :

— Faites comme chez vous.

Corso versa le fond de cognac dans le verre, sortit ses notes
et se mit au travail. Sur une double feuille, il avait tracé trois
cases à l'encre :

EXEMPLAIRE NUMÉRO UN (VARO BORJA) Tolède.
EXEMPLAIRE NUMÉRO DEUX (FARGAS) Sintra.
EXEMPLAIRE NUMÉRO TROIS (VON UNGERN) Paris.

Page par page, il commença à noter toutes les divergences,
même infimes, qu'il relevait entre les exemplaires un et deux :
une tache sur le papier, un encrage plus fort sur un exemplaire
que sur l'autre. Lorsqu'il arriva à la première gravure — *NEM.
PERVT.T QUI N.N LEG. CERT.RIT*, le chevalier qui conseille le silence
au lecteur —, il sortit de son sac une loupe de grossissement
sept pour étudier dans leurs moindres détails les xylographies
jumelles. Elles étaient identiques. Il constata même que le
foulage des planches sur le papier, comme celui du reste de la
typographie, était le même. Aucune ligne ou caractère abîmé,
cassé ou tordu, sauf ceux qui étaient communs aux deux exemplaires. Ce qui voulait dire que les exemplaires Un et Deux
avaient été imprimés consécutivement, ou presque, sur la
même presse. Dans le jargon des frères Ceniza, Corso était en
présence de deux jumeaux.

Il continua à prendre des notes. Une imperfection à la
sixième ligne de la page 19 de l'exemplaire Deux l'arrêta quelque temps, jusqu'à ce qu'il acquière la certitude qu'il ne s'agissait que d'une macule. Il étudia encore quelques pages. La
composition des deux exemplaires était identique : deux pages

NEM. PERV.T QVI N.N LEG. CERT.RIT

CLAVS. PAT.T

III

VERB. D.SVM C.S.T ARCAN.

IIII

FOR. N.N OMN. A.QVE

ה   V   ε

FR.ST.A

DIT.SCO M.R.

VII

DIS.S P.TI.R M.

ה VIII ך

VIC. I.T VIR.

VIIII

N.NC SC.O TEN.BR. LVX

de garde et cent soixante pages cousues en vingt cahiers de huit. Les neuf planches de l'exemplaire numéro Deux, comme celles de l'exemplaire numéro Un, étaient imprimées hors-texte avec verso en blanc sur le même papier, et elles avaient été incorporées au texte au moment de la reliure. Leur position était identique dans les deux livres :

I. Entre les pages 16 et 17
II. 32-33
III. 48-49
IIII 64-65
V. 80-81
VI. 96-97
VII. 112-113
VIII. 128-129
VIIII. 144-145

Ou bien Varo Borja délirait, ou bien la mission qu'il lui avait confiée était vraiment étrange. Impossible que son livre soit faux. Au pis aller, il pouvait peut-être s'agir d'une édition apocryphe ; mais d'époque, et les deux exemplaires en étaient issus tous les deux. Les exemplaires Un et Deux étaient l'incarnation même de la probité sur papier imprimé.

Il vida le reste de son cognac avant d'examiner à la loupe la planche II.

— CLAUS.PAT. T., l'ermite barbu avec deux clés à la main devant la porte fermée, une lanterne par terre. Et alors qu'il regardait ces deux planches disposées côte à côte, il se sentit tout à coup comme un enfant, comme du temps où il jouait à trouver les six erreurs du dessin. En fait — il fit une grimace —, c'était bien de cela qu'il s'agissait. La vie comme un jeu. Et les livres comme le miroir de la vie.

C'est alors qu'il le vit. Tout à coup, de la même manière qu'une chose qui n'avait apparemment pas de sens se révèle soudain ordonnée et calculée quand on la regarde dans la bonne perspective. Corso chassa l'air de ses poumons comme s'il allait rire, mais il ne fit qu'un petit bruit sec, un ricanement incrédule, sans humour. Ce n'était pas possible. On ne plaisante pas avec ce genre de choses. Il hocha la tête, déconcerté. Ce qu'il avait sous les yeux n'était pas un livre d'enfants acheté dans un kiosque de gare, mais un volume, deux volumes imprimés trois siècles et demi plus tôt. Ils avaient coûté la vie à leur imprimeur, ils avaient figuré à l'Index des livres prohibés par l'Inquisition, ils étaient cités dans les meilleures bibliographies : *Planches II. Légende latine. Vieillard avec deux clés et une lanterne devant une porte fermée...* Mais jusque-là, personne n'avait comparé côte à côte deux des trois exemplaires connus. D'abord, il n'était pas facile de les réunir ; ensuite, ce n'était pas nécessaire non plus. Un vieillard avec deux clés. C'était amplement suffisant.

Corso se leva et s'avança vers la fenêtre. Il resta ainsi un moment, regardant à travers la vitre que son haleine embuait. Ainsi donc, Varo Borja avait raison. Aristide Torchia avait dû bien rire dans sa barbe, sur son bûcher de Campo dei Fiori, avant que les flammes ne lui en ôtent à jamais l'envie. Comme plaisanterie posthume, c'était génial.

VIII

Postuma necat

> Point d'interrogation, cela signifie que
> nous sommes encore dans le vague
> et dans le mystère.
> (Souvestre et Allain, Fantômas)

Lucas Corso connaissait mieux que personne l'un des grands inconvénients de son métier : les bibliographies sont rédigées par des érudits qui n'ont pas vu les livres qu'ils citent et qui s'appuient le plus souvent sur des sources de seconde main, donnant pour valides des caractéristiques notées par d'autres. De cette façon, une erreur ou une recension incomplète peut circuler pendant des générations sans que personne ne s'en rende compte, jusqu'à ce que quelqu'un, par hasard, la mette en lumière. C'était le cas des *Neuf Portes*. À part sa mention obligatoire dans les bibliographies canoniques, les références les plus précises n'avaient toujours donné qu'une description sommaire des neuf gravures, sans entrer dans le menu détail. Sur la deuxième planche du livre, tous les textes connus mentionnaient un vieillard, sans doute un sage ou un ermite, arrêté devant une porte, deux clés à la main ; mais personne ne s'était jamais soucié de préciser dans quelle main il tenait ces clés. Et maintenant, Corso avait la réponse : dans la *gauche* sur la gravure de l'exemplaire Un ; dans la *droite*, dans l'exemplaire Deux.

Restait à savoir ce qu'il en était de l'exemplaire Trois ; mais Corso ne pouvait s'en assurer pour le moment. Il resta jusqu'au soir à la Quinta da Soledade et travailla beaucoup à la lumière du chandelier, prenant des notes sans cesse, comparant encore et encore les deux exemplaires. Il étudia les planches une par une jusqu'à confirmer son hypothèse. Et neuf preuves lui apparurent. Finalement, il examina son butin, sous forme de notes, de cases et de diagrammes qui présentaient entre eux d'étranges relations. Cinq planches des exemplaires Un et Deux n'étaient pas identiques. En plus de la main dont le vieillard tenait les clés sur la planche II, le labyrinthe de la planche IIII avait ou n'avait pas d'issue, selon qu'il s'agissait de l'un ou de l'autre des exemplaires. Sur la planche V, la Mort montrait un sablier dans lequel le sable se trouvait dans l'ampoule du bas sur l'exemplaire Un, et dans l'ampoule du haut sur l'exemplaire Deux. Quant à l'échiquier de la planche VII, ses cases étaient blanches dans l'exemplaire de Varo Borja et noires dans celui de Fargas. Enfin, sur la planche VIII, le bourreau sur le point de décapiter la jeune femme se trouvait transformé, par l'effet d'une auréole autour de sa tête, en archange vengeur.

Et il fit encore une trouvaille inespérée à la suite de sa minutieuse étude à la loupe. Les marques du graveur dissimulées dans les xylographies renfermaient une autre piste subtile : dans les deux exemplaires, l'abréviation *A.T.*, Aristide Torchia, figurait comme *sculpteur* sur la planche du vieillard ; mais comme *inventeur*, elle n'apparaissait que dans l'exemplaire Deux. La signature de l'exemplaire Un était *L.F.*, point sur lequel les frères Ceniza avaient attiré l'attention de Corso. Il en allait de même sur quatre autres planches. Ce qui pouvait signifier que l'imprimeur avait gravé toutes les xylographies, mais que les dessins originaux d'après lesquels il avait fait certaines de ses gravures étaient d'une autre personne. Il ne s'agissait donc pas d'une falsification d'époque ni de rééditions apocryphes. C'était l'imprimeur Torchia lui-même, *avec privilège et licence des supérieurs*, qui avait altéré sa propre œuvre selon un plan déterminé : en signant ceux qu'il avait lui-même modifiés, pour respecter l'auteur des autres, *L.F.* Il ne restait qu'un exemplaire, avait-il avoué à ses bourreaux. Mais en réalité, il en laissait trois, plus une clé qui peut-être permettait de les transformer en un seul. Mais il avait emporté le reste de son secret avec lui, sur le bûcher.

Il eut alors recours à un vieux système de collationnement : les tables comparatives qu'Umberto Eco utilise dans son étude sur la Hanau. Le schéma suivant apparut une fois classées sur papier les planches présentant des différences :

	I	II	III	IIII	V	VI	VII	VIII	VIIII
UN	—	main gauche	—	sans issue	sable en bas	—	échiquier blanc	sans auréole	—
DEUX	—	main droite	—	issue	sable en haut	—	échiquier noir	auréole	—

Quant aux marques du graveur, les variations dans les signatures *A.T.* (l'imprimeur Torchia) et *L.F.* (inconnu ?, Lucifer ?) correspondant au *sculpteur* et à l'*inventeur* s'établissaient ainsi :

	I	II	III	IIII	V	VI	VII	VIII	VIIII
UN	AT(s) AT(i)	AT(s) LF(i)	AT(s) AT(i)	AT(s) AT(i)	AT(s) LF(i)	AT(s) AT(i)	AT(s) AT(i)	AT(s) AT(i)	AT(s) AT(i)
DEUX	AT(s) AT(i)	AT(s) AT(i)	AT(s) AT(i)	AT(s) LF(i)	AT(s) AT(i)	AT(s) AT(i)	AT(s) LF(i)	AT(s) LF(i)	AT(s) AT(i)

Étrange rébus. Mais Corso disposait enfin de quelque chose de concret : l'existence d'une clé qui renfermait une signification. Il se leva lentement, comme s'il craignait que toutes ces correspondances ne s'envolent en fumée devant ses yeux, mais aussi avec le calme du chasseur sûr qu'au bout de la piste, pour confuse qu'elle soit, il y a toujours une pièce de gibier.

Main. Issue. Sable. Échiquier. Auréole.

Il regarda par la fenêtre. Derrière les vitres sales, découpant en ombres chinoises la branche d'un arbre, un reste de clarté rougeâtre refusait de disparaître dans la nuit.

Exemplaires Un et Deux. Différences dans les planches numéros 2, 4, 5, 7 et 8.

Il fallait qu'il aille à Paris. C'était là que se trouvait l'exemplaire Trois, et peut-être la solution de l'énigme. Mais une autre question le préoccupait ; quelque chose qu'il fallait résoudre d'urgence. Varo Borja avait été parfaitement clair : s'il était impossible de se procurer l'exemplaire Deux par les voies habituelles, alors il faudrait songer à un plan plus hétérodoxe d'acquisition. Avec le moins possible de dommages et de risques pour Fargas et Corso, naturellement. Douceur et discrétion. Il sortit son agenda de la poche de son manteau et y chercha un numéro de téléphone. C'était un travail qui conviendrait parfaitement à Amílcar Pinto.

Une des bougies, consumée jusqu'au bout, s'éteignit en lâchant une petite volute de fumée. On entendait un violon quelque part dans la maison et Corso rit dans sa barbe, un rire bref et sec, tandis que la flamme du chandelier faisait danser ombres et lumière sur son visage quand il se pencha pour allumer une cigarette. Puis il se redressa et tendit l'oreille. Cette musique faisait penser à une lamentation qui se serait glissée parmi les pièces vides et sombres, sur les vestiges des meubles vermoulus et poussiéreux, sous les plafonds peints, sur les toiles d'araignée et les ombres qui ne recouvraient que des marques sur les murs, des échos de pas, des voix mortes depuis tant et tant d'années. Et dehors, encadrant la grille rouillée, les deux visages de femmes, les yeux de l'une ouverts dans la nuit, ceux de l'autre recouverts d'un masque de lierre, écoutaient immobiles, avec la quiétude du temps suspendu dans le vide, la musique que Victor Fargas arrachait au violon pour conjurer les spectres de ses livres perdus.

Il redescendit en ville à pied, les mains dans les poches de son manteau, le col relevé jusqu'aux oreilles ; vingt minutes de marche sur le côté gauche de la route déserte. C'était une nuit sans lune et Corso s'enfonçait dans de larges taches d'ombre quand il passait sous les arbres qui se rejoignaient au-dessus de la chaussée, comme une voûte noire. Le silence était presque total, à peine rompu par le crissement de ses souliers sur les graviers du bas-côté, ou le gargouillis de l'eau qui coulait dans les caniveaux, plus bas, entre les cistes et le lierre, invisibles dans l'obscurité.

Une voiture s'approcha par-derrière, le dépassa, et Corso vit sa silhouette, gigantesque et fantomatique, se glisser en ondulant sur les troncs des arbres voisins et les fourrés épais. Ce n'est que lorsqu'il se retrouva enveloppé dans l'ombre qu'il soupira et sentit se détendre ses muscles. Il n'était pas de ces gens qui voient des fantômes à tous les coins de rues. Il voyait plutôt toutes les choses, y compris les plus extraordinaires, avec un fatalisme méridional de vieux soldat blasé, sans doute une sorte d'héritage génétique de l'arrière-arrière-grand-père Corso : vous aurez beau éperonner votre cheval dans la direction contraire, l'inévitable vous attend toujours à la porte de la Samarcande la plus proche, en train de se curer les ongles avec une dague vénitienne ou une baïonnette écossaise. Pourtant, depuis l'incident de la ruelle de Tolède, le chasseur de livres éprouvait une appréhension bien compréhensible chaque fois qu'il entendait une voiture le rattraper.

Et c'est peut-être pourquoi, quand des phares s'arrêtèrent à côté de lui, Corso fit demi-tour, tous les sens en éveil, tandis qu'il passait son sac de toile de l'épaule droite à la gauche et empoignait dans la poche de son manteau son trousseau de clés, arme de fortune capable de crever un œil à quiconque s'approcherait de trop près. Pourtant, le tableau semblait bien paisible : la silhouette métallique d'une grosse berline foncée et, à l'intérieur, à peine éclairé par la lumière du tableau de bord, un profil masculin qui annonçait une voix aimable, bien élevée.

— Bonsoir... — l'accent était indéfinissable, ni portugais ni espagnol. Vous avez du feu ?

C'était peut-être la vérité, ou simplement un mauvais prétexte ; impossible de le savoir. En tout cas, il n'allait pas prendre ses jambes à son cou ou brandir la plus pointue de ses clés pour la simple raison qu'on lui demandait du feu ; Corso lâcha donc son trousseau, sortit une boîte d'allumettes et en frotta une, en abritant la flamme dans le creux de sa main.

— Merci.

La cicatrice était là, naturellement. Une ancienne balafre, longue, verticale, depuis la tempe jusqu'au milieu de la joue gauche. Quand l'autre se pencha pour allumer son cigare Montecristo, Corso put l'observer tout à loisir en tenant la flamme suffisamment longtemps en l'air pour distinguer une moustache noire et fournie, des yeux sombres qui le regardaient fixement dans la pénombre. Puis l'allumette se consuma entre les doigts de Corso et on aurait dit qu'un masque noir s'abattait sur les traits de l'inconnu. De nouveau, c'était une ombre, une silhouette à peine dessinée par la lueur des instruments de bord.

— Qui êtes-vous, nom de Dieu !

La formulation de la question n'était ni très sereine, ni très brillante. De toute façon, il était trop tard ; sa voix s'était perdue dans le bruit du moteur qui accélérait. Les deux points rouges des feux de l'auto s'éloignaient déjà en descendant la route, laissant une trace fugitive sur le ruban sombre de l'asphalte. Ils brillèrent encore un moment avec plus d'intensité quand l'auto freina dans le premier virage, puis ils disparurent comme s'ils n'avaient jamais été là.

Immobile sur l'accotement, le chasseur de livres tentait de se remémorer le décor : Madrid, la porte de la veuve Taillefer. Tolède, sa visite à Varo Borja. Et maintenant Sintra, après cet après-midi passé chez Victor Fargas. Et puis les feuilletons de Dumas, un éditeur pendu dans son bureau, un imprimeur brûlé avec son étrange manuel... Et chaque fois, marchant sur les talons de Corso comme s'il était son ombre, Rochefort : un reître fictif du XVIIᵉ siècle, réincarné en chauffeur en uniforme, en conducteur d'automobile de luxe. Responsable d'un accident manqué de peu et de quelques violations de domicile. Et fumeur de cigares Montecristo. Fumeur sans briquet.

Il jura dans sa barbe. Il aurait donné un incunable rare, en bon état, pour casser la figure au responsable de cet absurde scénario.

À peine arrivé à l'hôtel, il donna plusieurs coups de téléphone. Le premier au numéro de Lisbonne qu'il avait dans son agenda. Il eut de la chance : Amílcar Pinto était chez lui. Il s'en assura après avoir parlé à sa femme grincheuse, avec en bruit de fond un téléviseur réglé à plein volume, des cris perçants d'enfants et une violente discussion entre des voix d'adultes qui lui parvenaient à travers l'écouteur de bakélite noire. Finalement, il eut Pinto au bout du fil et ils se donnèrent rendez-vous une heure et demie plus tard, le temps qu'il faudrait au Portugais pour parcourir les cinquante kilomètres qui le séparaient de Sintra. Cette affaire réglée, Corso regarda sa montre tout en composant l'indicatif international pour appeler Varo Borja ; mais le libraire n'était pas chez lui à Tolède. Il laissa un message sur le répondeur automatique et composa un numéro à Madrid, celui de Flavio La Ponte. Pas de réponse non plus, si bien qu'il s'en fut prendre un verre après avoir caché son sac de toile sur le dessus de l'armoire.

La première chose qu'il vit en poussant la porte du petit salon de l'hôtel fut la jeune fille. Aucune erreur n'était possible : cheveux très courts, allure garçonne, peau bronzée comme en plein mois d'août. Elle lisait assise dans un fauteuil, sous le cône de lumière d'une lampe, les jambes croisées et posées sur le fauteuil qui lui faisait face, pieds nus, jeans, tee-shirt de coton blanc, pull-over de laine gris sur les épaules. Corso s'immobilisa, la main sur la poignée de la porte, envahi par une impression d'absurdité totale qui l'empêchait de penser clairement. Coïncidence ou fait exprès, c'était trop.

Finalement, encore incrédule, il s'approcha de la jeune fille. Il était presque à côté d'elle quand elle leva le nez de son livre pour le fixer de ses yeux verts, clarté liquide et profonde dont il avait gardé un souvenir si vif après leur rencontre dans le train. Il s'arrêta, sans savoir ce qu'il allait lui dire ; avec l'étrange sensation qu'il risquait de tomber au fond de ces yeux.

— Vous ne m'aviez pas dit que vous alliez à Sintra, dit-il.

— Vous non plus.

Elle avait accompagné sa réponse d'un sourire tranquille, sans gêne ni surprise. Elle semblait sincèrement contente de le revoir.

— Que faites-vous ici ?

Elle retira ses pieds du fauteuil qu'elle lui offrit d'un geste ; mais le chasseur de livres resta debout.

— Je voyage, dit la jeune fille en lui montrant son livre ; ce n'était pas le même que dans le train : *Melmoth, ou l'Homme errant* de Charles Maturin. Je lis. Et je fais des rencontres imprévues.

— Imprévues, répéta Corso, comme un écho.

Qu'elles le fussent ou pas, c'était trop de rencontres pour un seul soir. Et il vit se nouer des liens entre sa présence dans cet hôtel et l'apparition de Rochefort sur la route. Il devait y avoir un point de vue à partir duquel les choses s'emboîtaient les unes dans les autres. À vrai dire, il ne savait même pas dans quelle direction regarder.

— Vous ne vous asseyez pas ?

Il s'exécuta, vaguement inquiet. La jeune fille avait fermé son livre et l'observait avec curiosité.

— Vous n'avez pas l'air d'un touriste.

— Je n'en suis pas un.

— Vous travaillez ?

— Oui.

— Un travail à Sintra, n'importe lequel, doit certainement être intéressant.

Il ne manquait plus que ça, pensa Corso en ajustant ses lunettes avec l'index. Subir un interrogatoire à cette heure, même si l'inquisiteur est une toute jeune fille au physique fort agréable. Peut-être était-ce là le problème : trop jeune pour constituer une menace. Ou peut-être était-ce là le danger. Il prit le livre que la jeune fille avait déposé sur la table et le feuilleta. C'était une édition anglaise, récente. Certains paragraphes étaient soulignés au crayon. Il s'arrêta sur l'un d'eux :

> Cette fois, son œil se fixait sur le jour qui baissait pour faire place à l'obscurité, à cette obscurité contre nature qui semblait dire aux plus beaux ouvrages de la Divinité : Retirez-vous ; vous ne brillerez plus.

— Vous aimez ce genre de romans ?

— J'aime lire — elle penchait un peu la tête et la lumière dessinait en raccourci son cou nu. Toucher les livres. J'en ai toujours quelques-uns dans mon sac quand je voyage.

— Vous voyagez beaucoup ?

— Beaucoup. Depuis des siècles.

Corso fit la moue quand il entendit cette réponse. Elle l'avait formulée avec beaucoup de sérieux, en fronçant les sourcils, comme une petite fille qui parle d'affaires graves.

— Je croyais que vous étiez étudiante.

— Parfois.

Corso posa le *Melmoth* sur la table.

— Vous êtes bien mystérieuse. Quel âge avez-vous donc ? Dix-huit, dix-neuf ans ?... Parfois, vous prenez une autre expression, comme si vous étiez beaucoup plus âgée.

— C'est que je le suis peut-être. Chacun possède les gestes de ce qu'il a vécu et de ce qu'il a lu. Vous n'avez qu'à vous regarder.

— Qu'est-ce que vous voulez dire ?

— Vous ne vous êtes jamais vu sourire ? On dirait un vieux soldat.

Corso changea de position dans son fauteuil, mal à l'aise.

— J'ignore comment sourit un vieux soldat.

— Moi, je le sais — les yeux de la jeune fille devinrent opaques, comme s'ils erraient dans les replis de sa mémoire. Un jour, j'ai connu dix mille hommes qui cherchaient la mer.

Corso leva un sourcil avec un intérêt forcé.

— Voyez-vous ça... Et ceci appartient au domaine du lu ou du vécu ?

— Devinez — elle le regarda un moment dans les yeux. Vous ne me semblez pas bête du tout, monsieur Corso.

Elle s'était levée et reprenait son livre sur la table, ainsi que ses tennis blanches par terre. Ses yeux parurent retrouver la vie et le chasseur de livres vit s'agiter en eux des reflets familiers. Il y avait quelque chose de connu, de déjà entrevu dans ce regard.

— Nous nous reverrons peut-être, dit-elle avant de s'en aller. Quelque part.

Corso n'eut pas le moindre doute qu'il en serait ainsi. Et il n'était pas très sûr de savoir s'il le souhaitait ou pas. Mais ses réflexions ne durèrent que quelques secondes : en sortant, la jeune fille croisa Amílcar Pinto à la porte.

Le nouveau venu était petit et gras. Il avait la peau mate, luisante comme si on venait de la vernir, et une grosse moustache drue, taillée à grands coups de ciseaux. Il aurait fait un policier honnête, et même un bon policier, s'il ne s'était trouvé dans l'obligation de nourrir cinq enfants, une épouse et un père à la retraite qui fumait son tabac derrière son dos. Du Mozambique, quand Maputo s'appelait Lourenço Marques et qu'il était un sergent de parachutistes, mince, courageux, couvert de décorations, il avait ramené sa femme, une mulâtresse qui avait été fort belle vingt ans plus tôt, Corso avait aperçu son épouse à l'occasion des tractations douteuses qui l'amenaient parfois à rencontrer Pinto : yeux cernés, poitrine abondante et flasque, vieilles savates, les cheveux pris dans un foulard rouge, debout dans le vestibule qui empestait les enfants sales et le chou.

Le policier entra directement dans le petit salon, lança un regard en coin à la jeune fille quand il la croisa, puis alla s'écraser dans un fauteuil, en face du chasseur de livres. Il soufflait comme s'il avait fait à pied le voyage de Lisbonne.

— Qui est cette fille ?

— Aucune importance, répondit Corso. Une jeune Espagnole. Touriste.

Pinto hocha la tête, rassuré, puis essuya ses paumes moites sur les jambes de son pantalon, geste qui lui était familier. Il transpirait abondamment et le col de ses chemises avait toujours un petit cerne foncé là où il entrait en contact avec la peau.

— J'ai un problème, dit Corso.

Le sourire du Portugais s'élargit. Il n'y a pas de problème insoluble, semblait-il dire. Pas tant que nous continuons à bien nous entendre, toi et moi.

— Je suis sûr que nous pourrons le résoudre ensemble.

Ce fut au tour de Corso de sourire. Il y avait quatre ans qu'il avait fait connaissance d'Amílcar Pinto, à la suite d'une sombre histoire de livres volés qui avaient refait surface sur les tréteaux de la Feira da Ladra. Corso s'était rendu à Lisbonne pour les identifier, Pinto avait procédé à quelques arrestations et, sur le chemin du retour à leur propriétaire, quelques volumes précieux avaient disparu à tout jamais. Pour célébrer le début de cette amitié fructueuse, ils s'étaient soûlés ensemble dans les cabarets de fado du Barrio Alto, tandis que l'ex-sergent parachutiste ruminait ses nostalgies coloniales, racontant à Corso comment il avait bien failli se faire sauter les roubignoles à la bataille de Gorongosa. Ils avaient fini par chanter *Grándola vila morena* à tue-tête du haut du mirador de Santa Luzía, alors que la lune illuminait le quartier Alfama à leurs pieds et le Tage, plus loin, large et luisant comme un drap d'argent sur lequel glissaient, très lentement, les silhouettes noires des bateaux qui se dirigeaient vers la tour de Belém et l'Atlantique.

Le garçon apporta à Pinto le café qu'il avait commandé. Corso attendit qu'il s'éloigne pour continuer :

— Il y a un livre.

Penché au-dessus de la petite table basse, le policier était en train de mettre du sucre dans son café.

— Il y a toujours un livre, fit-il, circonspect.

— Celui-ci est spécial.

— Ils ne le sont pas tous ?

Corso sourit de nouveau. Un sourire métallique, tranchant.

— Le propriétaire ne veut pas vendre.

— C'est bien dommage — Pinto porta la tasse à ses lèvres et savoura le café brûlant. Le commerce est une bonne chose. Les objets vont et viennent, changent de place. Ils génèrent de la richesse, ils font gagner de l'argent aux intermédiaires... — il reposa sa tasse pour s'essuyer les mains sur son pantalon. Les biens doivent circuler. C'est la loi du marché ; la loi de la vie. On devrait interdire de ne pas vendre : c'est presque un crime.

— Je suis d'accord avec toi. Tu devrais faire quelque chose.

Pinto s'enfonça dans son fauteuil et regarda son inter-locuteur, sûr de lui, reposé, attendant la suite. Un jour, après une embuscade dans le *mato* du Mozambique, il avait trans-porté sur son dos un lieutenant moribond, fuyant toute la nuit avec lui à travers dix kilomètres de forêt. Au lever du jour, il avait senti que l'officier mourait, mais il n'avait pas voulu le laisser là et il avait poursuivi sa route avec le cadavre jusqu'à sa base. Le lieutenant était tout jeune et Pinto s'était dit que sa mère aimerait sans doute l'enterrer au Portugal. On l'avait décoré pour cet acte de bravoure. Aujourd'hui, les enfants de Pinto jouaient avec ses vieilles médailles rouillées.

— Tu connais peut-être le personnage : Victor Fargas.

Le policier fit un signe de tête.

— La famille Fargas est illustre. Très ancienne. Elle a eu de l'influence à une époque, mais plus aujourd'hui.

Corso lui tendit une enveloppe fermée.

— Tu trouveras là-dedans tous les renseignements dont tu as besoin : le propriétaire, le livre et l'endroit.

— Je connais la *quinta* — Pinto passait le bout de sa langue sur sa lèvre supérieure pour mouiller sa moustache. Très imprudent, garder des livres précieux là-dedans. N'importe quel voyou pourrait entrer — il regarda Corso d'un air peiné, comme s'il regrettait vraiment l'imprévoyance de Victor Fargas. J'en connais justement un : un petit voleur du Chiado qui me doit quelques faveurs.

Corso fit tomber une poussière invisible de ses vêtements. Ce n'était pas son affaire. Du moins, pas dans la phase opéra-tionnelle.

— Je veux être loin quand ça se passera.

— Ne t'inquiète pas. Tu auras le livre et on ne dérangera M. Fargas que le strict nécessaire. Un carreau cassé, au maxi-mum : du travail propre. Pour les honoraires.

Corso montra l'enveloppe que l'autre tenait dans ses mains, sans l'avoir ouverte.

— Voilà une avance, le quart du total. Le solde à la livrai-son.

— Parfait. Et tu t'en vas quand ?

— Demain, par le premier train. Je t'appellerai de Paris — Pinto avait commencé à se lever, mais Corso l'arrêta d'un geste. Encore autre chose. Je voudrais identifier un type plutôt grand, un mètre quatre-vingts à peu près, moustache, cicatrice sur la figure. Cheveux noirs, yeux bruns. Mince. Il n'est ni espagnol ni portugais. Et il rôde dans les parages cette nuit.

— Dangereux ?

— Je ne sais pas. Il me suit depuis Madrid.

Le policier prenait des notes sur le dos de l'enveloppe.

— Un rapport quelconque avec notre affaire ?

— Je suppose. Mais je n'en sais pas davantage.

— Je vais voir ce que je peux faire. J'ai des amis ici, au commissariat de Sintra. Et je jetterai un coup d'œil aux archives de la direction générale, à Lisbonne.

Il s'était levé après avoir glissé l'enveloppe dans la poche intérieure de sa veste. Corso aperçut un instant une crosse de revolver sous son aisselle gauche.

— Tu n'as pas le temps de prendre un verre ?

Pinto soupira et fit signe que non.

— J'aimerais bien ; mais trois de mes moutards ont la rougeole. Ils se la passent les uns aux autres, les petits salopards.

Il souriait d'un air fatigué. Dans le monde de Corso, les héros étaient tous fatigués.

Ils se dirigèrent tous les deux vers la porte de l'hôtel devant laquelle Pinto avait garé une vieille 2 CV. Corso revint une dernière fois à l'affaire Victor Fargas avant de lui serrer la main.

— J'insiste vraiment pour qu'on le dérange le moins possible... Il s'agit d'un simple vol.

Le policier démarra et alluma les phares en lui lançant un regard de reproche par sa fenêtre ouverte. Il semblait offensé.

— S'il te plaît... Naturellement. Nous sommes des professionnels.

Après le départ de Pinto, le chasseur de livres monta à sa chambre pour mettre de l'ordre dans ses notes et il travailla jusqu'à une heure avancée de la nuit sur son lit couvert de papiers, *Les Neuf Portes* ouvert sur l'oreiller. Il se sentait très fatigué et pensa qu'une douche bien chaude lui ferait du bien. Il se dirigeait vers la salle de bains quand le téléphone se mit à sonner. C'était Varo Borja qui lui demandait des nouvelles de l'affaire Fargas. Corso le mit au courant dans les grandes lignes et lui parla notamment des divergences qu'il avait relevées dans cinq des neuf gravures :

— Et pendant que j'y pense, ajouta-t-il, notre ami n'est pas vendeur.

Il y eut un silence à l'autre bout du fil ; le libraire semblait réfléchir, mais il était difficile de savoir si c'était à l'affaire des gravures ou à la réponse négative de Fargas. Quand il se remit à parler, ce fut d'une voix très circonspecte :

— C'était à prévoir, dit-il, et cette fois encore, Corso ne put préciser de quoi il parlait.... Il y aurait un moyen de contourner la difficulté ?

— Peut-être.

Nouveau silence au bout du fil. Cinq secondes, compta Corso en regardant la trotteuse de sa montre.

— Vous avez carte blanche.

Puis la conversation se fit anodine. Corso s'abstint de parler de son entretien avec Pinto et son interlocuteur ne manifesta aucune curiosité pour la façon dont le chasseur de livres comptait s'y prendre pour « contourner la difficulté ». Varo Borja se contenta de lui demander s'il avait besoin de plus d'argent. La réponse fut négative. Ils convinrent de se reparler lorsque Corso serait à Paris.

Corso composa ensuite le numéro de La Ponte, encore une fois sans succès. Les feuilles bleues du manuscrit Dumas étaient toujours dans leur chemise tandis qu'il ramassait ses notes et le livre dont la couverture de peau noire était ornée d'un pentacle. Il remit le tout dans son sac de toile qu'il glissa sous son lit en nouant la courroie à l'un des pieds. De cette façon, même s'il dormait à poings fermés, personne ne pourrait s'en emparer sans le réveiller. Bagage encombrant, se dit-il en se dirigeant vers la salle de bains pour faire couler l'eau chaude. Et pour une raison qu'il ignorait, dangereux.

Après s'être brossé les dents, il se déshabilla et se mit sous la douche. Presque couvert de vapeur d'eau, le miroir lui renvoya son image, maigre et dure comme celle d'un loup efflanqué, quand il laissa tomber ses vêtements à ses pieds. À nouveau, le pincement d'angoisse arriva de très loin, de son passé, enveloppant sa conscience dans une vague lointaine et douloureuse ; comme une corde qui aurait vibré dans sa chair et sa mémoire. Nikon. Il continuait à se souvenir d'elle chaque fois qu'il défaisait sa ceinture, qu'elle s'obstinait toujours à défaire elle-même, comme s'il s'agissait d'un étrange rite. Il ferma les yeux et la revit devant lui, assise au bord du lit, faisant glisser son pantalon sur ses hanches, puis son slip, lentement, très lentement, savourant ce moment avec un sourire complice et tendre. Détends-toi, Lucas Corso. Un jour, elle l'avait photographié en cachette, endormi sur le ventre, une ride verticale barrant son front, sa joue bleuie par une barbe qui amaigrissait encore son visage en accentuant le rictus amer et tendu des commissures de la bouche entrouverte. On aurait dit un loup épuisé, méfiant et tourmenté, au milieu de la plaine enneigée et déserte de l'oreiller blanc, et il n'avait pas aimé cette photo lorsqu'il l'avait découverte par hasard dans le bac de fixateur de la salle de bains dont Nikon se servait comme chambre noire. Il l'avait déchirée en petits morceaux, avec le négatif, et elle n'en avait jamais parlé.

L'eau chaude embrasa la peau de Corso qui la laissa couler sur son visage, se brûlant les paupières tandis qu'il supportait la douleur en serrant les mâchoires, les muscles contractés, réprimant son envie de hurler sa solitude dans la chaleur humide qui l'asphyxiait. Pendant quatre ans, un mois et douze jours, chaque fois qu'ils avaient fait l'amour, Nikon se mettait sous la douche après lui pour lui savonner lentement, interminablement le dos. Et souvent, elle se retrouvait enlacée contre son torse, comme une petite fille perdue sous la pluie. Un jour, je m'en irai sans t'avoir jamais connu. Alors, tu te souviendras de mes grands yeux noirs. De mes reproches silencieux. De mes gémissements d'angoisse quand je dormais. De mes cauchemars que tu étais incapable de conjurer. Tu te souviendras de tout cela quand je ne serai plus là.

Il posa la tête contre les carreaux blancs, couverts de vapeur, dans ce désert humide qui lui faisait tellement penser à une forme de l'enfer. Personne ne lui avait savonné le dos avant ni après Nikon. Jamais. Personne. Absolument jamais.

Il sortit de la douche et alla se mettre au lit avec le *Mémorial de Sainte-Hélène*, mais c'est à peine s'il parvint à lire quelques lignes : *Revenant à la guerre, l'Empereur poursuivit... Les Espagnols... se conduisirent comme des hommes d'honneur...*

Il fit une moue en lisant l'éloge napoléonien, vieux de deux siècles. Une phrase entendue quand il était enfant, peut-être dans la bouche d'un de ses grands-pères, ou de son père, lui revint à l'esprit : « Il n'y a qu'une seule chose que nous faisons comme personne, nous, les Espagnols : paraître dans les tableaux de Goya »... Hommes d'honneur, avait dit Bonaparte.

Corso pensa à Varo Borja et à son chéquier, à Flavio La Ponte et aux bibliothèques de veuves spoliées pour quatre sous. Au fantôme de Nikon errant dans la solitude d'un désert blanc. À lui, lévrier de chasse acquis au plus offrant. Une autre époque.

Il souriait, encore, amer et désespéré, quand il s'endormit.

Lorsqu'il se réveilla, la première chose qu'il vit fut la lumière grise du petit jour à la fenêtre. Trop tôt. Un peu perdu, il cherchait à tâtons sa montre sur la table de nuit quand il comprit que le téléphone sonnait. L'appareil tomba deux fois par terre avant qu'il ne parvienne à le coincer entre sa tête et l'oreiller.

— Allô ?

— Je suis votre amie d'hier soir. Vous vous souvenez ?... Irene Adler. Je suis dans le hall de l'hôtel et il faut que nous nous parlions. Tout de suite.

— Mais...

Elle avait déjà raccroché. Corso chercha ses lunettes en grommelant, écarta les draps et enfila son pantalon, endormi, complètement ahuri. Tout à coup, pris de panique, il regarda sous le lit : le sac était toujours là. Non sans peine, il parvint à fixer les yeux sur les objets qui l'entouraient. Tout était en ordre dans sa chambre ; c'était dehors que quelque chose se passait. Il eut le temps d'aller à la salle de bains et de se jeter de l'eau sur le visage avant qu'on ne frappe à la porte.

— Mais vous avez une idée de l'heure ?

La jeune fille était là, avec son blouson bleu, son sac à dos à l'épaule ; les yeux encore plus verts que le souvenir qu'en avait gardé Corso.

— Il est six heures et demie du matin, annonça-t-elle calmement. Et vous devez vous dépêcher de vous habiller.

— Vous êtes devenue folle ?

— Non — elle était entrée dans la chambre sans qu'il l'y invite et regardait autour d'elle d'un air critique. Nous avons vraiment très peu de temps.

— Nous ?

— Vous et moi. Les choses se sont beaucoup compliquées.

Corso renâcla, irrité.

— Ce n'est pas une heure pour faire des farces.

— Ne soyez pas idiot — elle fronçait le nez avec une

expression grave ; malgré sa jeunesse et son allure de garçon manqué, elle semblait différente, plus mûre, plus sûre d'elle-même. Je ne plaisante pas.

Elle avait posé son sac sur le lit défait. Corso le prit et le lui tendit en lui montrant la porte.

— Allez au diable !

Elle ne bougea pas et se contenta de le regarder attentivement.

— Écoutez — ses yeux clairs étaient tout proches ; on aurait dit de la glace liquide, tant ils étaient lumineux au milieu de la peau bronzée de son visage. Vous savez qui est Victor Fargas ?

Par-dessus l'épaule de la jeune fille, dans le miroir accroché au-dessus de la commode, Corso vit son propre visage : bouche bée, comme un parfait imbécile.

— Évidemment, articula-t-il enfin.

Il lui avait fallu plusieurs secondes pour réagir et, même ainsi, il battait encore des paupières, complètement perdu. Elle attendait, sans paraître le moindrement satisfaite de son effet. Il était clair qu'elle pensait à autre chose.

— Il est mort, annonça-t-elle.

Elle avait parlé d'une voix neutre, avec le même calme que si elle avait dit qu'il avait pris un café au petit déjeuner, ou qu'il était allé chez le dentiste. Corso respira profondément pour essayer de digérer la nouvelle.

— C'est impossible. J'étais avec lui hier soir. Et il se sentait bien.

— Maintenant, il ne se sent plus bien. En fait, il ne se sent plus du tout.

— Comment le savez-vous ?

— Je le sais.

Corso secoua la tête, méfiant, avant d'aller se chercher une cigarette. À mi-chemin se trouvait la flasque de Bols dont il s'injecta une bonne rasade ; en route vers son estomac vide, le gin lui donna la chair de poule. Puis il gagna quelques secondes en s'obligeant à ne pas regarder la jeune fille jusqu'à ce qu'il ait avalé sa première bouffée de fumée. Il n'était pas du tout satisfait du rôle qu'on lui faisait jouer ce matin. Et il avait besoin d'un peu de temps pour tout assimiler, tranquillement.

— Le café à Madrid, le train, hier soir et maintenant ici, à Sintra..., récitait-il, cigarette à la bouche, les yeux plissés à cause de la fumée, comptant avec l'index sur les doigts de sa main gauche. Quatre coïncidences, c'est beaucoup, vous ne croyez pas ?

Elle secouait la tête, impatiente.

— Je vous croyais plus intelligent. Qui parle de coïncidences ?

— Pourquoi me suivez-vous ?

— Vous me plaisez.

Corso n'avait pas envie de rire ; il se contenta d'une grimace qui n'aurait passé que fort difficilement pour un sourire.

— C'est ridicule.

Elle le regarda longuement, pensive.

— Je suppose que oui, conclut-elle enfin. Vous n'êtes pas vraiment irrésistible, toujours avec ce vieux manteau. Et vos lunettes.

— Alors ?

— Cherchez une autre réponse ; n'importe laquelle fera l'affaire. Mais habillez-vous tout de suite. Nous devons aller chez Victor Fargas.

— Nous ?

— Vous et moi. Avant que la police n'arrive.

Les feuilles mortes craquaient sous leurs pas quand ils poussèrent la grille de fer et qu'ils prirent l'allée bordée de statues brisées et de socles vides. Au-dessus de l'escalier de pierre, le cadran solaire privé d'ombre sous la lumière plombée du matin n'indiquait toujours pas d'heure. *Postuma necat*. La dernière tue, lut Corso pour la seconde fois. La jeune fille avait suivi son regard.

— Rigoureusement vrai, dit-elle froidement en poussant la porte. Elle était fermée.

— Par derrière, proposa Corso.

Ils firent le tour de la maison en passant près de la fontaine aux azulejos où l'angelot de pierre, les yeux vides et les mains mutilées, continuait à laisser couler un filet d'eau dans le bassin. La jeune fille, Irene Adler ou quel que fût son nom, précédait Corso avec son petit sac à dos sur son blouson bleu. Elle avançait avec un aplomb surprenant, tranquille et extrêmement souple sur ses longues jambes moulées dans des jeans, sa tête volontaire penchée en avant avec l'expression décidée de quelqu'un qui sait parfaitement où il va. Ce qui n'était certes pas l'état d'esprit de Corso. Il était redevenu à peu près maître de ses incertitudes et se laissait guider par la jeune fille, remettant les questions à plus tard. Réveillé après une douche rapide, portant dans son sac de toile qui pendait à son épaule tout ce à quoi il tenait, il ne pensait plus qu'au *Neuf Portes*, à l'exemplaire Deux de Victor Fargas.

Ils entrèrent sans difficulté par la porte-fenêtre qui faisait communiquer le salon avec le jardin. Au plafond, poignard brandi, Abraham veillait toujours sur les livres alignés par terre. La maison paraissait déserte.

— Où est Fargas ? demanda Corso.

La jeune fille haussa les épaules.

— Je n'en ai pas la moindre idée.

— Vous m'avez dit qu'il était mort.

— Et il l'est — elle prit le violon sur le buffet et l'examina avec curiosité après avoir jeté un coup d'œil sur les murs vides et tous ces livres autour d'elle. Mais je ne sais pas où.

— Vous vous foutez de moi.

Le menton collé sur l'instrument, elle fit vibrer les cordes, puis le remit dans son étui, mécontente du son. C'est alors qu'elle regarda Corso.

— Homme de peu de foi.

Elle souriait un peu d'un air absent, comme elle le faisait souvent, et le chasseur de livres eut la certitude qu'il y avait une maturité peu commune dans cet aplomb à la fois profond et frivole. Cette petite jeune fille obéissait à des codes singuliers ; à des stimuli et à des pensées plus complexes que son âge et son aspect n'auraient pu le laisser supposer.

Tout à coup, tout s'effaça dans la tête de Corso : la jeune fille, l'étrange aventure, l'hypothétique cadavre de Victor Fargas. Sur la tapisserie râpée de la bataille d'Arbèles, parmi les ouvrages sur l'occultisme et les arts diaboliques, il y avait un vide. *Les Neuf Portes* n'était plus là.

— Merde !

Il répéta le juron entre ses dents tout en s'accroupissant devant la pile de livres. Son regard d'expert, habitué à trouver le volume recherché du premier coup d'œil, erra d'un côté et de l'autre, comme perdu. Maroquin noir, cinq nerfs, pas de titre extérieur, un pentacle sur la couverture. *Umbrarum regni*, etc. Aucune erreur possible. Le tiers du mystère, très exactement 33,33 pour cent — l'exemple même de la fraction périodique — s'était envolé.

— Que le diable m'emporte !

Trop tôt pour Pinto, pensa-t-il aussitôt ; le Portugais n'aurait pas eu le temps d'organiser le coup. La jeune fille l'observait, comme si elle attendait avec intérêt sa réaction. Corso se releva.

— Qui es-tu ?

C'était la deuxième fois en moins de douze heures qu'il posait la même question, mais à deux personnes différentes. Tout se compliquait beaucoup trop rapidement. De son côté, la jeune fille soutint sa question et son regard sans s'émouvoir. Au bout d'un moment, elle détourna les yeux pour regarder à côté de Corso, dans le vide. Ou peut-être les livres alignés par terre.

— Ça n'a pas d'importance, répondit-elle enfin. Vous feriez mieux de vous demander ce qu'est devenu le livre.

— Quel livre ?

Elle le regarda de nouveau sans répondre. Corso se sentait incroyablement stupide.

— Tu sais trop de choses, dit-il à la jeune fille. Tu en sais plus que moi.

Il la vit hausser les épaules. Elle regardait la montre au poignet de Corso, comme si elle pouvait y lire l'heure.

— Il ne vous reste pas beaucoup de temps.

— Je me fous complètement du temps qui peut rester.

— C'est votre affaire. Mais il y a un vol Lisbonne-Paris qui part de l'aéroport de Portela dans cinq heures. Nous avons juste le temps de nous rendre là-bas.

Mon Dieu. Corso frissonna sous son manteau, horrifié. On aurait dit une secrétaire efficace, agenda à la main, en train d'énumérer les rendez-vous de son patron pour la journée. Il ouvrit la bouche pour protester. Jeune et jolie, tant qu'on voudra. Et ces yeux inquiétants... Une sorcière.

— Et pourquoi devrais-je m'en aller maintenant ?

— Parce que la police pourrait arriver.

— Je n'ai rien à cacher.

La jeune fille fit un sourire indéfinissable, comme si elle venait d'entendre une plaisanterie amusante, mais plutôt éculée. Puis elle redressa son sac à dos d'un coup d'épaule et fit à Corso un geste d'adieu en levant la main, paume ouverte.

— Je vous apporterai des cigarettes en prison. Mais on ne vend pas votre marque au Portugal.

Elle sortit dans le jardin sans même jeter un dernier regard derrière elle. Corso était sur le point de sortir pour l'arrêter quand il vit ce qu'il y avait dans la cheminée.

Après un moment de stupeur, il s'approcha lentement ; peut-être voulait-il donner aux événements l'occasion de suivre un cours plus raisonnable. Mais quand il arriva devant l'âtre, il put constater, appuyé sur le manteau de la cheminée, que certains de ces événements étaient irréversibles. Par exemple : dans le bref laps de temps qui s'était écoulé entre la nuit antérieure et le petit matin de ce même jour, période infime par comparaison avec ses résonances centenaires, les bibliographies consacrées aux livres rares venaient de devenir caduques. Il n'existait plus trois exemplaires connus des *Neuf Portes*, mais deux. Le troisième, ou plutôt ce qu'il en restait, fumait encore parmi les cendres.

Il s'agenouilla, en essayant de ne rien toucher. Les plats, sans doute à cause de la peau de la reliure, s'étaient moins bien consumés que les pages. Deux des cinq nerfs du dos étaient encore intacts et le pentacle n'était brûlé qu'à moitié. Mais les pages étaient presque complètement consumées ; à peine restait-il quelques marges noircies, avec des fragments d'écriture. Corso approcha la main des restes encore chauds.

Il sortit une cigarette et la colla dans le coin de sa bouche, sans l'allumer. Il connaissait la disposition des bûches dans la cheminée, puisqu'il les avait vues la veille. D'après la répartition des cendres — celles du bois brûlé se trouvaient sous celles du livre, si personne n'avait touché les braises —, il déduisit que le feu avait brûlé sous le livre jusqu'à s'éteindre. Il se souvenait que la provision de bûches devait suffire pour quatre ou cinq heures ; et la chaleur encore perceptible était celle d'un feu éteint depuis à peu près la même période de temps. Ce qui donnait au total huit ou dix heures : quelqu'un avait dû allumer le feu entre dix heures et minuit, avant de poser le livre par-dessus. Et celui qui l'avait fait n'avait pas perdu de temps ensuite à enlever les braises.

Corso enveloppa dans de vieux journaux les vestiges qu'il put récupérer dans la cheminée. Les fragments de pages étaient durs et cassants, si bien que l'opération lui prit pas mal de temps. Pendant qu'il travaillait, il remarqua que les pages et la couverture n'avaient pas brûlé en même temps ; celui qui les avait mises dans la cheminée les avait d'abord arrachées pour qu'elles brûlent plus facilement.

Une fois terminée l'opération de récupération, Corso s'arrêta pour jeter un coup d'œil dans le salon. Le Virgile et l'Agricola étaient toujours là où les avait rangés Fargas : le *De re metalica* à sa place, aligné avec les autres sur le tapis ; le Virgile sur la table, comme le bibliophile l'avait laissé quand, prêtre sur le point de consommer le sacrifice, il avait prononcé la formule sacramentelle : « Je crois que je vais vendre celui-ci »... Apercevant une feuille de papier entre les pages, il ouvrit le livre. C'était un reçu manuscrit, incomplet :

> *Victor Coutinho Fargas, carte d'identité 3554712, domicilié à la Quinta da Soledade, route de Colares, km. 4, Sintra.*
> *Le soussigné déclare avoir reçu la somme de 800 000 escudos pour la vente d'une œuvre lui appartenant, « Virgilio. Opera nunc recens accuratissime castigata... Venezia, Giunta, 1544 ». (Essling 61. Sander 7671.) In-folio, 10, 587, 1 c, 113 xylographies. Édition complète et en bon état.*
> *L'acheteur...*

Il ne trouva ni nom ni signature ; le reçu n'avait jamais été complété. Corso remit la feuille de papier à sa place. Puis il referma le livre et se rendit dans la pièce où il avait travaillé la veille, afin de s'assurer qu'il n'avait pas laissé de traces, de papiers portant son écriture, ou d'autres indices. Il retira également les mégots du cendrier, les enveloppa dans une autre feuille de journal, puis les glissa dans sa poche. Il continua à fouiner un peu ; ses pas résonnaient dans la maison vide. Aucune trace du propriétaire.

Quand il repassa devant les livres alignés par terre, il s'arrêta, poussé par la tentation. Trop facile : deux ou trois elzévirs rares de petit format, faciles à cacher, retenaient son attention ; mais Corso avait du bon sens. Si les choses s'envenimaient, un larcin ne ferait que les compliquer davantage. Et c'est avec un soupir qu'il prit congé de la collection Fargas.

Il sortit dans le jardin par la porte-fenêtre, à la recherche de la jeune fille, traînant les pieds parmi les feuilles qui jonchaient le sol. Il la trouva assise sur un petit escalier qui descendait jusqu'au bassin, enveloppée par le doux bruit de

l'eau que l'angelot joufflu versait sur la surface verdâtre, couverte de plantes aquatiques. Elle regardait le bassin d'un air
absent et il fallut le bruit de ses pas pour l'arracher à sa
contemplation et lui faire tourner la tête.

Corso posa son sac de toile sur la dernière marche et s'assit
à côté d'elle. Puis il alluma la cigarette qu'il avait à la bouche
depuis quelque temps déjà. Il avala la fumée en penchant la
tête, tandis qu'il jetait son allumette. C'est alors qu'il se
retourna vers la jeune fille.

— Racontez-moi tout maintenant.

Sans cesser de regarder le bassin, elle secoua doucement la
tête. Rien de brusque, ni de désagréable. Au contraire, les
mouvements de sa tête, de son menton et des commissures de
ses lèvres semblaient doux et pensifs, comme si la présence de
Corso, le triste jardin à l'abandon, le murmure de la fontaine,
l'émouvaient de façon particulière. Avec son blouson et son sac
toujours sur le dos, elle semblait incroyablement jeune ;
presque sans défense. Et très lasse.

— Nous devons y aller, dit-elle si bas que Corso l'entendit
à peine. À Paris.

— Avant, dis-moi ce que tu as à voir avec Fargas. Avec
toute cette histoire.

Elle secoua de nouveau la tête, silencieuse. Corso rejeta la
fumée de sa cigarette. Il y avait tellement d'humidité dans l'air
qu'elle flotta quelque temps devant lui avant de se dissiper peu
à peu. Il regarda la jeune fille.

— Tu connais Rochefort ?

— Rochefort ?

— Ou comme tu voudras l'appeler. Un type brun, avec une
cicatrice. Il rôdait par ici hier soir — à mesure qu'il parlait,
Corso prenait conscience de l'absurde de la situation. Il finit
par faire une moue incrédule, doutant de ses propres souvenirs.
Je lui ai même parlé.

La jeune fille secoua encore la tête, sans quitter le bassin
des yeux.

— Je ne le connais pas.

— Alors, qu'est-ce que tu fais ici ?

— Je vous protège.

Corso regarda le bout de ses chaussures et frotta ses mains
engourdies. Le chantonnement de l'eau dans le bassin
commençait à l'irriter. Il porta la main à sa bouche pour tirer

une dernière bouffée de sa cigarette qui était sur le point de lui brûler les lèvres. Le tabac avait un goût âcre.

— Tu es folle, ma petite.

Il lança le mégot en regardant la fumée s'évanouir devant ses yeux.

— Folle à lier, ajouta-t-il.

Elle se taisait toujours. Au bout d'un moment, Corso sortit sa flasque de sa poche et prit une longue gorgée de gin, sans lui en offrir. Puis il la regarda de nouveau.

— Où est Fargas ?

Elle attendit un peu avant de répondre ; son regard était toujours absent, perdu dans le lointain. Finalement, elle montra quelque chose avec un mouvement du menton.

— Ici.

Corso suivit la direction de son regard. Dans le bassin, sous le filet d'eau qui sortait de la bouche de l'angelot mutilé aux yeux vides, la silhouette imprécise d'un corps humain flottant sur le ventre se dessinait parmi les plantes aquatiques et les feuilles mortes.

IX

Le libraire de la rue Bonaparte

> — *Ami, dit gravement Athos, rappelez-vous*
> *que les morts sont les seuls qu'on ne*
> *soit pas exposé à rencontrer sur la terre.*
> (A. Dumas, *Les Trois Mousquetaires*)

Lucas Corso commanda un second gin en s'appuyant, satisfait, sur le dossier de sa chaise d'osier. On était bien sur cette terrasse, au soleil, dans le rectangle de lumière qui encadrait les tables du café Atlas, rue de Buci. C'était une de ces matinées lumineuses et fraîches, quand la rive gauche fourmille de samouraïs désorientés, d'Anglo-Saxons en chaussures de sport, billets de métro glissés entre les pages d'un livre d'Hemingway, de dames aux paniers remplis de baguettes et de laitues, de sveltes employées de galeries au nez corrigé par la chirurgie esthétique, en route pour le café de leur pause syndicale. Une jeune fille très séduisante regardait l'étalage d'une charcuterie de luxe, au bras d'un monsieur d'âge mûr et tiré à quatre épingles qui avait l'air d'un antiquaire, ou d'un maquereau ; ou peut-être des deux. Il y avait aussi une Harley Davidson aux chromes étincelants, un fox-terrier grincheux attaché à la porte d'un magasin de vins fins, un jeune homme aux tresses de hussard qui jouait de la flûte à bec devant l'entrée d'une boutique. Et à la table voisine de celle de Corso, un couple d'Africains très bien habillés qui s'embrassaient sur la bouche sans se presser, comme s'ils avaient tout le temps du monde, comme si la prolifération nucléaire, le sida, la couche d'ozone n'eussent été que des anecdotes sans importance en cette belle matinée de soleil parisien.

Il la vit arriver au bout de la rue Mazarine, tandis qu'elle tournait le coin vers le café où il attendait ; avec son allure garçonne, son blouson ouvert sur ses jeans, ses yeux comme deux signaux lumineux sur son visage bronzé, visibles à cette distance, parmi la foule, sous ce splendide soleil qui inondait la rue. Diablement jolie, aurait sans doute dit Flavio La Ponte en s'éclaircissant la gorge et en tournant la tête pour lui présenter son meilleur profil, celui où la barbe était un peu plus fournie et bouclée. Mais Corso n'était pas La Ponte, si bien qu'il ne dit ni ne pensa rien. Il se contenta de regarder d'un air hostile le garçon qui déposait un verre de gin sur sa table — *pas de Bols, m'sieu* — et de lui glisser dans la main le montant exact du ticket — service compris, mon vieux — avant de continuer à regarder la jeune fille s'approcher. Dans ce domaine, Nikon lui avait déjà laissé au ventre une blessure de la taille de celles que peut faire un coup de fusil chargé à chevrotines. C'était assez. Et puis, Corso n'était pas très sûr non plus d'avoir un profil meilleur que l'autre, ou d'en avoir jamais eu un. D'ailleurs, il n'en avait strictement rien à foutre.

Il ôta ses lunettes pour les essuyer avec son mouchoir. Son geste transforma la rue en une succession de contours flous, de silhouettes aux visages imprécis. L'une d'elles continuait à se détacher des autres et, à mesure qu'elle s'approchait, se précisait de plus en plus mais sans jamais devenir tout à fait nette : cheveux courts, longues jambes, tennis blanches acquirent finalement leurs contours propres au prix d'un effort de mise au point pénible et imparfait quand elle arriva devant lui et qu'elle s'assit sur la chaise libre.

— J'ai vu le magasin. Il est à quelques rues d'ici.

Il remit ses lunettes et la regarda, sans répondre. Ils avaient fait ensemble le voyage depuis Lisbonne. Le vieux Dumas aurait utilisé l'expression *ventre à terre* pour décrire la façon dont ils avaient quitté Sintra, en route pour l'aéroport. De là, vingt minutes avant le départ de l'avion, Corso avait téléphoné à Amílcar Pinto pour lui faire part du point final des tourments bibliographiques de Victor Fargas et lui annoncer l'annulation du plan prévu. Quant à l'avance déjà versée, Pinto pouvait la garder, pour sa peine. Malgré sa surprise — le coup de téléphone l'avait tiré du lit —, le Portugais avait assez bien réagi, dans le genre : je ne sais pas à quoi tu joues, Corso, mais toi et moi, nous ne nous sommes jamais vus hier soir à Sintra ;

ni hier, ni jamais. Malgré tout, il promit de faire une enquête discrète sur la mort de Victor Fargas. Quand la nouvelle serait officielle, bien entendu ; pour le moment, il ne savait absolument rien et n'avait absolument aucune envie de rien savoir. Pour l'autopsie du bibliophile, Corso pouvait déjà prier pour que les légistes concluent au suicide. Quant au paroissien balafré, il allait à tout hasard glisser son signalement aux services compétents. Ils allaient rester en contact par téléphone et Pinto lui recommandait instamment de ne pas visiter le Portugal avant bien, bien longtemps. Ah, une dernière chose encore, ajouta Pinto alors que les haut-parleurs annonçaient le départ du vol à destination de Paris. La prochaine fois, avant de compromettre un ami dans des histoires d'homicides éventuels, Corso pouvait bien s'adresser à sa putain de mère. Le téléphone était en train d'avaler le dernier escudo et le chasseur de livres s'empressa de protester de son innocence. Évidemment, répliqua le policier. C'est ce qu'ils disent tous.

La jeune fille attendait dans la salle des départs. À la surprise de Corso, qui ce matin-là semblait plus qu'un peu dépassé par les tours et détours que prenait la situation, elle s'était efficacement occupée de faire le nécessaire pour que tous les deux puissent prendre place à bord de l'avion. « Je viens de faire un héritage », fut sa réponse quand, la voyant payer un autre billet sur le même vol, Corso fit quelques réflexions amères sur le manque de ressources pécuniaires qu'il lui avait prêté jusque-là. Ensuite, pendant les deux heures du trajet Lisbonne-Paris, elle refusa de répondre à toutes les questions qu'il fut capable de formuler. Chaque chose en son temps, se contentait-elle de dire, en jetant un regard furtif à Corso, presque à la dérobée, avant de se replonger dans la contemplation des nuages que l'avion laissait derrière lui, sous la traînée de condensation qui se détachait des ailes. Puis elle s'était endormie, ou avait fait semblant de s'endormir, la tête posée sur son épaule. Au rythme de sa respiration, Corso comprit qu'elle était toujours éveillée ; ce sommeil feint n'était qu'un expédient pour éluder les questions auxquelles elle ne voulait ou ne pouvait répondre.

À sa place, un autre aurait fait tomber son masque avec toute la brutalité nécessaire. Mais il était un loup patient, bien dressé, avec des réflexes et un instinct de chasseur. Après tout, la jeune fille était son seul lien avec la réalité, perdu comme il l'était dans un imbroglio invraisemblable, injustifiable, irréel. De plus, à ce stade du scénario, il était complètement entré dans le rôle du lecteur qualifié et protagoniste que quelqu'un, celui qui nouait les fils de l'autre côté de la tapisserie, derrière la trame, paraissait lui proposer avec un clin d'œil qui — ceci n'était pas clair — pouvait être aussi bien méprisant que complice.

— Quelqu'un me fait marcher, avait dit Corso à haute voix, à neuf mille mètres d'altitude au-dessus du golfe de Gascogne.

Puis il avait regardé en coin la jeune fille, attendant une réaction ou une réponse, mais elle était restée immobile, sa respiration parfaitement égale, vraiment endormie, à moins qu'elle n'eût pas entendu son voisin. Fâché de son silence, il retira son épaule ; la tête de la jeune fille ballotta un instant dans le vide. Puis sa voisine soupira et se chercha un autre appui, le hublot cette fois.

— Naturellement qu'on te fait marcher, dit-elle enfin, à moitié endormie et dédaigneuse, les yeux toujours fermés. Le dernier des imbéciles s'en rendrait compte.

— Qu'est-ce qui est arrivé à Fargas ?

Elle ne répondit pas tout de suite. Du coin de l'œil, il vit qu'elle battait des paupières, son regard perdu sur le dossier du siège qui se trouvait devant elle.

— Tu l'as vu, dit-elle au bout d'un moment. Il s'est noyé.

— Qui a fait le coup ?

Elle secoua lentement la tête, puis regarda finalement par le hublot. Sa main gauche, fine et brune, aux ongles courts et sans vernis, caressait doucement l'accoudoir de son fauteuil. Son geste s'arrêta finalement, comme si ses doigts avaient touché un objet invisible.

— Ça n'a pas d'importance.

Corso fit une curieuse grimace ; on aurait dit qu'il allait rire, mais ce ne fut pas le cas. Il se contenta de montrer un croc.

— Oh si, ça m'importe beaucoup.

La jeune fille haussa les épaules. Ils ne s'intéressaient pas aux mêmes choses, semblait-elle dire. Ou du moins, pas dans le même ordre.

Corso insista :

— Quel est ton rôle dans cette histoire ?

— Je te l'ai déjà dit. Te protéger.

Elle s'était tournée vers lui et le regardait avec autant de fermeté qu'elle avait été évasive un moment plus tôt. Elle avait recommencé à caresser l'accoudoir, comme pour franchir la distance qui la séparait de Corso. Non, elle était trop proche, et le chasseur de livres recula instinctivement, gêné, un peu déconcerté. Dans le creux de son estomac, sur la trace de Nikon, d'obscures sensations oubliées se réveillaient, inquiètes. La douleur revenait doucement avec cette impression de vide lancinant, tandis que les yeux de la jeune fille, muets et sans souvenirs, reflétaient les vieux fantômes que le chasseur de livres sentait affleurer sous sa peau.

— Qui t'a envoyée ?

Les paupières s'abattirent sur les iris liquides, comme si l'on venait de tourner une page sur eux. Il n'y avait plus rien dans ces yeux ; seulement le vide. La jeune fille fronçait le nez, irritée.

— Tu m'ennuies, Corso.

Elle se retourna vers le hublot pour regarder le paysage. La grande tache bleue semée de minuscules fils blancs paraissait se briser au loin contre une ligne jaune et ocre. Terre ! La France. Prochain arrêt, Paris. Ou prochain chapitre, à suivre dans le prochain numéro. La fin épée au poing, mystère compris ; dénouement de feuilleton romantique. Il pensa à la Quinta da Soledade : l'eau de la fontaine, le bassin, le corps de Fargas parmi les plantes aquatiques et les feuilles mortes. Ce souvenir lui fit monter une bouffée de chaleur à la tête et il s'agita dans son fauteuil, mal à l'aise. Il se sentait, non sans raison, comme un homme en fuite. Absurde, de toute façon ; et plutôt que fuir de son propre gré, on l'obligeait à le faire.

Il regarda la jeune fille avant d'essayer de s'observer lui-même avec le sang-froid nécessaire. Peut-être ne fuyait-il pas tant un lieu qu'il courait *vers* un autre. Peut-être fuyait-il un mystère caché dans ses propres bagages. *Le Vin d'Anjou*. *Les Neuf Portes*. Irene Adler. Un sourire stupide et professionnel sur les lèvres, l'hôtesse de l'air dit quelque chose en passant à côté de lui. Corso la regarda sans la voir, plongé dans ses méditations. Comme il aurait voulu savoir si la fin de cette histoire était écrite quelque part, ou si c'était lui qui rédigeait au fur et à mesure, chapitre après chapitre.

De toute la journée, il n'échangea plus une seule parole avec la jeune fille. À leur arrivée à Orly, il avait fait comme s'il ne la connaissait pas, mais il l'avait entendue marcher derrière lui dans les couloirs de l'aéroport. Au contrôle de police, après avoir montré sa carte d'identité, il avait eu l'idée de se retourner un peu pour voir quelle pièce d'identité elle allait présenter ; mais il en avait été pour sa peine. Il n'avait pu distinguer qu'un passeport revêtu de peau noire, sans marques extérieures ; européen sans doute, puisqu'elle était passée elle aussi par un guichet réservé aux citoyens de la CEE. Dehors, quand Corso était monté dans un taxi et avait donné l'adresse habituelle du Louvre Concorde, la jeune fille s'était glissée sur la banquette à côté de lui. Ils s'étaient rendus en silence jusqu'à l'hôtel et elle était descendue avant lui de la voiture, le laissant payer la course. Le chauffeur n'avait pas de monnaie, ce qui avait retardé Corso. Quand il avait enfin pu se présenter à la réception, elle avait déjà pris une chambre et s'éloignait, précédée d'un chasseur qui portait son sac à dos. Elle lui avait fait un signe de la main avant de disparaître dans l'ascenseur.

— C'est un magasin très intéressant. *Librairie Replinger. Autographes et documents historiques*. Et c'est ouvert.

Elle avait fait un geste négatif au garçon de café et se penchait vers Corso, par-dessus la table, à la terrasse de la rue de Buci. La transparence liquide de ses yeux reproduisait, à la façon d'un miroir, les scènes de rue qui se reflétaient à leur tour sur la vitrine du café.

— Nous pourrions y aller maintenant.

Ils s'étaient retrouvés au petit déjeuner, alors que Corso lisait les journaux à côté d'une fenêtre donnant sur la place du Palais-Royal. Elle lui avait dit bonjour et s'était assise à la table pour dévorer avec appétit du pain grillé et des croissants. Puis, un cerne de café au lait sur la lèvre supérieure, comme une petite fille satisfaite, elle avait regardé Corso :

— Par où commence-t-on ?

Et ils étaient là, à deux coins de rue de la librairie d'Achille Replinger que la jeune fille était allée voir en éclaireur, tandis que Corso prenait son premier gin de la journée, pressentant déjà que ce ne serait pas le dernier.

— Nous pourrions y aller maintenant, répéta-t-elle.

Corso attendit encore un instant. Il avait rêvé de sa peau brune caressée par les ombres d'un soleil couchant, rêvé qu'il la conduisait par la main à travers une lande désolée au bout de laquelle se dressaient des colonnes de fumée, des volcans menaçant d'entrer en éruption. Parfois, ils croisaient un visage grave, un soldat vêtu d'une armure poussiéreuse qui les regardait silencieusement, distant et froid comme les revêches Troyens de l'Hadès. La lande s'obscurcissait à l'horizon, les colonnes de fumée s'épaississaient, et il y avait comme une mise en garde dans l'expression imperturbable, fantomatique, des guerriers morts. Corso aurait voulu s'échapper de cet endroit. Il tirait la jeune fille par la main pour ne pas la laisser derrière, mais l'air se faisait de plus en plus épais et chaud, irrespirable, obscur. La course s'était achevée en une chute interminable vers le sol, semblable à une agonie projetée au ralenti. L'obscurité brûlait comme un four. L'unique lien avec l'extérieur était la main de Corso, unie à la sienne dans l'effort qu'ils faisaient pour aller de l'avant. Et la dernière chose qu'il avait sentie, c'était la pression de cette main qui se relâchait tandis que la jeune fille se transformait en cendres. Et devant lui, dans les ténèbres qui enveloppaient la lande en flammes et sa conscience, des taches blanches, des traces fugaces semblables à des éclairs, dessinaient la silhouette sépulcrale d'un crâne nu. Ce n'était pas un souvenir agréable. Pour laver sa gorge des cendres et ses rétines de l'horreur qu'elles avaient vue, Corso vida son verre de gin et regarda la jeune fille. Elle patientait, tranquille, collaboratrice disciplinée qui attendait ses instructions. Incroyablement sereine, jouant avec un naturel parfait son étrange rôle dans le récit. Il y avait même dans son expression comme une loyauté déconcertante, inexplicable.

Quand Corso se leva en mettant son sac de toile à l'épaule, elle l'imita. Ils descendirent sans se presser jusqu'à la Seine. La jeune fille marchait du côté intérieur du trottoir et elle s'arrêtait de temps en temps devant les vitrines pour lui montrer un tableau, une gravure ou un livre. Elle regardait tout avec des yeux grands ouverts, avec une curiosité intense et un soupçon de nostalgie aux commissures de ses lèvres qui souriaient pensivement. Elle semblait chercher des traces d'elle-même dans les objets anciens ; comme si, en quelque lieu de sa mémoire, le passé convergeait avec celui de ces rares survivants charriés jusqu'ici par le courant, après chaque naufrage inexorable de l'Histoire.

Il y avait deux librairies l'une en face de l'autre, de chaque
côté de la rue. Celle d'Achille Replinger était très ancienne, avec
une devanture de bois verni et une élégante vitrine sous
l'enseigne : *Livres anciens, autographes et documents historiques.* Corso dit à la jeune fille de l'attendre dehors et elle obéit
sans protester. Tandis qu'il s'avançait vers la porte, il regarda la
vitrine et aperçut son reflet, sur la glace, par-dessus son épaule,
debout sur le trottoir d'en face, qui l'observait.

Une clochette sonna quand il poussa la porte. Corso vit
devant lui une table de chêne, des livres anciens sur des rayons,
des cartons remplis de gravures et une douzaine de vieux
classeurs en bois. Chaque tiroir était identifié par une lettre
soigneusement calligraphiée sur une fiche glissée dans une
fenêtre de laiton. Sur le mur, dans un cadre, un manuscrit
autographe avec une légende : *Fragments du* Tartuffe. *Molière.*
Et puis trois excellentes gravures : Dumas, entre Victor Hugo et
Flaubert.

Achille Replinger était debout à côté de la table. C'était un
homme corpulent et rougeaud ; une espèce de Porthos à la
grosse moustache grise, double menton retombant sur le col
d'une chemise où s'étalait une cravate de laine tricotée. Il
portait négligemment des vêtements coûteux : une veste
anglaise déformée par sa trop ample ceinture, des pantalons de
flanelle un peu tombants, plein de plis.

— Corso... Lucas Corso — il tenait la carte de présentation
de Boris Balkan entre ses doigts gros et forts en fronçant les
sourcils. Oui, je me souviens de votre coup de téléphone de
l'autre jour. Quelque chose à propos de Dumas.

Corso posa son sac sur la table et en sortit la chemise qui
renfermait les quinze pages manuscrites du *Vin d'Anjou*. Le
libraire les étala devant lui en haussant un sourcil.

— Curieux, dit-il à voix basse. Très curieux.

Le libraire soufflait et crachait en parlant, comme un asthmatique. Il sortit de la poche de sa veste des lunettes à double
foyer qu'il mit après avoir jeté un bref coup d'œil à son visiteur.
Puis il se pencha sur les pages manuscrites. Lorsqu'il releva la
tête, il souriait, ravi.

— Extraordinaire ! Je vous l'achète tout de suite.

— Il n'est pas à vendre.

Le libraire parut surpris. Il fit une moue, comme s'il allait
pleurer.

— J'avais cru comprendre...

— Il s'agit seulement d'une expertise. Et votre prix sera le mien, naturellement.

Achille Replinger secoua la tête ; l'argent n'avait pas d'importance. Il semblait désarçonné et il s'arrêta plusieurs fois pour l'observer avec méfiance par-dessus ses lunettes. Puis il se repencha sur le manuscrit.

— Dommage, dit-il enfin en lançant à Corso un coup d'œil curieux ; il semblait se demander comment ce document avait pu tomber entre ses mains. Comment l'avez-vous trouvé ?

— Un héritage. Une vieille tante. Vous l'aviez déjà vu ?

Encore méfiant, le libraire regarda derrière Corso, à travers la vitrine, comme si un passant dans la rue avait pu lui indiquer la raison de cette visite. Ou peut-être cherchait-il une réponse. Finalement, il tiralla sa moustache, à croire qu'elle était postiche et qu'il voulait s'assurer qu'elle tenait bien, puis sourit d'un air évasif.

— Ici, dans le quartier Latin, personne ne sait quand il a vu quelque chose et quand il ne l'a pas vu... Le quartier a toujours été favorable aux vendeurs de livres et de gravures... Les gens viennent acheter et vendre, et tout finit par passer plusieurs fois par les mêmes mains... — il fit une pause pour reprendre son souffle : trois inspirations courtes avant de lancer à Corso un coup d'œil inquiet. Je crois que non, conclut-il. Je pense que je n'ai jamais vu cet original — il regarda de nouveau dans la rue ; le sang montait à son visage rougeaud. Je m'en souviendrais certainement.

— Je dois comprendre que le document est authentique ? demanda Corso.

— Eh bien... En réalité, oui — le libraire soufflait en caressant les feuillets bleus du bout des doigts, comme s'il s'empêchait de les toucher. Puis il finit par en prendre un entre le pouce et l'index. Écriture mi-ronde, grosseur moyenne, sans interlignes ni ratures... À peine quelques signes de ponctuation, majuscules inattendues. Il ne fait aucun doute qu'il s'agit de Dumas en pleine maturité, vers le milieu de sa vie, quand il écrivait *Les Mousquetaires*... — il s'était animé peu à peu, puis il se tut soudain en levant un doigt en l'air et Corso le vit sourire sous sa moustache ; il semblait avoir pris une décision. Un instant je vous prie.

Il s'avança vers un classeur qui portait la lettre *D* et en sortit plusieurs chemises de carton bistre.

— Tous d'Alexandre Dumas père. L'écriture est identique.

Il y avait là une douzaine de documents, certains sans signature, d'autres signés des initiales *A.D.* ; d'autres encore portaient une signature complète. Pour l'essentiel, il s'agissait de mots adressés à des éditeurs, de lettres à des amis, d'invitations.

— Voici un de ses autographes américains..., expliqua Achille Replinger. Lincoln lui en avait demandé un et Dumas lui envoya dix dollars et cent autographes, vendus à Pittsburgh au bénéfice d'œuvres de bienfaisance... — il montrait les documents à Corso avec une fierté professionnelle contenue mais évidente. Et celui-ci : une invitation à dîner à Montecristo, la résidence qu'il s'était fait construire à Port-Marly. Parfois il n'utilisait que ses initiales, parfois il préférait un pseudonyme... Mais tous les autographes qui circulent ne sont pas authentiques. Un certain Viellot du magazine *Le Mousquetaire*, dont Dumas était propriétaire, était capable d'imiter son écriture et son paraphe. Et dans les trois dernières années de sa vie, les mains de Dumas tremblaient trop ; il devait dicter ses textes.

— Pourquoi du papier bleu ?

— Il le recevait de Lille, fabriqué spécialement pour lui par un admirateur... Presque toujours de cette couleur, surtout pour les romans. Parfois rose pour les articles, jaune pour la poésie... Il écrivait aussi avec des plumes différentes, selon le genre. Et il ne supportait pas l'encre bleue.

Corso montra les quatre feuillets blancs du manuscrit ; ceux où il y avait des annotations et des ratures.

— Et ces pages ?

Replinger fronça les sourcils.

— Maquet. Son collaborateur Auguste Maquet. Ce sont des corrections apportées par Dumas à la rédaction originale — il lissa sa moustache avec un doigt avant de se pencher pour lire à haute voix, avec une expression théâtrale : « *Affreux ! affreux ! murmurait Athos, tandis que Porthos brisait les bouteilles et qu'Aramis donnait des ordres un peu tardifs pour qu'on allât chercher un confesseur...* » Dans un soupir, le libraire laissa la phrase en suspens et hocha la tête, satisfait, avant de lui montrer le feuillet. Regardez bien. Maquet s'était contenté d'écrire : « *Et il expira devant les amis atterrés de d'Artagnan.* » Dumas a biffé cette ligne et a rajouté les autres au-dessus pour développer le passage en étoffant le dialogue.

— Que pouvez-vous me dire de Maquet ?

L'autre haussa ses épaules massives, indécis.

— Pas grand-chose — de nouveau, sa voix était évasive. Il avait dix ans de moins que Dumas et il lui avait été recommandé par un ami commun, Gérard de Nerval. Maquet écrivait des romans historiques, sans succès. Il lui a montré un manuscrit, *Le Bon de Buvat, ou la conspiration de Cellamare*, que Dumas a adapté pour en faire *Le Chevalier d'Harmental* publié sous son nom. En échange, Maquet a touché 1 200 francs.

— Pourriez-vous établir la date à laquelle a été rédigé *Le Vin d'Anjou*, d'après les particularités de l'écriture ?

— Bien sûr. Le manuscrit coïncide avec d'autres documents de 1844, l'année des *Trois Mousquetaires*... Les feuilles blanches et bleues correspondent à la manière de travailler des deux hommes. Dumas et son collaborateur écrivaient à toute vitesse. Ils ont emprunté au *d'Artagnan* de Courtilz les noms de leurs héros, le voyage à Paris, l'intrigue avec Milady et le personnage de la femme d'un procureur à laquelle Dumas donne les traits de sa maîtresse Belle Krebsamer pour incarner Mme Bonacieux... Des *Mémoires* de la Porte, homme de confiance d'Anne d'Autriche, est sorti le rapt de Constance. Et de la Rochefoucauld et d'un livre de Roederer, *Intrigues politiques et galantes de la cour de France*, ils ont tiré la fameuse histoire des ferrets de diamants... À cette époque, les deux hommes n'écrivaient pas seulement *Les Mousquetaires*, mais *La Reine Margot* et *Le Chevalier de Maison-Rouge*.

Replinger s'arrêta de nouveau pour souffler. Il s'échauffait en parlant et son visage devenait cramoisi. Il avait terminé sa phrase avec une certaine précipitation, en bafouillant un peu. D'une part, il avait peur d'ennuyer son interlocuteur, mais de l'autre, il avait à cœur de lui communiquer tous les renseignements dont il disposait.

— On raconte une anecdote amusante à propos du *Chevalier de Maison-Rouge*, reprit-il après avoir soufflé un peu. Alors qu'on annonçait le feuilleton sous son titre original, *Le Chevalier de Rougeville*, Dumas reçut une lettre de protestation signée d'un marquis du même nom. Ce qui l'amena à changer de titre. Peu de temps après, il recevait pourtant une nouvelle lettre. « *Mon cher monsieur*, disait l'aristocrate, *donnez à votre roman le titre qu'il vous plaira. Je suis le dernier scion de ma famille et, dans une heure, je vais me donner la mort d'un coup de pistolet* »... De fait, le marquis de Rougeville s'est suicidé, pour une affaire de jupons.

Le libraire ouvrit la bouche, à bout de souffle, violacé, réduit à l'impuissance, il souriait comme pour s'excuser. Une de ses fortes mains s'appuyait sur la table, à côté des feuillets bleus. Comme un géant épuisé, se dit Corso. Porthos dans la grotte de Locmaria.

— Boris Balkan ne vous a pas fait justice ; vous êtes un véritable spécialiste de Dumas. Je ne m'étonne pas que vous soyez amis.

— Nous nous respectons. Mais je ne fais que mon travail — Replinger pencha la tête, un peu gêné. Je suis un Alsacien consciencieux qui s'occupe de documents et de livres annotés, de dédicaces autographes. Toujours des auteurs du XIXe siècle français... Je serais incapable d'évaluer ce qui passe entre mes mains si je ne savais pas très bien par qui le document a été écrit, ou dans quelles circonstances. Vous me suivez ?

— Parfaitement, répondit Corso. C'est la différence entre un professionnel et un vulgaire chiffonnier.

Replinger lui lança un regard reconnaissant.

— Vous êtes du métier. Je l'ai vu du premier coup d'œil.

— Oui, répondit Corso avec une grimace. Du métier le plus vieux du monde.

Le libraire partit d'un grand rire qui s'étouffa dans une nouvelle quinte asthmatique. Corso profita de cette pause pour orienter la conversation sur l'affaire Maquet :

— Expliquez-moi comment Dumas et Maquet travaillaient.

— Leur technique était assez complexe — Replinger montrait la table et les chaises, comme si la scène s'y fut déroulée. Dumas définissait dans ses grandes lignes le plan de chaque œuvre et en parlait avec son collaborateur qui réunissait la documentation et rédigeait une ébauche, ou une première version : les feuilles blanches. Puis Dumas réécrivait sur les feuillets bleus... Il travaillait en bras de chemise, le matin ou la nuit ; presque jamais l'après-midi. Il ne buvait ni café ni alcool ; seulement de l'eau de Seltz. Et il ne fumait presque pas. Il remplissait des pages et des pages, poussé par ses éditeurs qui lui en réclamaient toujours davantage. Maquet lui envoyait son texte brut par la poste et Dumas s'impatientait de ses retards —

le libraire sortit un feuillet de la chemise et le posa sur la table, devant Corso. En voici la preuve : une des notes échangées entre les deux hommes pendant la rédaction d'une de leurs innombrables œuvres communes. Comme vous voyez, Dumas se plaint un peu : « *Piochez, car je suis sans besogne depuis deux heures.* » Et le même refrain, un autre jour : « *Piochez, piochez, piochez.* » — le libraire s'arrêta pour regarnir ses poumons, puis il montra *Le Vin d'Anjou*. Il ne fait aucun doute que ces quatre feuilles blanches avec l'écriture de Maquet et les annotations de Dumas ont été reçues par ce dernier très peu de temps avant que *Le Siècle* ne boucle son édition, et Dumas a dû se contenter de réécrire quelques pages et d'apporter à toute vitesse des corrections de sa main sur les autres pages de l'original.

Il remettait les papiers dans leurs chemises pour les ranger dans le classeur *D*. Corso eut le temps de jeter un dernier coup d'œil au billet dans lequel Dumas réclamait de la copie à son collaborateur. En plus de l'écriture, identique en tous points, le papier était le même — bleu, finement quadrillé — que celui qu'il avait utilisé pour le manuscrit du *Vin d'Anjou*. Une feuille coupée en deux ; le bas était plus irrégulier que les trois autres côtés. Peut-être toutes ces feuilles s'étaient-elles trouvées ensemble sur la table du romancier, dans la même rame.

— Qui a véritablement écrit *Les Trois Mousquetaires* ?

Replinger, occupé à refermer le classeur, tarda à répondre :

— Je ne peux pas vous le dire ; posée en ces termes, la question est trop tranchée. Maquet était un homme de ressources, il connaissait l'Histoire, il lisait beaucoup... Mais il n'avait pas le génie du maître.

— Je crois savoir qu'ils ont fini par se brouiller.

— Oui. Et c'est dommage. Vous savez qu'ils sont allés ensemble en Espagne pour le mariage d'Isabelle II ?... Dumas a même publié un feuilleton, *De Madrid à Cadix*, sous forme de lettres... Quant à Maquet, il s'est adressé plus tard aux tribunaux pour qu'on le déclare auteur de dix-huit des romans de Dumas, mais les magistrats ont statué que son travail n'avait été que préparatoire... Aujourd'hui, on le considère comme un écrivain médiocre qui a profité de la célébrité de l'autre pour gagner de l'argent. Mais d'aucuns le voient comme une victime exploitée : le nègre du géant...

— Et vous ?

Replinger regarda furtivement le portrait de Dumas accroché au-dessus de la porte.

— Je vous ai déjà dit que je n'étais pas un spécialiste comme mon ami, M. Balkan... Seulement un commerçant ; un libraire — il parut réfléchir, peser le degré de compromission entre sa profession et ses goûts personnels. Mais j'appellerai votre attention sur un fait : de 1870 à 1894, on a vendu en France trois millions de volumes et huit millions de feuilletons publiés en livraisons, tous avec le nom d'Alexandre Dumas sur la couverture. Des romans écrits avant, durant et après sa collaboration avec Maquet. Je suppose qu'on peut en tirer des conclusions.

— En tout cas, que Dumas a connu la célébrité de son vivant.

— Sans aucun doute. Pendant un demi-siècle, l'Europe ne jurait que par lui. Les deux Amériques envoyaient des bateaux dans le seul but de ramener ses livres qu'on lisait aussi bien au Caire, à Moscou, à Istanbul qu'à Chandernagor... Dumas a porté à son comble le goût de la vie, du plaisir et de la popularité. Il a vécu en jouisseur, il est monté sur les barricades, il s'est battu en duel, il a été traîné devant les tribunaux, il a affrété des bateaux, il a payé des pensions de sa poche, il a aimé, il a mangé, il a dansé, il a gagné dix millions et en a dilapidé vingt, et il est mort sereinement, comme un enfant endormi... — Replinger montrait les corrections apportées sur les feuillets blancs de Maquet. On peut appeler cela de bien des façons : le talent, le génie... Mais quoi qu'il en soit, ce quelque chose ne s'improvise pas et ne peut pas non plus se voler à d'autres — il se frappa la poitrine, à la manière de Porthos. Tout est là. Aucun autre écrivain n'a connu une telle gloire de son vivant. Parti de rien, Dumas a tout eu ; comme s'il avait conclu un pacte avec Dieu.

— Oui, fit Corso. Ou avec le diable.

Il traversa la rue jusqu'à la librairie d'en face. À la porte, protégées par une bâche, des piles de livres s'entassaient sur des tréteaux. La jeune fille était toujours là, fouillant parmi les livres et les lots d'estampes et de vieilles cartes postales. Elle était à contre-jour et le soleil dorait ses cheveux sur sa nuque et ses tempes. Elle ne s'interrompit pas dans son travail lorsqu'il la rejoignit.

— Laquelle choisirais-tu ? demanda-t-elle.

Elle hésitait entre une carte postale sépia représentant Tristan et Iseult enlacés, et une reproduction du *Collectionneur d'estampes* de Daumier. Elle les tenait dans ses mains, indécise.

— Prends donc les deux, proposa Corso qui vit du coin de l'œil qu'un passant s'arrêtait devant l'étalage et tendait la main vers une grosse liasse de cartes postales attachée par un élastique.

Avec un réflexe de chasseur, il lança son bras en avant pour pratiquement lui arracher le paquet d'entre les doigts. Puis il se mit à examiner son butin, tandis que l'autre s'éloignait en grommelant, et il tomba sur quelques gravures napoléoniennes ; Marie-Louise impératrice, la famille Bonaparte, la mort de l'Empereur et la dernière victoire : un lancier polonais et deux hussards à cheval devant la cathédrale de Reims, durant la campagne de France de 1814, brandissant des drapeaux arrachés à l'ennemi. Après un instant d'hésitation, il ajouta à son choix le maréchal Ney en grand uniforme et un Wellington déjà vieux, posant pour l'histoire. Une veine de cocu, le vieux singe.

La jeune fille choisit encore quelques cartes. Ses longues mains brunes se déplaçaient avec assurance parmi les images défraîchies : portraits de Robespierre et de Saint-Just, une élégante gravure de Richelieu en habit de cardinal, avec au cou le cordon de l'Ordre du Saint-Esprit.

— Tout à fait de circonstance, dit Corso, ironique.

Elle ne répondit pas. Elle s'avançait vers une pile de livres et le soleil glissait sur ses épaules, enveloppant Corso d'un brouillard doré. Il ferma à demi les yeux. Quand il les rouvrit, la jeune fille lui montrait un gros volume in-quarto qu'elle avait mis de côté.

— Qu'est-ce que tu en penses ?

Il y jeta un coup d'œil : *Les Trois Mousquetaires*, avec les illustrations originales de Leloir, relié toile et peau, bon état. Quand il leva les yeux vers elle, il vit qu'elle lui souriait en coin, le regard fixé sur lui, attendant sa réponse.

— Jolie édition, se contenta-t-il de dire. Tu as l'intention de lire ça ?

— Naturellement. Essaye de ne pas me raconter la fin.

Corso rit tout bas, à contrecœur.

— J'aimerais bien, dit-il en remettant en ordre les paquets de cartes postales... Pouvoir te raconter la fin.

— J'ai un cadeau pour toi, dit la jeune fille.

Ils se promenaient sur la rive gauche, devant les boîtes des bouquinistes, parmi les gravures suspendues dans leurs enveloppes de plastique et de cellophane, les livres alignés sur le parapet du quai. Un bateau-mouche remontait lentement le fleuve, sur le point de couler sous le poids d'environ cinq mille Japonais, selon les calculs de Corso, et d'autant de caméras vidéo Sony. De l'autre côté de la rue, derrière la glace de leurs élégantes vitrines constellées de vignettes Visa et American Express, des antiquaires guindés guettaient discrètement l'horizon, dans l'attente d'un Koweitien, d'un trafiquant russe ou d'un ministre de Guinée équatoriale à qui fourguer le bidet — porcelaine peinte, Sèvres — d'Eugénie Grandet. En prononçant naturellement tous les *O* avec un impeccable accent circonflexe.

— Je n'aime pas les cadeaux, grogna Corso. J'ai entendu parler de types qui ont accepté un jour un certain cheval de bois. Artisanat achillien, disait l'étiquette. Bande de crétins.

— Il n'y a pas eu de dissidents ?

— Un seul, avec ses enfants. Mais des animaux marins ont débarqué pour les transformer en un stupéfiant groupe sculptural. Hellénistique, si je me souviens bien. École de Rhodes. À cette époque, les dieux étaient trop partiaux.

— Ils l'ont toujours été — la jeune fille regardait les eaux sales du fleuve, comme si elles charriaient avec elles des souvenirs ; Corso la vit sourire, pensive et absente. Je n'ai jamais connu de dieu impartial. Ni de diable — elle se retourna vers lui tout à coup ; ses pensées semblaient s'être envolées avec le courant. Tu crois au diable, Corso ?

Il la regarda avec attention, mais le fleuve avait également emporté les images qui peuplaient ses yeux quelques secondes plus tôt. Il n'y avait plus là que du vert liquide et de la lumière.

— Je crois à la stupidité et à l'ignorance — il sourit à la jeune fille d'un air fatigué. Et je crois que le meilleur coup de poignard est celui qui se donne ici, tu vois ? — il montrait son bas-ventre. À la fémorale. Quand on vous embrasse.

— De quoi as-tu peur, Corso ? Qu'on t'embrasse ?... Que le ciel te tombe sur la tête ?

— J'ai peur des chevaux de bois, du gin bon marché et des jolies filles. Surtout quand elles font des cadeaux. Et quand elles utilisent le nom de la femme qui a eu raison de Sherlock Holmes.

Ils avaient continué à marcher et se trouvaient maintenant sur les planches du Pont des Arts. La jeune fille s'arrêta et s'appuya sur le garde-fou de fonte à côté d'un peintre de rue qui exposait de minuscules aquarelles.

— J'aime ce pont, dit-elle. Il n'y a pas de voitures. Seulement des couples d'amoureux, des petites vieilles en chapeau, des flâneurs. C'est un pont absolument dépourvu de sens pratique.

Corso ne répondit pas. Il regardait passer les péniches, leurs mâts couchés, entre les piles qui soutenaient la charpente de fer. À une autre époque, les pas de Nikon avaient fait résonner ce pont à côté des siens. Il se souvenait d'elle qui s'arrêtait elle aussi devant un vendeur d'aquarelles, peut-être le même, le nez pincé parce que le photomètre n'indiquait pas ce qu'elle voulait avec cette lumière oblique, trop forte, qui frappait l'eau et les tours de Notre-Dame. Ils avaient acheté du foie gras et une bouteille de bourgogne qui leur avaient servi de dîner dans leur chambre d'hôtel, au lit, à la lumière de l'écran du téléviseur où se déroulait devant un public nombreux un de ces débats verbeux qui plaisent tant en France. Plus tôt, sur le pont, Nikon avait fini par le photographier en cachette ; elle le lui avait avoué en mastiquant une tartine de foie gras, les lèvres humides de bourgogne, en lui caressant le côté avec son pied nu. Je sais que tu n'aimes pas ça, Lucas Corso, tu te fâches, toi de profil sur le pont en train de regarder les péniches qui passent, j'ai presque réussi à te faire beau cette fois-ci, fils de pute. Nikon était une juive aux grands yeux, ashkénaze, père matricule 77843 à Treblinka, sauvé par la cloche au tout dernier round ; et lorsque la télé montrait des soldats israéliens en train d'envahir quelque chose, juchés sur des tanks énormes, elle sautait du lit, toute nue, pour embrasser l'écran, les yeux mouillés de larmes, en susurrant « *Shalom, Shalom* » comme une caresse, de la même voix qu'elle prononçait le prénom de Corso jusqu'à ce qu'un jour elle cesse de le faire. Nikon. Il n'avait jamais réussi à voir cette photo où il était appuyé sur le garde-fou du Pont des Arts, en train de regarder les péniches passer sous les arches, de profil, presque beau cette fois-là, fils de pute.

Quand il leva les yeux, Nikon n'était plus là. Une autre jeune fille était à côté de lui. Grande, bronzée, des cheveux de garçon et des yeux couleur de raisins fraîchement lavés, presque transparents. Pendant une seconde, il battit des paupières, perdu, attendant que les choses reprennent leur place. Le présent traça une ligne nette comme un coup de bistouri, et Corso, de profil, en noir et blanc — Nikon travaillait toujours en noir et blanc — tomba en pirouettant dans le fleuve et s'en fut avec le courant, parmi les feuilles d'arbres et la merde que crachaient les péniches et les égouts. Et maintenant, la jeune fille qui n'était pas Nikon avait à la main un petit livre relié en peau. Et elle le lui offrait.

— J'espère qu'il te plaira.

Le Diable amoureux, de Jacques Cazotte, édition de 1878. Dès qu'il l'ouvrit, Corso reconnut les gravures de la première édition, reproduites en appendice : Alvare au milieu du cercle magique, devant le diable qui lui demande *Che vuoi ?*, Biondetta démêlant sa chevelure avec ses doigts, le joli page au clavier du clavecin... Il s'arrêta au hasard sur une page :

> *... L'homme fut un assemblage d'un peu de boue et d'eau. Pourquoi une femme ne serait-elle pas faite de rosée, de vapeurs terrestres et de rayons de lumière, des débris d'un arc-en-ciel condensés ? Où est le possible... ? Où est l'impossible ?*

Il ferma le livre et, quand il leva les yeux, son regard rencontra ceux de la jeune fille qui souriaient. En bas, sur l'eau, la lumière se réverbérait sur le sillage d'un bateau, projetant des taches lumineuses qui se déplaçaient sur sa peau comme le reflet des facettes d'un diamant.

— Débris d'un arc-en-ciel, cita Corso... Et que sais-tu de ces choses-là ?

La jeune fille passa une main dans ses cheveux et leva le visage vers le soleil en fermant à demi les paupières, éblouie. Tout était lumière en elle : le reflet du fleuve, la clarté du matin, les deux fentes vertes qui s'ouvraient sous ses paupières mates.

— Je sais ce qu'on m'a raconté, il y a bien longtemps... L'arc-en-ciel est le pont qui va de la terre au ciel. Il se brisera en mille morceaux à la fin du monde, lorsque le diable l'aura traversé à cheval.

— Pas mal. C'est ta grand-mère qui t'a raconté ça ?

Elle fit non de la tête en regardant de nouveau Corso, absente et grave.

— C'est Bileto qui m'a raconté cette histoire, un ami — en

prononçant ce nom, elle s'arrêta un instant pour froncer les sourcils, avec la tendresse d'une petite fille qui révèle un secret. Il aime les chevaux et le vin, et c'est le type le plus optimiste que je connaisse... Il espère encore retourner au ciel !

Ils arrivèrent à l'autre bout du pont. Corso avait l'étrange sensation d'être surveillé de loin par les gargouilles de Notre-Dame. Fausses, naturellement, comme tant de choses. Elles n'étaient pas là avec leurs grimaces infernales, leurs cornes et leurs barbes pensives de bouc quand les honnêtes maîtres-bâtisseurs burent un verre d'eau-de-vie et levèrent les yeux là-haut, suants mais contents. Ni quand Quasimodo grognait parmi les clochetons son amour malheureux pour la gitane Esmeralda. Mais après Charles Laughton, lié à elle par sa loyauté de celluloïde, ou Gina Lollobrigida — deuxième version, technicolor, aurait précisé Nikon, tournée sur le parvis, à l'ombre de l'église —, il aurait été difficile de voir ce lieu sans ses sinistres sentinelles néo-gothiques. Corso imagina la perspective, à vol d'oiseau : le Pont-Neuf et, plus loin, étroit et noir dans la clarté du matin, le Pont des Arts sur le ruban vert-de-gris du fleuve, avec deux minuscules silhouettes qui s'avançaient imperceptiblement vers la rive droite. Ponts et arcs-en-ciel avec de noires péniches de Charon qui naviguaient lentement, sous les piles et les arches de pierre. Le monde est rempli de rives et de fleuves qui coulent entre elles, d'hommes et de femmes qui traversent des ponts ou des gués sans se douter des conséquences de leur acte, sans regarder derrière ni sous leurs pieds, sans menue monnaie pour le nautonier.

Ils arrivèrent en face du Louvre et s'arrêtèrent au feu avant de traverser. Corso redressa son sac de toile sur son épaule tout en regardant distraitement à gauche puis à droite. Il y avait beaucoup de circulation. Par hasard, son regard s'arrêta sur une auto qui passait à ce moment-là. Et il eut un haut-le-corps qui le pétrifia comme les gargouilles de la cathédrale.

— Que se passe-t-il ? demanda la jeune fille quand le feu passa au vert sans que Corso avance d'un pouce... On dirait que tu as vu un fantôme !

De fait. Mais pas seulement un. Deux. Assis à l'arrière d'un taxi qui s'éloignait déjà, plongés dans une conversation animée, ils n'avaient pas aperçu Corso. La femme était blonde, très séduisante ; il l'avait reconnue tout de suite, malgré la voilette qui lui couvrait les yeux : Liana Taillefer. À côté d'elle, le bras autour de ses épaules, présentant son meilleur profil tandis qu'il caressait d'un doigt coquet sa barbe bouclée, Flavio La Ponte.

X

Le numéro Trois

On le soupçonnait de ne pas avoir de cœur.
(R. Sabatini, Scaramouche)

Corso était de ces personnes qui possèdent une rare vertu :
elles savent se faire sur-le-champ des alliés inconditionnels,
moyennant un pourboire ou un simple sourire. Nous avons
déjà vu qu'il y avait quelque chose en lui — sa maladresse à
moitié calculée, son éternelle moue, sympathique et lapi-
nesque, son air absent et désemparé, parfaitement trompeur du
reste — qui mettait les gens de son côté. Ce fut le cas de
certains d'entre nous, lorsque nous fîmes sa connaissance. Et
aussi celui de Grüber, concierge du Louvre Concorde que
Corso fréquentait depuis quinze ans. Grüber était un homme
sec et imperturbable, la nuque rasée, une expression permanente de joueur de poker sur les lèvres. Durant la retraite de
1944, alors qu'il était un volontaire croate de seize ans dans la
18e Panzergrenadierdivision *Horst Wessel*, une balle russe
l'avait touché à la colonne vertébrale, ce qui lui avait valu une
croix de fer de deuxième classe et trois vertèbres soudées pour
le restant de ses jours. C'était pour cette raison qu'il se déplaçait avec tant de raideur derrière le guichet de la réception,
comme si un corset d'acier lui soutenait le torse.

— J'ai besoin d'un service, Grüber.

— À vos ordres.

Il entendit presque des talons claquer lorsque le concierge
se mit au garde-à-vous. Son impeccable veste bordeaux, avec
des petites clés dorées brodées sur les revers, accentuait l'allure

militaire du vieil exilé, pour le plus grand plaisir des clients d'Europe centrale qui, après l'effondrement du communisme et la division des hordes slaves, débarquaient à Paris en regardant de travers les Champs-Élysées et en rêvant du Quatrième Reich.

— La Ponte, Flavio. Nationalité espagnole. Et puis aussi, Herrero, Liana ; mais elle a pu donner le nom de Taillefer ou De Taillefer... Je voudrais savoir s'ils sont descendus dans un hôtel à Paris.

Corso écrivit les noms sur une carte à laquelle il joignit cinq cents francs lorsqu'il la tendit à Grüber. Il avait pour constante habitude de donner des pourboires ou de suborner les gens avec une espèce de haussement d'épaules, comme pour dire à charge de revanche, qui transformait son geste en une forme d'échange amical, presque complice, où il était difficile de voir qui rendait service à qui. Grüber, lui qui devant les Espagnols d'Eurocolor Iberia, les Italiens aux infâmes cravates et les Américains avec leurs petits sacs de TWA et leurs casquettes de base-ball murmurait poliment *merci m'sieu* lorsqu'il recevait dix misérables francs, glissa le billet dans une poche sans un merci ni un battement de paupières, avec un élégant mouvement semi-circulaire de la main et cette gravité caractéristique de croupier impassible, réservée aux rares qui, à l'instar de Corso, connaissaient encore les règles du jeu. Pour Grüber qui avait appris son métier à une époque où un client savait comment hausser un sourcil pour qu'on s'occupe de lui, la chère et vieille Europe des hôtels internationaux commençait à se réduire à quelques rares initiés.

— Monsieur et Madame partagent une chambre ?

— Je ne sais pas — Corso esquissa une grimace ; il imaginait La Ponte sortant de la salle de bains dans un peignoir brodé et la veuve Taillefer allongée sur le couvre-lit, en chemise de nuit de soie. Mais ce détail m'intéresse également.

Grüber s'inclina à peine de quelques millimètres :

— Il me faudra quelques heures, monsieur Corso.

— Je sais — il regarda dans la direction du couloir qui conduisait de la réception au restaurant ; la jeune fille était là, son sac à dos sous le bras, les mains dans les poches de son jeans, en train de regarder une vitrine remplie de flacons de parfum et de mouchoirs de soie. Quant à elle...

Le concierge sortit une fiche de sous le comptoir.

— Irene Adler, lut-il. Passeport britannique délivré il y a deux mois. Dix-neuf ans. Domiciliée au 223b, Baker Street, Londres.

— Ne vous moquez pas de moi, Grüber.

— Je n'oserais jamais, monsieur Corso. C'est ce que dit le passeport.

Il y avait un soupçon de sourire, une très légère insinuation, à peine perceptible, dans la bouche du vieux *Waffen SS*. Corso ne l'avait vu sourire vraiment qu'une seule fois : le jour de la chute du mur de Berlin. Il regarda les cheveux blancs coupés en brosse, le cou rigide, les mains appuyées symétriquement sur le comptoir, les poignets exactement à la verticale du bord. La vieille Europe, ou ce qu'il en restait. Trop âgé pour se risquer à rentrer chez lui et constater que plus rien n'était comme avant ; ni le clocher de Zagreb, ni les paysannes blondes et accueillantes qui fleuraient bon le pain frais, ni les plaines verdoyantes et les rivières dont il avait vu les ponts sauter deux fois : dans sa jeunesse, quand il battait en retraite devant les partisans de Tito, puis à la télévision, en automne 1991, à la barbe des *tchetniks* serbes. Il l'imagina dans sa chambre en train d'enlever sa veste bordeaux, petites clés dorées sur les revers, comme s'il ôtait la vareuse de l'uniforme austro-hongrois, devant un portrait bouffé aux mites de l'empereur François-Joseph accroché au mur. Il mettait certainement sur son tourne-disque la marche de Radetzky, levait son verre de monténégrin de Vranac et se masturbait en regardant des vidéos de Sissi.

La jeune fille ne s'intéressait plus à la vitrine, mais observait Corso. 223b Baker Street, répéta-t-il mentalement, et il fut sur le point d'éclater de rire. Il n'aurait pas été le moindrement surpris si un groom était apparu à ce moment précis, porteur d'une invitation de Milady de Winter à prendre le thé au château d'If, ou dans le palais de Ruritanie avec Richelieu, le professeur Moriarty et Rupert de Hentzau. Puisqu'il s'agissait de littérature, rien n'aurait été plus naturel.

Il demanda un annuaire pour chercher le numéro de la baronne Ungern. Puis, ignorant le regard de la jeune fille, il s'enferma dans la cabine téléphonique du hall et prit rendez-vous pour le lendemain. Il composa ensuite un autre numéro, celui de Varo Borja, à Tolède, mais personne ne répondit.

On donnait un film muet à la télévision : Gregory Peck

entouré de phoques, une bagarre dans la salle de bal d'un hôtel, deux goélettes naviguant de conserve, toutes voiles dehors, l'eau qui bondit d'un bord à l'autre, cap au Nord, vers la vraie liberté qui ne commence qu'à dix milles de la côte la plus proche. De ce côté de l'écran du téléviseur, sur la table de nuit, une bouteille de Bols dont le niveau était descendu au-dessous de la ligne de flottaison montait la garde, comme un vieux grenadier alcoolique à la veille d'en découdre, entre *Les Neuf Portes* et la chemise du manuscrit Dumas.

Lucas Corso ôta ses lunettes pour frotter ses yeux rougis par la fumée de cigarette et le gin. Sur le lit, les fragments de l'exemplaire numéro Deux récupérés dans la cheminée de Victor Fargas étaient classés avec une minutie d'archéologue. Pas grand-chose : les plats de couverture, protégés par la peau de la reliure, avaient moins brûlé que le reste qui n'était pratiquement plus que marges roussies, avec quelques paragraphes à peine lisibles. Il prit un des fragments que les flammes avaient rendu jaune et cassant : ...*si non obig.nem me. ips.s fecere, f.r q. qe die, tib. do vitam m.m sicut t.m...* Il provenait de l'angle inférieur d'une feuille et, après l'avoir étudié quelques instants, il chercha la page correspondante dans l'exemplaire numéro Un. Il s'agissait de la page 89, et les deux paragraphes étaient identiques. Il fit de même avec tous les fragments qu'il put identifier et parvint à un résultat avec seize d'entre eux. Restaient encore vingt-deux fragments impossibles à localiser, trop petits ou trop abîmés, et onze autres qui provenaient de marges vierges, dont un seul, grâce à un sept tordu du troisième et unique chiffre lisible du numéro de page, pouvait s'identifier comme provenant de la page 107.

Le bout de sa cigarette lui brûlait les lèvres et Corso l'éteignit dans le cendrier. Puis il tendit la main pour s'emparer de la bouteille et boire au goulot une longue gorgée. Il était en bras de chemise, une antiquité de coton kaki avec de grandes poches, manches retroussées jusqu'au coude, la cravate en bataille. À la télévision, l'homme de Boston tenait par la taille une princesse russe à côté de la roue du timonier et tous deux remuaient les lèvres sans rien dire, heureux de s'aimer sous un ciel en technicolor. Le seul bruit que l'on entendait dans la chambre était la douce vibration des vitres de la fenêtre, ébranlées par les voitures qui fonçaient vers le Louvre deux étages plus bas.

Tout est bien qui finit bien. À une autre époque, Nikon avait aimé elle aussi ce genre de choses. Corso se souvenait qu'elle était capable de s'émouvoir comme une petite fille sentimentale devant un baiser sur fond de nuages et de violons, quand les mots *The End* apparaissaient sur les images. Parfois, assise dans un fauteuil de cinéma ou devant le téléviseur, la bouche pleine de petites galettes au fromage, elle s'appuyait sur l'épaule de Corso qui la sentait pleurer longtemps et doucement, en silence, sans quitter l'écran des yeux. Ce pouvait être Paul Henreid en train de chanter *La Marseillaise* dans le café de Rick ; Rutger Hauer qui baissait la tête, moribond, dans les derniers plans de *Blade Runner* ; John Wayne avec Maureen O'Hara devant la cheminée, à Innisfree ; Custer et Arthur Kennedy, la veille de Little Big Horn ; O'Toole-Jim, trompé par Brown le gentleman ; Henry Fonda en route pour O.K. Corral ; ou Mastroianni plongé jusqu'à la ceinture dans la piscine d'une station balnéaire pour récupérer un chapeau de femme, saluant à droite et à gauche, élégant, imperturbable et amoureux d'une certaine paire d'yeux noirs. Nikon était heureuse parmi les larmes que ces scènes lui faisaient pleurer, elle était fière de les verser. C'est sans doute parce que je suis vivante, disait-elle ensuite en riant, les yeux encore humides. Parce que je fais partie du reste du monde et qu'il me plaît qu'il en soit ainsi. Le cinéma est une affaire de masses : collectif, généreux, avec ces enfants qui applaudissent quand arrive le Septième Régiment de cavalerie. Et il s'améliore même à la télévision ; les films se regardent à deux, ils se commentent. Par contre, tes livres sont égoïstes. Solitaires. Quelques-uns ne peuvent même pas se lire, ils se cassent dès qu'on les ouvre. Celui qui s'intéresse seulement aux livres n'a besoin de personne, et ça me fait peur — Nikon avalait la dernière petite galette et elle le regardait, attentive, les lèvres entrouvertes, épiant sur son visage le symptôme d'une maladie qui ne tarderait pas à se manifester. Parfois, tu me fais peur.

Tout est bien qui finit bien. Corso posa le doigt sur la télécommande et l'image disparut de l'écran. À présent, il était à Paris et Nikon photographiait des enfants aux yeux tristes dans quelque pays d'Afrique, ou des Balkans. Un jour qu'il prenait un verre dans un bar, il avait cru l'entrevoir dans l'image confuse d'un journal télévisé : debout en plein bombardement, au milieu de réfugiés qui couraient, épouvantés, les cheveux coiffés en une tresse, ses appareils en bandoulière, un 35 mm collé sur le visage, sa silhouette se découpant en ombres chinoises sur un fond de fumée et de flammes. Nikon. De toutes les supercheries universelles qu'elle avait toujours acceptées sans questionner leur fondement, ce tout est bien qui finit bien était la plus absurde. Ils mangèrent des perdrix et s'aimèrent toujours, et l'on aurait pu croire que le résultat de l'équation était indiscutable, définitif. Pas question de s'interroger sur la durée de l'amour, le bonheur, dans un *toujours* fractionnable en vies, en années, en mois. Et même en jours. Jusqu'à la fin inévitable, leur fin à tous les deux, Nikon s'était refusée à accepter que le héros eût peut-être sombré avec son bateau deux semaines plus tard sur un écueil des Nouvelles-Hébrides. Ou que l'héroïne se soit fait renverser par une auto trois mois plus tard. Ou que tout se fût peut-être passé autrement, de mille façons distinctes : quelqu'un eut le premier amant, quelqu'un eut de la rancœur ou de la hâte, quelqu'un voulut revenir en arrière. Combien de nuits de larmes, de silences, de solitude, se succédèrent après ce baiser ? Quel cancer le tua avant sa quarantième année ? De quoi vécut-elle avant de mourir à l'hospice, à quatre-vingt-dix ans ? Quelle méprisable épave devint l'élégant officier, avec ses glorieuses blessures devenues d'horribles cicatrices et ses batailles oubliées qui n'intéressaient plus personne ? Quels drames vécurent-ils, déjà vieux, sans défense, sans forces pour se battre ou se protéger, ballottés par-ci par-là dans la tourmente du monde, la stupidité, la cruauté, la misérable condition humaine ?

Parfois, tu me fais peur, Lucas Corso.

À onze heures moins cinq du soir, il avait résolu le mystère de la cheminée de Victor Fargas, ce qui était cependant loin de faire toute la lumière. Il regarda sa montre et s'étira en bâillant. Puis, après un dernier coup d'œil aux fragments étalés sur le couvre-lit, il croisa son propre regard dans la glace, à côté de la vieille carte postale des hussards devant la cathédrale de Reims qu'il avait glissée sous le cadre de bois. Il se regarda, dépeigné, le menton déjà bleu par la barbe, les lunettes de travers sur son nez, et il se mit à rire tout bas. Un de ses rires de loup, un peu méchants et amers, qu'il réservait pour les occasions spéciales.

Car c'en était une. Tous les fragments des *Neuf Portes* qu'il avait réussi à identifier correspondaient à des pages de texte. Des neuf planches et du frontispice de la page de titre, il ne restait plus rien. Ce qui réduisait les possibilités à deux : que les gravures avaient brûlé dans la cheminée ou, plus probablement — à cause de la couverture arrachée —, que quelqu'un les avait emportées avant de jeter le reste au feu. Ce quelqu'un, qui qu'il fût, se croyait certainement très malin. Ou maligne. Mais après la vision inattendue de La Ponte et de Liana Taillefer au feu rouge, peut-être fallait-il s'habituer à la troisième personne du pluriel : très malins. La question était de savoir si les pistes que flairait Corso étaient des erreurs de l'adversaire, ou des pièges. Dans ce dernier cas, il s'agissait de pièges fort élaborés.

Justement, à propos de pièges... La jeune fille était dans le couloir quand Corso ouvrit la porte après avoir entendu frapper, cachant en un éclair l'exemplaire numéro Un et le manuscrit Dumas sous le couvre-lit, par prudence. Elle était nu-pieds, en jeans et chemisette blanche.

— Salut, Corso. J'espère que tu n'avais pas l'intention de sortir ce soir.

Elle restait dans le couloir, sur le pas de la porte, les pouces dans les poches de son pantalon serré à la taille et le long de ses jambes élancées. Elle fronçait les sourcils, s'attendant à de mauvaises nouvelles.

— Tu peux être tranquille, la rassura-t-il. Et elle sourit, soulagée.

— Je tombe de sommeil.

Corso lui tourna le dos et se dirigea vers la table de nuit où se trouvait la bouteille, déjà vide ; il se mit alors à fouiller dans le mini-bar et se releva, triomphant, une petite bouteille de gin à la main. Il la vida dans un verre et humecta ses lèvres. La jeune fille était toujours à la porte.

— Ils ont emporté les gravures. Les neuf — Corso lui montrait les fragments de l'exemplaire numéro Deux de la main qui tenait le verre. Et ils ont brûlé le reste pour qu'on ne s'en rende pas compte ; c'est pour ça que tout n'a pas brûlé. Ils ont fait bien attention à laisser des fragments intacts... Pour qu'on puisse conclure que le livre était officiellement détruit.

Elle pencha la tête de côté en le regardant fixement.

— Tu n'es pas bête.

— Évidemment que je ne suis pas bête. C'est bien pour ça qu'on m'a mêlé à cette histoire.

La jeune fille fit quelques pas dans la chambre. Corso regardait ses pieds nus sur la moquette, à côté du lit. Elle observait attentivement les fragments de papier roussi.

— Ce n'est pas Fargas qui a brûlé le livre, ajouta-t-il. Il en aurait été incapable... Qu'est-ce qu'on lui a fait ? Un suicide, comme pour Enrique Taillefer ?

Elle ne répondit pas tout de suite. Elle avait pris un bout de papier et examinait les mots imprimés.

— Réponds à tes propres questions, dit-elle sans le regarder. C'est pour ça qu'ils t'ont mêlé à cette affaire.

— Et toi ?

Elle lisait en silence, en remuant les lèvres comme si le texte lui était familier. Quand elle reposa le fragment sur le couvre-lit, elle esquissa un sourire en coin, songeur et nostalgique, étrange sur ce visage si jeune.

— Tu le sais déjà : je suis ici pour te protéger. Tu as besoin de moi.

— Ce qu'il me faut, c'est un peu plus de gin.

Il jura entre ses dents tandis qu'il vidait son verre pour dissimuler son impatience, ou son trouble. Quelle merde ! Vert émeraude, blanc de neige ou de lumière, ces yeux et ce sourire sur la peau du visage, le cou droit et nu qui laissait deviner un palpitement tiède. Va te faire foutre, Corso. À ton âge, avec ton passé, tu baves encore devant des bras bronzés, des poignets fins, des mains aux longs doigts. Tu baves encore. Il s'aperçut que la chemisette de la jeune fille moulait des seins magnifiques qu'il n'avait pas encore eu l'occasion de bien observer. Il les devina bronzés et lourds, peau sombre sous le coton blanc, chair d'ombre et de lumière. Une fois de plus, sa taille le surprit. Elle était aussi grande que lui. Et même peut-être plus.

— Qui es-tu ?

— Le diable, répondit-elle. Le diable amoureux.

Et elle se mit à rire. Le livre de Cazotte était posé sur la commode, à côté du *Mémorial de Sainte-Hélène* et de divers papiers. La jeune fille le regarda sans le toucher. Puis elle posa un doigt dessus en se tournant vers Corso.

— Tu crois au diable ?

— On me paie pour y croire. En tout cas, tant que durera ce travail.

Il la vit hocher lentement la tête, comme si elle avait déjà su la réponse. Elle observait Corso avec curiosité, les lèvres entrouvertes, dans l'attente d'un signal ou d'un geste qu'elle seule pouvait interpréter.

— Tu sais pourquoi j'aime ce livre, Corso ?

— Non. Dis-moi.

— Parce que le héros est sincère. Son amour n'est pas un simple stratagème pour condamner une âme. Biondetta est tendre et fidèle ; elle admire chez Alvare les mêmes choses que le diable aime chez l'homme : son courage, son indépendance... — ses paupières voilèrent un instant ses iris transparents. Son désir de connaissance et de lucidité.

— Je vois que tu es très bien informée. Et toi, qu'est-ce que tu sais de tout ça ?

— Beaucoup plus que tu n'imagines.

— Je n'imagine rien du tout. Mes références sur ce que le diable aime ou méprise sont exclusivement littéraires : *Le Paradis perdu*, *La Divine Comédie*, en passant par *Faust* et *Les Frères Karamazov*... — il fit un geste ambigu, évasif. Le mien est un Lucifer de seconde main.

Elle le regardait d'un air moqueur.

— Et quel est celui que tu préfères ? Celui de Dante ?

— Certainement pas. Trop horrible. Trop médiéval à mon goût.

— Méphistophélès ?

— Pas davantage. Celui-là est trop léché, il a l'astuce d'un petit avocaillon chicanier. Il est trop magouilleur... Et puis, je ne me fie jamais à ceux qui sourient trop.

— Et celui des *Karamazov* ?

Corso fit la grimace, comme s'il sentait une odeur de chou rance.

— Mesquin. Vulgaire comme un fonctionnaire aux ongles en deuil... — il s'arrêta pour réfléchir. Je crois bien que je préfère l'ange déchu de Milton — il la regarda, curieux. C'est ce que tu voulais que je réponde.

Elle sourit, énigmatique. Ses pouces étaient toujours enfoncés dans les poches de ses jeans qui moulaient ses hanches ; il n'avait encore jamais vu personne porter des jeans de cette façon. Naturellement, il aurait fallu ces longues jambes : celles d'une petite jeune fille qui fait de l'auto-stop au bord de la route, le sac à dos posé sur le bas-côté et toute la lumière du monde dans ses maudits yeux verts.

— Et comment t'imagines-tu Lucifer ? demanda-t-elle.

— Je n'en ai aucune idée — le chasseur de livres réfléchit un moment avant de faire une moue d'indifférence —... Taciturne et silencieux, je suppose. Blasé — sa moue se faisait acide. Sur un trône, dans un salon désert ; au centre d'un royaume désolé et froid, monotone, où il ne se passe jamais rien.

Elle le regardait en silence.

— Tu me surprends, Corso, dit-elle enfin. Elle semblait l'admirer.

— Je ne vois pas pourquoi. N'importe qui peut lire Milton. Même moi.

Il la vit faire lentement le tour du lit en décrivant un demi-cercle, sans jamais s'en approcher, jusqu'à se placer entre lui et la lampe qui éclairait la chambre. Délibéré ou fortuit, ce mouvement la plaça de telle façon que son ombre se projetait sur les fragments des *Neuf Portes* étalés sur le couvre-lit.

— Tu viens de parler du prix — son visage était maintenant plongé dans l'ombre et se découpait sur l'abat-jour éclairé. Orgueil, liberté... Connaissance. Il faut toujours tout payer, au début ou à la fin. Même le courage, tu ne crois pas ?... Tu ne penses pas qu'il faut beaucoup de courage pour affronter Dieu ?

Elle parlait à voix basse, un murmure dans le silence qui envahissait la chambre en se coulant sous la porte, par les fentes de la fenêtre ; même le bruit de la rue semblait s'être éteint au dehors. Corso regardait tour à tour les deux silhouettes : l'une d'ombre, stylisée sur le couvre-lit et les fragments du livre. L'autre debout, corps de pénombre devant la source de lumière. Et il se demanda laquelle des deux était la plus réelle.

— Avec tous ces archanges, ajouta-t-elle, ou son ombre, et il y avait du dédain et de la rancœur dans sa phrase, jusque dans l'écho de l'air chassé de ses poumons, soupir méprisant et vaincu. Mignons, parfaits. Disciplinés comme des nazis.

Elle n'avait plus l'air si jeune maintenant qu'elle portait avec elle une lassitude vieille de siècles et de siècles : héritage obscur, fautes étrangères que lui, surpris et perdu, ne pouvait identifier. Après tout, se dit-il, peut-être ni l'une ni l'autre n'était réelle : ni l'ombre sur le couvre-lit, ni la silhouette qui se dessinait à contre-jour dans la lumière de la lampe.

— Il y a un tableau au Prado, tu te souviens, Corso ?... Des hommes armés de poignards, face à des cavaliers qui les taillent en pièces à coups de sabre. J'ai toujours eu une certitude : l'ange déchu, lorsqu'il s'est rebellé, avait le même regard, les mêmes yeux égarés que ces malheureux avec leurs poignards. Le courage du désespoir.

Elle avait un peu bougé en parlant ; à peine de quelques centimètres, mais son ombre s'était avancée, s'était approchée de celle de Corso comme mue par une volonté propre.

— Qu'est-ce que tu sais de tout ça ? demanda-t-il.

— Plus que je ne voudrais.

Son ombre recouvrait tous les fragments du livre et touchait presque celle de Corso. Le chasseur de livres recula instinctivement, laissant une bande de lumière s'interposer entre leurs deux ombres, sur le lit.

— Imagine, reprit-elle de la même voix absente. Solitaire dans son palais vide, le plus beau des anges déchus ourdit ses complots... Il s'applique, consciencieux, à une routine qu'il méprise ; mais qui lui permet au moins de dissimuler son chagrin. Son échec... — le rire de la jeune fille était étouffé, sans joie, comme s'il venait de très loin. Il a la nostalgie du ciel.

Leurs ombres s'étaient rejointes, presque confondues parmi les fragments arrachés à la cheminée de la Quinta da Soledade. La jeune fille et Corso, là, sur le couvre-lit, entre les neuf portes du règne des autres ombres, ou peut-être s'agissait-il des mêmes. Papier roussi, clés incomplètes, mystères plusieurs fois voilés : par l'imprimeur, par le temps, par le feu. Enrique Taillefer tournait sur lui-même, les pieds ballants, à l'extrémité du cordon de soie de sa veste d'intérieur ; Victor Fargas flottait sur le ventre dans les eaux sales du bassin. Aristide Torchia brûlait à Campo dei Fiori en hurlant le nom du père sans regarder le ciel, mais la terre, sous ses pieds. Et le vieux Dumas écrivait, assis au sommet du monde, tandis qu'ici même, à Paris, très près de l'endroit où Corso se trouvait, une autre ombre, celle d'un cardinal dont la bibliothèque contenait trop d'ouvrages sur le diable, nouait les liens du mystère au revers de l'intrigue.

La jeune fille, ou sa silhouette découpée à contre-jour, s'avança vers le chasseur de livres. Un peu seulement, un pas ; suffisamment pour que l'ombre de l'homme disparaisse complètement sous la sienne.

— Le sort de ceux qui l'ont suivi a été encore pire — Corso

ne comprit pas tout de suite de qui elle voulait parler. Il les a entraînés dans sa chute : soldats, messagers, serviteurs de leur état ou par vocation. Mercenaires parfois, comme toi... Beaucoup n'ont même pas compris qu'il s'agissait de choisir entre la soumission et la liberté, entre le parti du Créateur et celui des hommes : par routine, par loyauté absurde de soldats fidèles, ils ont suivi leur chef dans la révolte et la déroute.

— Comme les Dix Mille de Xénophon, fit Corso, ironique.

Elle resta silencieuse un moment, apparemment surprise de l'exactitude de ce qu'elle venait d'entendre.

— Peut-être murmura-t-elle enfin, dispersés de par le monde, solitaires, attendent-ils encore que leur chef les reconduise chez eux.

Le chasseur de livres se pencha pour prendre une cigarette et ce mouvement lui fit retrouver son ombre. Il alluma alors une autre lampe, sur la table de nuit, et la silhouette noire de la jeune fille s'évanouit en même temps que ses traits s'éclairèrent. Ses yeux clairs étaient fixés sur lui. De nouveau, elle paraissait très jeune.

— Émouvant, dit Corso. Tous ces vieux soldats à la recherche de la mer.

Il la vit battre des paupières comme si, maintenant que son visage était éclairé, elle ne comprenait pas bien de quoi il lui parlait. Il n'y avait plus d'ombres non plus sur le lit : les fragments du livre n'étaient plus que de simples bouts de papier roussis ; il suffisait d'ouvrir la fenêtre pour que le courant d'air les emporte en désordre.

Elle souriait. Irene Adler, 223b, Baker Street. Le café de Madrid, le train, cette matinée à Sintra... La bataille perdue, l'anabase des légions vaincues : elle comptait bien peu d'années pour se souvenir de tout cela. Et elle souriait à la façon d'une petite fille, à la fois espiègle et innocente, de légers cernes sous les yeux. Somnolente et chaude.

Corso avala sa salive. Une partie de lui-même s'approchait d'elle pour arracher la chemisette blanche qui couvrait cette peau brune, faire glisser jusqu'en bas la fermeture de ses jeans et la renverser sur le lit, parmi les dépouilles du livre qui invoquait les ombres. Pour se plonger dans cette chair tiède et régler ses comptes avec Dieu et Lucifer, avec le temps inexorable, avec ses propres fantasmes, avec la mort et la vie. Mais il se contenta d'allumer sa cigarette et de souffler la fumée en silence. Elle le regarda fixement un bon moment, dans l'attente de quelque chose : un geste, un mot. Puis elle lui dit bonsoir et se dirigea vers la porte. C'est alors, alors qu'elle était arrivée au seuil, qu'il la vit se retourner vers lui et lever lentement une main, la paume tournée vers elle, deux doigts, l'index et le majeur, dressés en l'air. Et son sourire se dessina sur ses lèvres, tendre et complice à la fois, ingénu et sage. Comme un ange perdu et nostalgique qui aurait montré la direction du ciel.

Deux sympathiques fossettes creusaient les joues de la baronne Frida Ungern lorsqu'elle souriait. À vrai dire, on aurait cru qu'elle n'avait cessé de sourire durant les soixante-dix dernières années et qu'il lui en était resté dans les yeux et la bouche une expression de bienveillance permanente. Corso, qui avait été un lecteur précoce, savait depuis le plus jeune âge qu'il existe plusieurs sortes de sorcières : les marâtres, les mauvaises fées, les reines belles et perverses, et même ces vieilles acariâtres au nez constellé de verrues. Mais, malgré tous les renseignements qu'il avait pris sur la vieille baronne, le fait est qu'il ne pouvait la classer dans aucun des types habituels. Elle aurait pu être une de ces septuagénaires qui vivent en marge de la vie réelle, comme protégées par un rêve, sans que les aspects désagréables de l'existence ne viennent se mettre dans leur chemin, si la profondeur de ses yeux intelligents, vifs et soupçonneux n'avait contredit cette première impression. Et si la manche droite de sa camisole de dentelle n'avait pas flotté sur le côté, vide, sur un bras amputé au-dessus du coude. Pour le reste, elle était plutôt grassouillette, mais menue. Elle avait un peu l'allure d'un professeur de français dans un pensionnat de jeunes filles. C'est du moins ce que pensa Corso tandis qu'il observait les cheveux gris que des épingles tiraient sur la nuque et les chaussures presque masculines qu'elle portait avec des socquettes blanches.

— Corso, n'est-ce pas ?... Enchantée de faire votre connaissance, monsieur.

Elle lui tendait son unique main, petite comme le reste, avec une énergie inhabituelle, tandis que ses fossettes se creusaient sur ses joues. Elle avait un léger accent allemand. Naturellement. Von Ungern s'était rendu célèbre en Mandchourie ou en Mongolie, avait lu Corso quelque part, au début des années

vingt : une espèce de seigneur de la guerre, dernier à se battre
contre l'Armée rouge à la tête d'une bande dépenaillée de
Russes blancs, de Cosaques, de Chinois, de déserteurs et de
bandits. Trains blindés, pillages de ville, massacres et autres,
sans oublier l'épilogue au petit matin, face au peloton d'exécution. Peut-être avait-il quelque chose à voir avec elle.

— C'était le grand-oncle de mon mari. Sa famille était
russe à l'origine, émigrée en France avec un peu d'argent avant
la révolution — il n'y avait ni nostalgie ni orgueil dans ce
souvenir. Il s'agissait d'une autre époque, d'autres gens, d'un
autre sang, semblait dire l'expression de la vieille dame. Des
étrangers disparus avant qu'elle ne voie le jour. Je suis née en
Allemagne ; ma famille a tout perdu à cause des nazis. Je me
suis mariée ici, en France, après la guerre — elle détacha
soigneusement une feuille morte dans une jardinière à côté de
la fenêtre et sourit un peu. Je n'ai jamais supporté l'odeur de
naphtaline de ma belle-famille : la nostalgie de Saint-Péters-
bourg, les anniversaires du tsar. J'avais l'impression de veillées
funèbres.

Corso regarda la table de travail croulant sous les livres, les
rayons chargés à craquer. Il calcula qu'il y avait un millier de
volumes dans cette seule pièce où semblaient réunis les livres
les plus rares ou les plus précieux ; éditions aussi bien
modernes qu'anciennes, toutes reliées en peau.

— Et ceci ?

— C'est tout autre chose : un sujet d'étude, pas un culte. Je
travaille avec ces livres.

Triste époque, songeait Corso, quand les sorcières, ou
comme on voudra bien les appeler, parlent de leurs belles-
familles et troquent la marmite infernale pour les bibliothèques, les fichiers et une place dans la liste des *best-sellers* des
grands journaux. Par la porte restée ouverte, il pouvait voir
encore d'autres livres dans les autres pièces et dans le couloir.
Des livres et des plantes. Il y avait des pots partout : devant les
fenêtres, par terre, sur les rayonnages de bois. L'appartement
était très grand et certainement très cher, avec vue sur les quais
de la Seine et, trop loin dans le temps, les bûchers de l'Inquisition. Plusieurs tables de lecture se trouvaient occupées par des
jeunes gens qui semblaient être des étudiants. Tous les murs
étaient tapissés de livres dont les dorures des vieilles reliures
luisaient parmi les feuilles des plantes vertes. La fondation

Ungern s'enorgueillissait de posséder la plus importante bibliothèque européenne spécialisée dans les sciences occultes. Corso
jeta un coup d'œil sur les ouvrages qui se trouvaient près de
lui : *Daemonolatriae Libri*, de Nicolas Rémy. *Compendium
Maleficarum*, Francesco Maria Guazzo. *De Daemonialitate et
Incubus et Sucubus*, Ludovico Sinistrari... En plus de l'un des
meilleurs catalogues de démonologie et de la fondation qui
portait le nom de feu le baron, son mari, la baronne Ungern
jouissait d'une solide réputation pour les livres qu'elle écrivait
sur la magie et la sorcellerie. Sa dernière œuvre, *Isis : la Vierge
nue*, était depuis trois ans sur la liste des succès de librairie ; le
Vatican avait d'ailleurs fait mousser les ventes en condamnant
publiquement l'ouvrage qui établissait d'inquiétants parallèles
entre la divinité païenne et la mère du Christ : huit éditions en
France, douze en Espagne, dix-sept dans la catholique Italie.

— À quoi travaillez-vous actuellement ?

— *Le Diable : histoire et légende.* Une sorte de biographie
canaille qui devrait sortir au début de l'année.

Corso s'était arrêté devant une rangée de livres où un
ouvrage avait attiré son attention : le *Disquisitionum Magicarum* de Martín del Río, les trois tomes de l'édition princeps de
Louvain, 1599-1600, un classique de la magie démoniaque.

— Où avez-vous trouvé ceci ?

Frida Ungern hésita avant de répondre, calculant s'il était
bien opportun de fournir ce renseignement :

— À la vente aux enchères de 1989, à Madrid. J'ai eu
beaucoup de mal à l'arracher à votre compatriote Varo Borja —
elle soupira, comme si elle était encore épuisée de l'effort. Et
l'opération m'a coûté une jolie somme. Je ne l'aurais jamais
obtenu sans la collaboration de Paco Montegrifo. Vous le
connaissez ?... Un homme charmant.

Corso sourit de travers. Non seulement il connaissait Montegrifo, directeur de la galerie Claymore en Espagne, mais il
s'associait fréquemment avec lui pour des opérations hétéro-
doxes mais très rentables, comme la vente à un certain collectionneur suisse d'une *Cosmographia* de Ptolémée, manuscrit
gothique de 1456, récemment et mystérieusement disparu de
l'université de Salamanque. Montegrifo s'était retrouvé avec
l'ouvrage entre les mains après avoir fait appel aux bons offices
de Corso. Ensuite, tout s'était déroulé discrètement et proprement après un bref passage par l'atelier des frères Ceniza, afin

de faire éliminer certain cachet par trop compromettant. Corso lui-même avait fait le courrier pour porter le livre jusqu'à Lausanne. Moyennant une commission de trente pour cent, tout compris.

— Oui, je connais le personnage — il passa les doigts sur les nerfs qui ornaient le dos des volumes du *Disquisitionum magicarum*, en se demandant combien Montegrifo avait pu demander à la baronne pour piper les dés en sa faveur. Quant à ce Martín del Río, je n'en ai vu qu'un seul auparavant, dans la bibliothèque des Jésuites de Bilbao... Reliure d'une pièce, en peau. Mais c'est la même édition.

Tout en parlant, il avança la main vers la gauche pour caresser la rangée de livres : il y avait des volumes intéressants, et de belles reliures de vélin, de chagrin et de parchemin. Mais aussi beaucoup d'ouvrages médiocres, ou en mauvais état, qui visiblement avaient été abondamment feuilletés. Presque tous étaient remplis de signets glissés entre les pages, bandes de bristol blanc couvertes d'une écriture petite et pointue, serrée, au crayon. Matériel de travail. Il s'arrêta devant un livre qui lui parut familier : noir, pas de titre, cinq nerfs sur le dos. L'exemplaire numéro Trois.

— Depuis quand l'avez-vous ?

Corso était un homme mesuré, bien entendu. Et encore plus à ce stade de notre histoire. Mais il avait passé la nuit à travailler sur les cendres de l'exemplaire numéro Deux et il ne put éviter que la baronne décèle un accent particulier dans sa voix. Elle le regardait maintenant avec méfiance, en dépit de ses gentilles fossettes de jeune petite vieille.

— *Les Neuf Portes* ?... Je ne sais pas. Il y a très longtemps — elle avança la main gauche d'un geste rapide et précis. Sans aucun effort, elle sortit le livre de la bibliothèque et, soutenant le dos avec la paume de la main, elle l'ouvrit du bout des doigts à la première page ornée de plusieurs ex-libris, certains très anciens. Le dernier était une arabesque entourant le nom Von Ungern. La date était inscrite au-dessus, à l'encre, et lorsqu'elle la vit, elle hocha la tête, songeuse —... Un cadeau de mon mari. Je me suis mariée très jeune. Il avait deux fois mon âge... Il a acheté ce livre en 1949.

C'était le problème avec les sorcières modernes, se dit Corso : elles n'avaient pas non plus de secrets. Tout était à la vue, dans n'importe quel *Who's Who* ou revue mondaine. Pour baronnes qu'elles fussent, elles étaient devenues prévisibles. Vulgaires. Torquemada serait mort d'ennui avec elles.

— Votre mari partageait votre passion pour ce genre de sujets ?

— Pas le moins du monde. Il n'a jamais lu un livre. Il se bornait à satisfaire mes désirs, comme le génie de la lampe — le bras amputé sembla frémir un moment dans la manche vide de la camisole. Pour lui, un livre cher ou un collier de perles parfaites, c'était du pareil au même... — elle s'arrêta un instant pour sourire avec une douce mélancolie. Mais c'était un homme amusant, capable de séduire les épouses de ses meilleurs amis. Et il faisait d'excellents cocktails au champagne.

Elle se tut un moment en regardant autour d'elle, comme si son mari avait laissé un verre à moitié vide quelque part.

— Tout ceci, reprit-elle en montrant la bibliothèque d'un geste de la main, c'est moi qui l'ai réuni. Chaque titre, un par un. C'est même moi qui ai choisi *Les Neuf Portes* lorsque je suis tombée dessus dans le catalogue d'un vieux pétainiste ruiné. Mon mari n'a fait que signer le chèque.

— Mais pourquoi le diable ?

— C'est que je l'ai vu un jour. J'avais quinze ans, et je l'ai vu comme je vous vois. Il avait un col dur, un chapeau et une canne. Très bel homme. Il ressemblait à John Barrymore dans le rôle du baron Gaigern, dans *Grand Hôtel*. Et je suis tombée amoureuse, comme une idiote... — elle redevint pensive, son unique main enfoncée dans la poche de sa camisole ; sa bouche évoquait quelque chose de lointain et de familier. Je suppose que c'est pour cela que je n'ai absolument jamais regretté les infidélités de mon mari.

Corso regarda autour de lui comme s'ils n'étaient pas seuls dans la pièce, avant de se pencher en avant pour murmurer, sur le ton de la confidence :

— Il y a trois siècles seulement, on vous aurait brûlée pour avoir raconté cette histoire.

Elle eut un gloussement guttural et satisfait, comme si elle étouffait un rire, et se dressa presque sur la pointe des pieds pour lui susurrer, sur le même ton :

— Il y a trois siècles, je n'en aurais parlé à personne. Mais j'en connais plus d'un qui me conduirait avec plaisir au bûcher... — les fossettes se creusaient avec un autre sourire, cette femme souriait toujours, conclut Corso ; mais ses yeux rieurs et lucides restaient en alerte, étudiaient son interlocuteur. Aujourd'hui, en plein XXᵉ siècle.

Elle lui tendit *Les Neuf Portes* et l'observa tandis qu'il feuilletait lentement le livre, quoiqu'il eût du mal à contenir son impatience de vérifier si les neuf planches avaient été modifiées. Avec un soupir intérieur de soulagement, il découvrit qu'elles étaient intactes. La *Bibliografía* de Mateu contenait donc une erreur : tous les exemplaires comportaient la dernière gravure. L'exemplaire numéro Trois était en plus mauvais état que celui de Varo Borja, et aussi que celui de Victor Fargas avant qu'il n'atterrisse dans la cheminée. Le bas avait été exposé à l'humidité et presque toutes les pages étaient tachées. La reliure avait également besoin d'un bon nettoyage, mais l'exemplaire paraissait complet.

— Vous prendrez quelque chose ? demanda la baronne. Je peux vous offrir du café ou du thé.

Pas de philtres ni d'herbes magiques, se dit Corso avec regret. Pas même une tisane.

— Café.

C'était une journée ensoleillée et le ciel était bleu au-dessus des tours voisines de Notre-Dame. Corso s'avança vers une fenêtre, puis écarta les rideaux pour examiner le livre à la lumière du jour. Deux étages plus bas, parmi les arbres sans feuilles des quais, la jeune fille était assise sur un banc de pierre, son blouson sur les épaules, en train de lire un livre. Il savait qu'il s'agissait des *Trois Mousquetaires*, car il l'avait vu sur la table lorsqu'ils s'étaient rencontrés au petit déjeuner. Plus tard, le chasseur de livres avait pris la rue de Rivoli, sachant que la jeune fille le suivait quinze ou vingt pas en arrière. Il avait décidé de l'ignorer et elle était restée derrière lui. Mais il la voyait maintenant qui levait les yeux. Elle devait le distinguer facilement d'en bas, à la fenêtre, *Les Neuf Portes* entre les mains, mais elle ne fit aucun signe pour lui montrer qu'elle l'avait reconnu. Elle se contenta de continuer à l'observer, inexpressive et immobile, jusqu'à ce que Corso s'éloigne de la croisée. Quand il s'approcha de nouveau de la fenêtre, elle s'était replongée dans sa lecture, la tête penchée sur son roman.

Une secrétaire d'âge moyen, très myope à en juger par ses épaisses lunettes, papillonnait parmi les tables et les livres, mais Frida Ungern apporta elle-même le café et deux tasses sur un plateau d'argent qu'elle tenait avec aisance d'une seule main. Un regard suffit à dissuader Corso de proposer son aide et ils s'assirent tous les deux autour du bureau, le plateau posé entre les livres, les jardinières, les papiers et les fiches.

— Comment avez-vous eu l'idée de cette fondation ?

— Dégrèvement d'impôts. Et puis, il vient des gens, je rencontre des collaborateurs... — elle esquissa un sourire mélancolique. Je suis la dernière sorcière et je me sentais seule.

— Vous n'avez vraiment pas l'air d'une sorcière — Corso choisit dans son répertoire le sourire de circonstance : lapin spontané et sympathique. J'ai lu votre *Isis*.

Elle tenait sa tasse de café d'une main et leva un peu le moignon de l'autre bras en même temps qu'elle penchait la tête, comme si elle avait voulu arranger ses cheveux sur sa nuque. Un geste qui ne fut pas consommé, aussi vieux que le monde, sans âge ; coquetterie inconsciente.

— Et vous l'avez aimé ?

Il la regarda dans les yeux, par-dessus la tasse fumante qu'il portait à ses lèvres.

— Beaucoup.

— D'autres l'ont moins apprécié. Vous savez ce qu'a dit *L'Osservatore Romano*... ? Qu'il regrettait la suppression de l'Index du Saint-Office. Et vous avez raison — elle montra du menton *Les Neuf Portes* que Corso avait posé à côté de lui, sur la table. À une autre époque, on m'aurait brûlée vive, comme le pauvre homme qui a écrit cet évangile selon Satan.

— Vous croyez vraiment au diable, madame la baronne ?

— Ne m'appelez pas baronne. C'est ridicule.

— Comment préférez-vous que je vous appelle ?

— Je ne sais pas. Madame Ungern. Ou Frida.

— Vous croyez au diable, madame Ungern ?

— Au moins suffisamment pour lui consacrer ma vie, ma bibliothèque, cette fondation, beaucoup d'années de travail et les cinq cents pages de mon nouveau livre... — elle le regardait avec intérêt, Corso avait ôté ses lunettes pour les essuyer ; son sourire sans défense complétait le tableau. Et vous ?

— Tout le monde me pose cette question ces temps-ci.

— Naturellement. C'est que vous posez un peu partout des questions sur un livre dont la lecture exige une certaine sorte de foi.

— La mienne est plutôt mince — Corso se risquait à la sincérité ; le genre de franchise qui d'habitude était rentable. En réalité, je travaille pour l'argent.

Les fossettes se creusèrent une fois de plus. Elle avait dû être très jolie un demi-siècle plus tôt, pensa Corso. Quand elle se livrait à ses sortilèges, ou à ce qu'on voudra, avec ses deux bras intacts, petite et vive comme le feu. Il lui en restait quelque chose.

— Dommage, répondit Frida Ungern. D'autres, qui travaillaient gratuitement, ont cru dur comme fer à l'existence du protagoniste de ce livre... Albert le Grand, Raymond Lulle, Roger Bacon n'ont jamais discuté de l'existence du diable, mais seulement de la nature de ses attributs.

Corso remit ses lunettes, avec un grain de scepticisme dans son sourire.

— C'était une autre époque.

— Mais il n'est pas nécessaire de remonter si loin. « *Le démon existe, non seulement comme symbole du mal, mais comme réalité physique...* » Vous aimez ? Eh bien c'est un pape qui a écrit cette phrase, Paul VI. En 1974.

— C'était un professionnel, reconnut Corso, flegmatique. Il avait sans doute ses raisons.

— En réalité, il n'a fait que confirmer un dogme : l'existence du diable a été établie par le quatrième Concile du Latran. Je parle de 1215... — elle s'arrêta en lui lançant un regard dubitatif. Vous vous intéressez à l'érudition ? Si l'envie m'en prend, je peux être insupportablement savante... — les fossettes se creusèrent. J'ai toujours voulu être la première de ma classe. La petite souris savante.

— Je suis sûr que vous l'étiez. Vous aviez le prix d'excellence ?

— Naturellement. Et mes petites camarades me détestaient.

Ils rirent tous les deux et le chasseur de livres sut alors que Frida Ungern était désormais de son côté. Il sortit deux cigarettes de son manteau et lui en offrit une qu'elle refusa, non sans le regarder avec une certaine appréhension. Corso alluma la sienne comme si de rien n'était.

— Deux siècles plus tard, reprit la baronne alors que Corso était toujours penché sur son allumette, la bulle papale d'Innocent VIII, *Summis Desiderantes Affectibus*, confirmait que l'Europe occidentale était la proie des démons et des sorcières. Et c'est alors que deux dominicains, Kramer et Sprenger, rédigèrent le *Malleus Malleficarum* : un manuel à l'intention des inquisiteurs...

Corso leva l'index.

— Lyon, 1519. In-octavo en gothique, sans nom d'auteur. Du moins, l'exemplaire que je connais.

— Pas mal du tout — elle le regardait avec surprise. J'en ai un autre postérieur — elle montra un rayon. Vous pouvez le voir ici. Lyon lui aussi, publié en 1669. Mais la première édition est de 1486... — elle fit une grimace de mécontentement en plissant les yeux. Kramer et Sprenger étaient des fanatiques et des imbéciles ; leur *Malleus* est d'une stupidité sans nom. À la limite, on pourrait même le trouver amusant si des milliers de malheureux n'avaient pas été torturés et brûlés en son nom.

— Comme Aristide Torchia.

— Par exemple. Même si celui-ci n'avait rien d'un innocent.

— Que savez-vous de lui ?

La baronne hocha la tête, vida sa tasse de café, puis répéta son geste.

— Les Torchia étaient une famille vénitienne de commerçants aisés qui importaient du papier à la cuve d'Espagne et de France... Le jeune homme s'est bientôt rendu en Hollande où il a appris son métier avec les Elzévir, correspondants de son père. Il y est resté un certain temps, avant de s'en aller à Prague.

— Ah bon ? Je l'ignorais.

— Vous voyez... Prague : capitale de la magie et du savoir occulte en Europe, comme Tolède l'avait été quatre siècles plus tôt... Tout tombe en place, n'est-ce pas ? Torchia s'installa à Sainte-Marie-des-Neiges, dans le quartier de la magie, près de la place Jungmannovo où se trouve la statue de Jean Huss... Vous vous souvenez de Huss, au pied du bûcher ?

— *De mes cendres naîtra un cygne que vous ne pourrez brûler... ?*

— Exactement. C'est un plaisir de parler avec vous. Je suppose que vous le savez, et c'est certainement un atout dans votre travail... — la baronne inhala involontairement un peu de fumée de la cigarette de Corso et le regarda comme pour lui adresser un aimable reproche, mais le chasseur de livres demeura imperturbable. Où avions-nous laissé notre imprimeur ?... Ah, oui. Prague, deuxième acte : Torchia s'installe à présent dans une maison de la juiverie, pas très loin, à côté de la synagogue. Un quartier où des fenêtres restent allumées toute la nuit ; où les cabalistes cherchent la formule magique du Golem. Une saison plus tard, il déménage encore ; cette fois dans le quartier de Mala Stranà... — elle lui fit un sourire complice. À quoi tout cela vous fait-il penser ?

— À un pèlerinage. Ou à un voyage d'études, comme on dirait aujourd'hui.

— C'est aussi mon avis... — la baronne hocha la tête, satisfaite ; Corso, tout à fait adopté, progressait rapidement sur son tableau d'honneur particulier. Ce ne peut être un hasard si Aristide Torchia se rend dans les trois lieux où se concentre tout le savoir hermétique de l'époque. Dans une Prague dont les rues conservent l'écho des pas d'Agrippa et de Paracelse, où se trouvent les derniers manuscrits survivants de la magie chaldéenne, les clés pythagoriciennes perdues ou dispersées depuis le massacre de Métaponte... — elle se pencha un peu et baissa le ton, comme pour livrer une confidence, Miss Marple sur le point de confier à sa meilleure amie qu'elle a découvert du cyanure dans les petits fours. Dans cette Prague, monsieur Corso, terrés dans des cabinets sombres, il y a des hommes qui connaissent la *carmina*, l'art des paroles magiques ; la *necromancia*, ou l'art de communiquer avec les morts — elle fit une pause, retenant sa respiration, avant de murmurer — et la *goecia*...

— ... L'art de communiquer avec le diable.

— Oui — la baronne se renversa dans son fauteuil, délicieusement scandalisée ; ses yeux brillaient ; elle était dans son élément et elle parlait d'une voix un peu précipitée, comme s'il y avait beaucoup à dire et peu de temps pour le faire. À cette époque, Torchia vit là où sont cachées les gravures qui ont survécu aux guerres, aux incendies et aux persécutions... Là où sommeillent les restes du livre magique qui ouvre les portes de la connaissance et du pouvoir : le *Delomelanicon*, la parole qui invoque les ténèbres.

Elle prononça le mot comme une conspiratrice, d'une façon assez théâtrale, mais en l'accompagnant d'un sourire. On aurait dit qu'elle-même ne prenait pas tout cela au sérieux, ou qu'elle recommandait à Corso une salutaire réserve.

— Quand il termine son apprentissage, continua-t-elle, Torchia revient à Venise... Notez-le bien, car c'est important : malgré les risques qu'il court en Italie, l'imprimeur abandonne la relative sécurité de Prague pour retourner dans sa ville et y publier une série de livres compromettants qui finiront par l'envoyer au bûcher... C'est étrange, vous ne trouvez pas ?

— Comme s'il avait eu une mission à accomplir.

— Oui. Mais une mission confiée par qui ?... — la baronne ouvrit *Les Neuf Portes* à la page de titre. Ce *avec privilège et licence des supérieurs* donne à réfléchir, vous ne croyez pas ?... Il est très probable que, du temps de son séjour à Prague, Torchia est devenu membre d'une confrérie secrète qui l'a chargé de diffuser un message ; une sorte d'apostolat.

— Vous l'avez déjà dit : l'évangile selon Satan.

— Peut-être. Toujours est-il que Torchia publie *Les Neuf Portes* au pire moment. Entre 1550 et 1666, le néoplatonisme humaniste et les mouvements hermético-cabalistiques perdent la bataille, emportés par de sombres rumeurs qui leur prêtent des pratiques démoniaques... Les Giordano Bruno et John Dee sont brûlés vifs ou meurent dans la persécution et la misère. La Contre-Réforme triomphe et l'Inquisition se développe jusqu'à l'hypertrophie : créée pour combattre l'hérésie, elle se spécialise dans les sorcières, les mages et les sortilèges pour justifier sa sinistre existence. Et maintenant, un imprimeur qui traite avec le diable lui tombe sous la main... Il faut dire que Torchia lui a facilité les choses. Écoutez — elle feuilleta plusieurs pages du livre, au hasard. *Pot. m. vere im.go...* — elle regarda Corso. J'ai déjà traduit de nombreux passages ; la clé n'est pas très difficile. *Je pourrai animer des images de cire*, dit le texte. *Et faire tomber la lune, et rendre la chair aux corps défunts...* Qu'est-ce que vous en pensez ?

— Puéril. Il semble un peu ridicule de se faire brûler pour ça.

— Peut-être ; on ne sait jamais... Vous aimez Shakespeare ?

— Parfois.

— *Il y a plus de choses au ciel et sur terre, Horatio, que celles qu'imagine ta philosophie...*

— Hamlet, un jeune homme qui manque d'assurance.

— Tout le monde ne mérite ni ne peut accéder à ces choses occultes, monsieur Corso. Comme le dit le vieil adage, il faut connaître et garder le silence.

— Et Torchia ne l'a pas gardé.

— Vous savez que, selon la Cabale, Dieu possède un nom terrible et secret...

— Le Tétragramme.

— Exactement. L'harmonie et l'équilibre de l'univers reposent sur ses quatre lettres... L'archange Gabriel avait prévenu Mahomet : *Dieu est caché par soixante-dix mille voiles de lumière et de ténèbre. Et si ces voiles se relevaient, moi-même serais anéanti...* Mais Dieu n'est pas le seul à posséder un tel nom. Le diable a lui aussi le sien : une combinaison de lettres effroyable, maléfique, qu'il suffit de prononcer pour le faire apparaître... Et déchaîner de terribles conséquences.

— Tout ceci n'est pas nouveau. On lui donnait déjà un nom bien avant le christianisme et le judaïsme : la boîte de Pandore.

Elle le regarda avec satisfaction, sur le point de lui décerner le diplôme d'élève émérite.

— Très bien, monsieur Corso. Effectivement, depuis des siècles, l'homme passe son temps à parler des mêmes choses en leur donnant des noms différents : Isis et la vierge Marie, Mitra et Jésus-Christ, le 25 décembre comme fête de la Nativité ou du solstice d'hiver, anniversaire du soleil invaincu... Souvenez-vous de Grégoire le Grand qui, au VIIe siècle déjà, recommandait aux missionnaires de prendre à leur compte les fêtes païennes en les christianisant.

— Instinct commercial. Au fond, il s'agissait d'une opération de marketing : attirer la clientèle étrangère... Mais dites-moi ce que vous savez des boîtes de Pandore et de leurs dérivés. Pactes diaboliques compris.

— L'art d'enfermer les diables dans des bouteilles et dans des livres est très ancien... Gervais de Tilbury et Gerson en parlent déjà aux XIIIe et XIVe siècles. Quant à la tradition des pactes avec le démon, elle remonte encore plus loin dans le temps : depuis le livre d'Énoch jusqu'à saint Jérôme, en passant par la Cabale et les pères de l'Église. Sans oublier l'évêque Théophile, comme par hasard *amant de la connaissance*, le Faust historique et Roger Bacon... Ni le pape Sylvestre II dont on dit qu'il avait volé aux Sarrasins un livre *contenant tout ce qu'il faut savoir*.

— Il s'agit donc de parvenir à la connaissance.

— Évidemment. Quelqu'un ne va pas se donner tant de mal et se promener aux portes de l'abîme pour simplement passer le temps. La démonologie érudite identifie Lucifer à la connaissance. Dans la Genèse, le diable sous la forme du ser-

pent parvient à ce que l'homme cesse d'être une créature alié-
née et stupide pour acquérir la conscience, le libre-arbitre, la
lucidité... Avec la souffrance et l'incertitude que cette connaissance et cette liberté impliquent.

La conversation de la nuit était encore trop fraîche pour
que Corso ne pense pas à la jeune fille. Il prit *Les Neuf Portes* et,
sous prétexte d'y jeter un autre coup d'œil au grand jour,
s'approcha de la fenêtre ; mais elle n'était plus là. Surpris, il
regarda d'un côté et de l'autre de la rue, le quai et les bancs de
pierre sous les arbres, mais sans succès. Il en fut intrigué, mais
il n'avait pas le temps d'y songer. Frida Ungern avait
recommencé à parler :

— Vous aimez les jeux de divination ? Les problèmes dont
la solution réside dans une clé secrète ?... D'une certaine façon,
le livre que vous tenez entre les mains est cela. Le diable,
comme tout être intelligent, aime les jeux, les devinettes. Les
courses d'obstacles où tombent les faibles et les incapables, où
ne triomphent que les esprits supérieurs, les initiés — Corso
s'était rapproché de la table et il y posait le livre ouvert à la
page frontispice, le serpent ourovore enroulé autour de l'arbre.
Celui qui ne voit sur cette image qu'un serpent en train de se
dévorer la queue ne mérite pas d'aller plus loin.

— À quoi sert ce livre ? demanda Corso.

La baronne posa un doigt sur ses lèvres, comme le chevalier de la première gravure. Elle souriait.

— Jean de Patmos dit que sous le règne de la Deuxième
Bête, avant la bataille décisive et finale d'Armageddon, *personne ne pourra acheter ni vendre que celui qui aura la marque,
le nom de la Bête ou le chiffre de son nom...* En attendant
qu'arrive l'heure, nous raconte Luc (IV, 13), à la fin de son récit
sur les tentations, le diable, trois fois repoussé, *s'écarta jusqu'au
moment favorable.* Mais il a laissé plusieurs voies d'accès pour
les impatients, et notamment la façon d'arriver jusqu'à lui. De
conclure un pacte avec lui.

— En lui vendant son âme.

Frida Ungern laissa fuser un petit rire contenu, confidentiel. Miss Marple devant son auditoire, absorbée dans ses
potins diaboliques. Tu ne sais pas la dernière de Satan. Et
patati et patata. Comme je te le dis, ma chère Peggy.

— Le diable a pris de l'expérience, reprit-elle. Il était jeune
et ingénu, il faisait des erreurs : certaines âmes lui glissaient

entre les doigts à la dernière heure, s'envolaient par la mauvaise porte, se sauvaient par la grâce de l'amour, de la miséricorde divine et autres stratagèmes semblables. Si bien qu'il a fini par inclure une clause non renégociable de livraison du corps et de l'âme à l'expiration du délai, *à l'exclusion de toute réserve quant au droit à la rédemption, ni recours futur à la miséricorde divine*... Et cette clause, figurez-vous, se trouve dans ce livre.

— Quel triste monde, dit Corso, si Lucifer lui-même se met à écrire comme un tabellion.

— Il faut le comprendre. De nos jours, les gens font feu de tout bois pour vous escroquer ; jusqu'à l'âme qui y passe. Ses clients se défilent et n'observent pas les dispositions du contrat. Le diable en a assez, et il a bien raison.

— Et qu'y a-t-il d'autre dans ce livre ?... Que signifient les neuf gravures ?

— En principe, ce sont des énigmes dont la solution, rapprochée au texte, donne la clé du pouvoir, c'est-à-dire la formule qui permet de reconstituer le nom magique évocateur de Satan.

— Et le système fonctionne ?

— Non. C'est une mystification.

— Vous l'avez essayé ?

Frida Ungern parut scandalisée.

— Vraiment, vous me voyez au milieu d'un cercle magique, à mon âge, en train d'invoquer Belzébuth ?... Je vous en prie. Quand bien même aurait-il ressemblé à John Barrymore il y a un demi-siècle, les jeunes premiers finissent tous par vieillir. Vous imaginez une déception à ce stade de ma vie ?... Je préfère demeurer fidèle à mes souvenirs de jeune fille.

Ironique, Corso feignit la surprise :

— Je croyais que le diable et vous... Vos lecteurs vous prennent pour une espèce de sorcière enthousiaste.

— Eh bien, ils se trompent. Ce que je cherche dans le diable, c'est l'argent, pas les émotions — elle regarda autour d'elle, puis vers la fenêtre. J'ai dilapidé la fortune de mon mari pour constituer cette bibliothèque et je vis de mes droits d'auteur.

— Qui ne sont pas à dédaigner, sans aucun doute. Vous êtes la reine du livre dans toutes les grandes surfaces...

— Mais la vie est chère, monsieur Corso. Très chère, surtout quand il faut s'entendre avec des gens comme notre ami M. Montegrifo pour se procurer les livres rares que l'on désire... Satan est une bonne source de revenus par les temps qui courent, et c'est tout. À soixante-dix ans passés, je n'ai plus le temps de me consacrer à des fantaisies gratuites et stupides, comme les clubs de célibataires... Vous me comprenez ?

Cette fois, ce fut Corso qui sourit :

— Parfaitement.

— Si je vous dis que ce livre est faux, reprit la baronne, c'est parce que je l'ai étudié à fond... Quelque chose ne va pas : il y a des lacunes, des blancs. Je parle au sens figuré, car l'édition est complète... Mon exemplaire a appartenu à Mme de Montespan, maîtresse de Louis XIV, grande prêtresse satanique qui parvint à faire du rite de la messe noire l'une des coutumes du palais... Il existe une lettre de la Montespan à Mme de Peyrolles, son amie et confidente, où elle se plaint de l'inefficacité d'un livre qui, je cite de mémoire : « *contient tout le nécessaire que citent les sages et renferme pourtant une inexactitude, un jeu de mots qu'on n'achève jamais de démêler* ».

— Et entre quelles autres mains est-il passé ?

— Par celles du comte de Saint-Germain, qui l'a vendu à Cazotte.

— Jacques Cazotte ?

— Lui-même. L'auteur du *Diable amoureux*, guillotiné en 1792... Vous connaissez le livre ?

Corso fit un geste affirmatif et prudent. Les liens semblaient tellement évidents qu'ils en paraissaient impossibles.

— Je l'ai lu autrefois.

Quelque part dans la maison, un téléphone sonnait. On entendit les pas de la secrétaire dans le couloir. Puis le bruit cessa.

— Quant aux *Neuf Portes*, reprit la baronne, on perd sa trace ici, à Paris, à l'époque de la Terreur. Il existe quelques références postérieures, mais très vagues : Gérard de Nerval le mentionne en passant dans un de ses articles, en assurant l'avoir vu chez un ami...

Corso battit imperceptiblement des paupières derrière les verres de ses lunettes.

— Dumas était un de ses amis, dit-il, aux aguets.

— Oui. Mais Nerval ne précise pas de qui il s'agit. Ce qui est certain, c'est que personne n'a revu le livre jusqu'à la vente de la bibliothèque du pétainiste, quand il est tombé entre mes mains...

Corso ne l'écoutait plus. Selon la légende, Gérard de Nerval s'était pendu avec le cordon d'un corsage : celui de Mme de Montespan. Ou était-ce celui de la Maintenon ?... Quoi qu'il en soit, il était impossible de ne pas y voir d'inquiétantes associations avec le cordon de la veste de chambre d'Enrique Taillefer.

La secrétaire l'interrompit dans ses réflexions en ouvrant la porte. Quelqu'un demandait Corso au téléphone. Le chasseur de livres s'excusa et passa devant les tables de lecture pour sortir dans le couloir, lui aussi encombré de livres et de pots de fleurs. Sur une table d'angle en noyer était posé, décroché, un téléphone très ancien, en métal.

— Allô ?

— Corso ?... Ici, Irene Adler.

— Ah bon — il regarda derrière lui dans le couloir désert ; la secrétaire n'était plus là. Je m'étonnais de ne plus te voir monter la garde... Où es-tu ?

— Au bar-tabac du coin. Un homme est en train de surveiller la maison. C'est pour cette raison que je suis ici.

Corso soupira lentement. Puis il chercha du bout des dents une envie près de l'ongle de son pouce et l'arracha. Ça devait arriver tôt ou tard, se dit-il avec une résignation perverse : il faisait partie du paysage, ou du décor. Puis il demanda quelque chose qu'il savait inutile :

— Décris-le-moi.

— Brun, moustache, une grande cicatrice sur le visage — la voix de la jeune fille semblait tranquille, sans trace d'émotion, comme si elle n'avait pas conscience du danger. Il est assis dans une BMW grise, de l'autre côté de la rue.

— Il t'a vue ?

— Je ne sais pas ; mais moi, je le vois. Il y a une heure qu'il est dans la voiture. Il est descendu deux fois : la première pour regarder les noms à côté des sonnettes, à la porte ; la deuxième, pour acheter des journaux.

Corso cracha la minuscule peau qu'il avait arrachée et suça son pouce. Il s'était fait mal.

— Écoute. Je ne sais pas ce que veut ce type. Ni même si vous faites partie tous les deux du même montage. Mais je n'aime pas qu'il soit près de toi. Pas du tout. Alors, rentre à l'hôtel.

— Ne sois pas idiot, Corso. J'irai où je dois aller.

Et elle ajouta encore avant de raccrocher : « mes salutations à Tréville ». Corso fit un geste à mi-chemin entre l'exaspération et le sarcasme, car il pensait la même chose lui aussi et cette coïncidence ne lui plaisait pas du tout. C'est pour cette raison qu'il resta un moment à regarder le téléphone avant de raccrocher. Naturellement, elle était en train de lire *Les Trois Mousquetaires* ; elle avait même le livre ouvert sur les genoux lorsqu'il l'avait vue par la fenêtre. Au troisième chapitre, alors qu'il vient d'arriver à Paris et qu'il est en pleine audience avec M. de Tréville, capitaine des mousquetaires du roi, d'Artagnan aperçoit Rochefort par la fenêtre. Alors qu'il descend les escaliers quatre à quatre pour se lancer à sa poursuite, il s'empêtre dans l'épaule d'Athos, le baudrier de Porthos et le mouchoir d'Aramis. Salutations à Tréville. Comme plaisanterie, elle était ingénieuse si elle était vraiment spontanée. Mais elle ne fit point sourire Corso.

Après avoir raccroché le téléphone, il resta immobile dans l'ombre du couloir, perdu dans ses réflexions. Peut-être attendait-on de lui précisément cela, qu'il dévale les escaliers, l'épée à la main, à la poursuite de l'appeau Rochefort. Jusqu'au coup de téléphone de la jeune fille qui pouvait faire partie du plan ; ou peut-être, tout bien considéré, faire office de mise en garde contre ce même plan, s'il y en avait un. Si elle-même — Corso avait trop d'expérience pour jurer de rien — jouait franc jeu.

Quelle époque, pensa-t-il. Une époque absurde. Après tant de livres, de cinéma et de télévision, après tant de niveaux de lecture possibles, il devenait difficile de savoir si l'on se trouvait en face de l'original ou de sa copie ; quand le jeu des miroirs renvoyait l'image réelle, l'image inversée ou la somme des deux, quelles étaient donc les intentions de l'auteur ? Aussi facile d'imaginer trop que trop peu. Encore une raison d'envier l'arrière-arrière-grand-père Corso, ses moustaches de grenadier et l'odeur de la poudre dans la boue des Flandres. Un drapeau était alors un drapeau, l'Empereur était l'Empereur, une rose était une rose. De toute façon, maintenant, à Paris et pour Corso, quelque chose était bien clair : même comme lecteur au deuxième degré, il n'était disposé à jouer le jeu que jusqu'à un certain point. Et il n'avait ni l'âge ni la naïveté ni l'envie de courir se battre sur un terrain choisi par ses adversaires, trois duels prévus en dix minutes, aux Carmes-Deschaux ou au diable vauvert. Ne serait-ce que pour lui souhaiter bonne nuit, il essaierait de ne s'approcher de Rochefort qu'en mettant toutes les chances de son côté, si possible par derrière et avec une barre de fer à la main. Il le lui devait bien depuis la ruelle de Tolède, sans oublier les intérêts accumulés à Sintra. Corso était de ceux qui se font régler leurs créances à froid. Sans hâte.

XI

Les quais de la Seine

> *...le mystère est considéré comme insoluble,*
> *pour la raison même qui devrait le faire regarder*
> *comme facile à résoudre — je veux parler du*
> *caractère excessif sous lequel il apparaît.*
> (E.A. Poe, *Le Double Assassinat de la rue Morgue*)

— La clé est élémentaire, expliquait Frida Ungern : il s'agit simplement d'abréviations semblables à celles qu'on utilisait dans les anciens manuscrits latins. Peut-être parce que Aristide Torchia a emprunté littéralement la majeure partie du texte à un autre manuscrit ; le légendaire *Delomelanicon* par exemple, qui sait. Sur la première planche, le sens est évident pour qui connaît un peu le langage hermétique : *NEM. PERV.T QUI N.N LEG. CERT.RIT* c'est-à-dire, naturellement, *NEMO PERVENIT QUI NON LEGITIME CERTAVERIT*.

— ...*Nul n'y parvient qui n'a combattu selon les règles.*

Ils prenaient leur troisième tasse de café et il sautait aux yeux que Corso, en apparence du moins, s'était fait adopter. Il vit la baronne acquiescer, satisfaite.

— Très bien... Pouvez-vous interpréter un élément de cette planche ?

— Non... mentit Corso avec sang-froid ; il venait de découvrir que, dans l'exemplaire de la baronne, les tours de la ville fortifiée vers laquelle se dirigeait le chevalier n'étaient pas quatre, mais trois. Sauf le geste du personnage, qui paraît éloquent.

— Et il l'est : tourné vers l'adepte, un doigt sur la bouche, il conseille le silence... C'est le *tacere* des philosophes de l'art occulte. Au fond, la muraille enserre les tours de la ville fortifiée, le secret. Notez que la porte est fermée. Il faut l'ouvrir.

Tendu, terriblement attentif, Corso tourna plusieurs pages jusqu'à arriver à la deuxième planche : l'ermite devant une autre porte, les clés dans la main *droite*. La légende disait CLAUS.PAT.T.

— *CLAUSAE PATENT* déchiffra sans difficulté la baronne : *Ouvrez ce qui est fermé*, les portes fermées... L'ermite signifie la connaissance, l'étude, le savoir. Remarquez à côté de lui ce même chien noir qui accompagnait Agrippa, selon la légende. Le chien fidèle... De Plutarque à Bram Stoker et son *Dracula*, sans oublier le *Faust* de Goethe, le chien noir est l'un des animaux dans lequel le diable préfère s'incarner... Quant à la lanterne, c'est celle du philosophe Diogène qui méprisait tant les pouvoirs temporels et qui ne demandait qu'une seule chose au puissant Alexandre, ne pas lui faire d'ombre ; qu'il s'écarte, parce qu'il lui cachait le soleil, la lumière.

— Et la lettre Teth ?

— Je ne suis pas sûre, répondit la baronne en tapotant la gravure. L'ermite du tarot, très semblable à celui-ci, est parfois accompagné d'un serpent, ou du bâton qui le symbolise. Dans la philosophie occulte, le serpent et le dragon sont les gardiens de l'enceinte merveilleuse, du jardin ou de la Toison, et ils dorment les yeux ouverts. Ils sont le Miroir de l'Art.

— *Ars diavoli*, dit Corso au hasard, et la baronne fit un demi-sourire, mystérieuse.

Il savait pourtant, par Fulcanelli et d'autres anciennes lectures, que l'expression *Miroir de l'Art* n'appartenait pas au domaine de la démonologie, mais de l'alchimie. Et il se demanda combien il pouvait y avoir de charlatanerie dans l'érudition que lui prodiguait son interlocutrice. Il soupira intérieurement, se sentant comme un chercheur d'or plongé jusqu'à la ceinture dans une rivière, sa batée à la main. Après tout, conclut-il, il fallait bien quelque chose pour remplir les cinq cents pages d'un *best-seller*.

Mais Frida Ungern passait déjà à la troisième gravure :

— La devise est VERB. D.SUM C.S.T ARCAN. C'est-à-dire : *VERBUM DIMISSUM CUSTODIAT ARCANUM* que nous pouvons traduire par : *La parole perdue garde le secret*. Et la gravure est significative : un pont, trait d'union entre la rive ensoleillée et l'autre plongée dans l'obscurité. Depuis la mythologie classique jusqu'au jeu de l'oie, son sens est clair. Il peut unir la terre au ciel ou à l'enfer, comme l'arc-en-ciel... Naturellement, pour le traverser, il faut auparavant ouvrir les portes fortifiées qui interdisent le passage.

— Et l'archer caché dans le nuage ?

Cette fois, sa voix faillit le trahir lorsqu'il posa sa question. Dans les exemplaires Un et Deux, l'archer portait à l'épaule un carquois vide. Mais dans le numéro Trois, le carquois contenait une flèche. Frida Ungern posait justement le doigt sur elle.

— L'arc est l'arme d'Apollon et de Diane, la lumière du pouvoir suprême. La colère du dieu, ou de Dieu. C'est l'ennemi qui guette celui qui traverse le pont — elle se pencha, recueillie, et continua à voix basse. Ici, il signifie une terrible mise en garde. Il n'est pas conseillé de jouer avec ces choses.

Corso hocha la tête en tournant les pages pour arriver à la quatrième planche. Il sentait des voiles se déchirer dans sa conscience ; les portes s'entrouvraient avec des grincements excessivement sinistres. Il avait maintenant devant lui le fou et son labyrinthe de pierre, sous la devise : *FOR. N.N OMN. A.QUE.* Frida Ungern en donna cette traduction : *FORTUNA NON OMNIBUS AEQUE : La chance n'est pas égale pour tous.*

— Le personnage est l'équivalent du fou du Tarot, précisat-elle. Le fou de Dieu de l'Islam. Naturellement, il tient aussi son bâton ou son serpent symbolique à la main... C'est le bouffon du Moyen Âge, le *Joker* des cartes. Il symbolise le Destin, le hasard, la fin de tout, la conclusion attendue ou inattendue : regardez les dés. Au Moyen Âge, les bouffons étaient des êtres privilégiés ; on leur autorisait des choses interdites aux autres, car ils avaient pour tâche de rappeler aux seigneurs leur condition mortelle, que leur fin était aussi inévitable que celle des autres hommes...

— Mais il dit le contraire ici, souligna Corso. *La chance n'est pas égale pour tous.*

— Bien sûr. Celui qui se rebelle, qui exerce sa liberté et prend des risques peut se mériter un destin différent. C'est de cela que parle ce livre, d'où le bouffon, paradigme de liberté. Le seul homme véritablement libre, et aussi le plus sage. Dans la philosophie occulte, le bouffon s'identifie avec le mercure des alchimistes... Émissaire des dieux, il conduit les âmes à travers le royaume des ombres...

— Le labyrinthe.

— Oui. Et vous le voyez ici, dit-elle en montrant la gravure. Vous constaterez que la porte d'accès est fermée.

Également la porte de sortie, remarqua Corso avec un frissonnement involontaire avant de tourner neuf pages pour arriver à la planche suivante.

— Cette légende est plus simple, dit-il : FR.ST.A. C'est la seule que je me risque à deviner. Je dirais qu'il manque un *u* et un *r* : FRUSTRA. Ce qui veut dire *En vain*.

— Très bien. C'est exactement ce qu'elle dit, et l'allégorie correspond à la devise. L'avare compte son or, insoucieux de la Mort qui tient dans ses mains deux symboles définitifs : le sablier et la fourche.

— Pourquoi la fourche, et pas une faux ?

— Parce que la mort fauche et que le diable récolte.

Ils s'arrêtèrent sur la sixième gravure, celle de l'homme pendu par un pied à un créneau. Frida Ungern réprima un bâillement d'ennui, comme si le message était trop évident :

— DIT.SCO M.R., soit *DITESCO MORI* : *Je m'enrichis avec la mort*, phrase que le diable peut prononcer la tête bien haute. Vous ne croyez pas ?...

— Je suppose que oui. Après tout, c'est son métier — Corso fit glisser un doigt sur la gravure. Que symbolise le pendu ?

— Tout d'abord, l'arcane numéro douze du Tarot. Mais il y a d'autres interprétations. Je pencherais pour celle qui annonce le changement à travers le sacrifice... Vous connaissez la Saga d'Odin :

> *Blessé, je restai pendu à l'échafaud*
> *balayé par les vents*
> *durant neuf longues nuits...*

— ... Puisque nous en sommes aux associations, continua la baronne, Lucifer, paladin de la liberté, souffre par amour de l'homme. Et il lui offre la connaissance à travers le sacrifice, en se condamnant lui-même.

— Que pouvez-vous me dire de la septième planche ?

— DIS.S P.TI.R M., ce qui n'est pas très clair de prime abord ; mais je devine une phrase traditionnelle, tout à fait dans le goût des philosophes hermétiques : *DISCIPULUS POTIOR MAGISTRO*.

— *Le disciple dépasse le maître ?*

— Si l'on veut. Le roi et le mendiant jouent aux échecs sur cet étrange échiquier dont toutes les cases sont de la même couleur, alors que le chien noir et le chien blanc, le Mal et le Bien, se taillent en pièces avec furie. La lune attend à la fenêtre, la lune qui est à la fois l'obscurité et la mère. Vous vous souvenez de cette croyance mythique selon laquelle les âmes se réfugient dans la Lune après la mort. Vous avez lu mon *Isis*, n'est-ce pas ?... Le noir est la couleur symbolique des ténèbres et des sombres chimères, le sable de l'héraldique, la terre, la nuit, la mort... Le noir d'Isis fait pendant à la couleur de la Vierge, le plain bleu qui s'assied sur la lune... Lorsque nous mourons, nous retournons à elle, à l'obscurité d'où nous venons, ambivalente, car elle est à la fois protectrice et dangereuse... Les chiens et la Lune ont aussi une autre interprétation : Artémis, la déesse chasseresse, la Diane des Romains, était connue pour la façon dont elle se vengeait de ceux qui tombaient amoureux d'elle ou tentaient de profiter de sa féminité... Je suppose que vous savez à quoi je fais allusion.

Corso, qui pensait à Irene Adler, hocha lentement la tête.

— Oui. Elle lâchait ses chiens sur les voyeurs après les avoir transformés en cerfs... — il avala sa salive malgré lui ; les deux mâtins noués l'un à l'autre dans un combat mortel sur la gravure lui paraissaient maintenant infiniment sinistres. Lui et Rochefort ? — Pour qu'ils les taillent en pièces.

La baronne lui lança un regard neutre. C'était Corso qui donnait le contexte, pas elle.

— Quant à la huitième planche, continua-t-elle, sa signification générale ne pose guère de difficultés : *VIC. I.T VIR.*, ce qui nous donne une jolie devise, *VICTA IACET VIRTUS*. En d'autres termes : *La Vertu gît vaincue.* La Vertu est la damoiselle sur le point d'être décapitée par ce beau jeune homme en armure, épée au poing, tandis qu'au fond tourne la roue inexorable de la Fortune ou du Destin, qui avance lentement mais finit toujours par faire un tour complet. Les trois personnages qui s'y trouvent symbolisent les trois états que l'on désignait au Moyen Âge par les mots *regno* (je règne), *regnavi* (j'ai régné) et *regnabo* (je régnerai).

— Il nous reste encore une gravure.

— Oui. La dernière, et aussi celle qui nous propose l'allégorie la plus significative. *N.NC SC.O TEN.BR. LUX* veut sans aucun doute dire *NUNC SCIO TENEBRIS LUX* : *Je sais maintenant que des*

ténèbres sort la lumière... En fait, nous sommes devant une
scène de l'Apocalypse de saint Jean. Le dernier sceau brisé, la
cité secrète en flammes, son heure arrivée et le nom terrible ou
le chiffre de la Bête prononcé, la Courtisane de Babylone chevauche, triomphante, le dragon à sept têtes...

— Un résultat qui ne semble pas très rentable, dit Corso.
Se donner tant de mal pour finalement tomber sur cette horreur.

— Il ne s'agit pas de cela. Toutes les allégories sont des
espèces de compositions codées, des énigmes... De la même
façon que dans un rébus une suite de dessins, de mots, de
chiffres ou de lettres évoquent un mot ou une phrase, les
gravures et leurs légendes, lorsqu'on les combine, permettent
d'établir avec le texte du livre une séquence, un rituel. La
formule qui procure le mot magique. Le *verbum dimissum* si
vous voulez l'appeler ainsi.

— Et le diable fait acte de présence.

— En théorie.

— En quelle langue est prononcée la conjuration ?... En
latin, en hébreu ou en grec ?

— Je l'ignore.

— Et où se trouve l'inexactitude dont parlait Mme de Montespan ?

— Je vous ai déjà dit que je ne le savais pas non plus. J'ai
seulement pu établir que l'officiant doit construire un territoire
magique pour y situer les mots obtenus, après les avoir placés
dans un ordre que j'ignore mais que l'on pourrait établir
d'après le texte des pages 158 et 159 des *Neuf Portes*. Regardez.

Elle lui montra le texte en latin abrégé. La page était
marquée par une fiche de bristol remplie de notes au crayon,
de la petite écriture pointue de la baronne.

— Vous avez réussi à le déchiffrer ? demanda Corso.

— Oui. Du moins, je le crois — elle lui tendit la fiche
couverte d'annotations. Tenez.

Corso se mit à lire :

C'est l'animal ourovore qui encercle le labyrinthe
où tu traverseras huit portes devant le dragon
qui accourt à l'énigme de la parole.
Chaque porte a deux clés :
la première est d'air et la seconde de matière,
mais toutes deux sont une seule et même chose.

Tu situeras la matière dans la peau du serpent
dans le sens de la lumière du Levant,
et dans son ventre le sceau de Saturne.
Tu ouvriras le sceau neuf fois,
et quand le miroir reflétera le chemin
tu obtiendras le mot perdu
qui fait jaillir la lumière des ténèbres.

— Qu'en pensez-vous ? demanda la baronne.

— Inquiétant, je suppose. Mais je ne comprends pas un traître mot... Et vous ?

— Je vous l'ai déjà dit ; pas grand-chose — elle feuilleta les pages du livre, préoccupée. Il s'agit d'une méthode, d'une formule. Mais il y a ici quelque chose qui ne va pas. Et je devrais savoir quoi.

Corso alluma une autre cigarette sans rien dire. Il connaissait la réponse à cette question : les clés de l'ermite, le sablier... La sortie du labyrinthe, l'échiquier, l'auréole... Et d'autres choses encore. Pendant que Frida Ungern expliquait la signification des allégories, il avait découvert de nouvelles variantes qui confirmaient son hypothèse : chaque exemplaire était différent des autres. La charade continuait et il fallait qu'il se mette au travail de toute urgence, mais pas ainsi. Pas avec la baronne collée à lui.

— J'aimerais examiner calmement tout ceci.

— Naturellement. J'ai le temps ; je serai heureuse de voir comment vous travaillez.

Corso s'éclaircit la gorge, mal à l'aise. Ils arrivaient à ce qu'il redoutait, au côté hostile de l'affaire.

— Je travaille mieux tout seul.

Il regretta aussitôt sa phrase. Un nuage avait obscurci le front de Frida Ungern.

— Je crains de ne pas vous avoir compris — elle regarda le sac de toile de Corso avec un intérêt soupçonneux. Vous voudriez me dire que je devrais vous laisser seul ?

— Je vous en prie — Corso avala sa salive, tentant de soutenir son regard le plus longtemps possible. Ce que je fais est confidentiel.

La baronne battit légèrement des paupières. Le nuage annonçait la tempête et le chasseur de livres comprit que tout risquait de chavirer d'un moment à l'autre.

— C'est votre droit le plus strict — le ton de Frida Ungern

aurait pu faire geler les pots de fleurs qui encombraient la pièce. Mais ce livre est à moi et cette maison aussi.

À ce stade, n'importe qui aurait présenté des excuses avant de battre en retraite, mais Corso s'abstint. Il resta assis, la cigarette aux lèvres, sans quitter la baronne des yeux. Finalement, il sourit prudemment : lapin en train de jouer au poker et qui va bientôt demander une autre carte.

— Je crois que je me suis mal expliqué — son sourire ne s'était toujours pas complètement affirmé quand il sortit de son sac de toile un objet très bien enveloppé. J'ai seulement besoin d'être ici un moment avec le livre et mes notes — il tapa doucement sur son sac tandis qu'il présentait le paquet de l'autre main. Vous verrez que j'ai tout ce qu'il me faut avec moi.

La baronne défit le paquet et examina en silence son contenu. Il s'agissait d'une publication en langue allemande — Berlin, septembre 1943 — ; un gros cahier relié sous le titre *Iden*, publication mensuelle du groupe Idus, cercle d'amateurs de magie et d'astrologie très proche des hauts dignitaires de l'Allemagne nazie. Une carte de Corso marquait une page illustrée. Sur celle-ci, Frida Ungern, jeune et très jolie, souriait au photographe. Chacun de ses deux bras — elle en avait deux à l'époque — reposait sur celui d'un homme : celui de droite était habillé en paysan et la légende de la photo l'identifiait comme l'astrologue particulier du Führer. Elle était désignée comme son assistante, l'éminente Mlle Frida Wender. Quant au personnage de gauche, il portait des lunettes à monture d'acier et donnait l'impression d'un homme timide. Il portait l'uniforme noir des SS. Et il n'était pas nécessaire de lire le texte en bas de la photo pour reconnaître le Reichsführer Heinrich Himmler.

Quand Frida Ungern, Wender de son nom de jeune fille, leva les yeux et que son regard croisa celui de Corso, elle n'avait plus du tout l'air d'une délicieuse petite grand-mère. Mais cette impression ne dura qu'un instant. Elle hocha lentement la tête, puis arracha soigneusement la page illustrée pour la déchirer en mille morceaux. Et Corso se dit que les sorcières, les baronnes et les petites vieilles qui travaillent parmi les livres et les pots de fleurs ont elles aussi leur prix, comme tout le monde. *Victa iacet Virtus.* Et il n'aurait jamais songé qu'il puisse en être autrement.

Quand il se retrouva seul, il sortit le dossier de son sac et se mit au travail. Il y avait une table à côté de la fenêtre et il alla s'y installer avec *Les Neuf Portes* ouvert à la page frontispice. Avant de commencer, il souleva les rideaux pour jeter un coup d'œil dehors. De l'autre côté de la rue, une BMW grise était stationnée ; tenace, Rochefort montait la garde. Corso regarda aussi dans la direction du bar-tabac du coin, mais il ne vit pas la jeune fille.

Il commença à examiner le livre : papier, pression des gravures, imperfections et errata. Il savait maintenant que les trois exemplaires n'étaient que superficiellement identiques : reliures de peau noire sans inscriptions extérieures, cinq nerfs, pentacle sur la couverture, nombre de pages, gravures disposées dans le même ordre... Avec une infinie patience, page après page, il se mit à compléter le tableau comparatif qu'il avait commencé avec l'exemplaire numéro Un. À la page 81, en face du verso vierge de la cinquième gravure, il découvrit une autre fiche de la baronne. C'était la traduction d'un paragraphe de cette même page, déchiffré :

> *Tu accepteras le pacte d'alliance que je t'offre en me livrant à toi. Et tu me promettras l'amour des femmes et la fleur des damoiselles, l'honneur des nonnes, les dignités, plaisirs et richesses des puissants, princes et ecclésiastiques. Je forniquerai tous les trois jours et l'ivresse me sera plaisante. Une fois l'an, je te ferai l'hommage de la confirmation de ce contrat signé de mon sang. Je foulerai aux pieds les sacrements de l'Église et je t'adresserai des prières. Je ne craindrai point la corde ni le fer ni le poison. Je passerai parmi les pestiférés et les lépreux sans que ma chair en soit souillée. Mais surtout, je posséderai la Connaissance pour laquelle mes premiers parents renoncèrent au paradis. En vertu de ce pacte, tu m'effaceras du livre de la vie pour m'inscrire au livre noir de la mort. Et, à compter de ce jour, je vivrai heureux vingt années sur la terre des hommes. Puis j'irai avec toi dans ton Royaume, afin de maudire Dieu.*

Il y avait une autre annotation au verso de la même fiche, le déchiffrement d'un paragraphe d'une autre page :

> *Je reconnaîtrai tes serfs, mes frères, au signe imprimé en une certaine partie de leur corps, ici ou là, cicatrice ou marque tienne...*

Corso blasphéma à voix basse mais avec conviction, comme s'il murmurait une prière. Puis il regarda autour de lui les livres qui couvraient les murs, leurs dos noircis et usés, et il lui sembla qu'une étrange et lointaine rumeur sortie de leurs pages parvenait jusqu'à lui. Chacun de ces volumes fermés était une porte derrière laquelle s'agitaient des ombres, des voix, des sons sortis d'un lieu profond et obscur qui s'ouvraient un passage jusqu'à lui.

Et il eut la chair de poule. Comme un vulgaire amateur.

Il faisait nuit quand il sortit. Il s'arrêta un moment sous le porche pour jeter un coup d'œil à gauche et à droite, mais il ne vit rien d'inquiétant ; la BMW grise avait disparu. Le brouillard montait lourdement de la Seine et débordait par-dessus le parapet de pierre, se glissant sur les pavés humides de la rue. La lumière jaunâtre des lampadaires qui illuminaient les quais par intervalles se reflétait sur le sol, éclairant le banc vide où la jeune fille s'était assise.

Il se rendit jusqu'au bar-tabac sans la rencontrer ; puis il chercha inutilement son visage parmi les personnes accoudées au bar ou installées autour des petites tables du fond. Il sentait qu'une pièce n'était pas à sa place dans le puzzle ; quelque chose qui, depuis qu'avait sonné l'alerte avec la nouvelle apparition de Rochefort, émettait par intermittence dans son cerveau des signaux d'alarme. Corso, dont l'instinct s'était considérablement aiguisé depuis les derniers événements, flairait le danger dans la rue déserte, dans la vapeur humide qui montait du fleuve en se traînant jusqu'à la porte du café. Il haussa les épaules, comme pour se libérer de cette sensation désagréable, acheta un paquet de Gauloises et s'enfila deux gins sans sourciller, l'un après l'autre, jusqu'à ce que ses fosses nasales se dilatent et que les choses reprennent lentement leur place exacte dans l'univers, comme un objectif cherchant sa mise au point. Le signal d'alarme se transforma en un son lointain, à peine audible, et les échos du monde extérieur finirent par lui parvenir commodément assourdis par une sorte de filtre. Un troisième gin à la main, il alla s'asseoir à une table libre, à côté de la vitrine un peu embuée, pour regarder la rue, le quai et le brouillard qui culbutait par-dessus le parapet avant de ramper sur les pavés, s'agitant en remous quand les roues d'une auto venaient le fendre. Il resta ainsi un quart d'heure dans l'attente de quelque indice étrange, son sac de toile par terre, entre ses pieds. Il contenait une bonne partie des réponses au mystère de Varo Borja ; le bibliophile ne jetait pas son argent par les fenêtres.

Pour commencer, Corso avait résolu le problème des divergences que présentaient huit des neuf gravures. L'exemplaire numéro Trois recelait des altérations par rapport aux deux autres aux planches I, III et VI. Sur la première, la ville fortifiée vers laquelle se dirigeait le chevalier avait trois tours au lieu de quatre. Sur la troisième gravure, il y avait une flèche dans le carquois de l'archer, alors que celui-ci était vide dans les exemplaires de Tolède et de Sintra. Sur la sixième planche, le pendu était attaché par le pied droit, alors que ses jumeaux des exemplaires Un et Deux l'étaient par le gauche. De telle sorte que le tableau comparatif commencé à Sintra pouvait se compléter ainsi :

	I	II	III	IIII	V	VI	VII	VIII	VIIII
UN	Quatre tours	Main gauche	Sans flèche	Sans issue	Sable en bas	Pied gauche	Échiquier blanc	Sans auréole	Pas de différence
DEUX	Quatre tours	Main droite	Sans flèche	Issue	Sable en haut	Pied gauche	Échiquier noir	Auréole	Pas de différence
TROIS	Trois tours	Main droite	Flèche	Sans issue	Sable en haut	Pied droit	Échiquier blanc	Sans auréole	Pas de différence

On pouvait donc conclure que si les planches paraissaient jumelles en apparence, il y en avait toujours une différente, sauf dans le cas de la gravure VIIII. Et ces différences se trouvaient réparties entre les trois exemplaires. Ce caprice apparent trouvait une signification lorsqu'on étudiait en parallèle les différences dans les marques de graveur correspondant aux signatures de l'*inventor*, le créateur original des planches, et du *sculptor*, l'artiste qui avait exécuté les xylographies : *A.T.* et *L.F.* :

	I	II	III	IIII	V	VI	VII	VIII	VIIII
UN	AT(s) AT(i)	AT(s) LF(i)	AT(s) AT(i)	AT(s) AT(i)	AT(s) LF(i)	AT(s) AT(i)	AT(s) AT(i)	AT(s) AT(i)	AT(s) AT(i)
DEUX	AT(s) AT(i)	AT(s) AT(i)	AT(s) AT(i)	AT(s) LF(i)	AT(s) AT(i)	AT(s) AT(i)	AT(s) LF(i)	AT(s) LF(i)	AT(s) AT(i)
TROIS	AT(s) LF(i)	AT(s) AT(s)	AT(s) LF(i)	AT(s) AT(i)	AT(s) AT(i)	AT(s) LF(i)	AT(s) AT(s)	AT(s) AT(s)	AT(s) AT(s)

Le rapprochement des deux tableaux mettait en évidence

NEM. PERV.T QVI N.N LEG. CERT.RIT

ב   II   ß

CLAVS. PAT.T

VERB. D.SVM C.S.T ARCAN.

IIII

FOR. N.N OMN. A.QVE

ה   V   Ɛ

FR.ST.A

DIT.SCO M.R.

VII

DIS.S P.TI.R M.

ח VIII אי

VIC. I.T VIR.

N.NC SC.O TEN.BR. LVX

une coïncidence : dans chacune des planches contenant des altérations par rapport aux deux autres en principe jumelles, on relevait aussi une altération dans les initiales correspondant à l'*inventor*. Il en résultait qu'Aristide Torchia, à titre de *sculptor*, avait exécuté sur bois toutes les xylographies dont avaient été tirées les gravures du livre. Mais il n'était l'*inventor* du dessin ou de la composition originale que dans dix-neuf des vingt-sept planches. Les huit autres, réparties parmi les trois exemplaires à raison de deux dans le premier, trois dans le deuxième et trois encore dans le troisième, avaient un autre auteur : celui que désignaient les initiales *L.F.* Phonétiquement très proches d'un certain nom : Lucifer.

Tours. Main. Flèche. Issue du labyrinthe. Sable. Pied du pendu. Échiquier. Auréole : telles étaient les erreurs à découvrir. Huit différences, huit planches correctes, sans doute copiées de l'obscur *Delomelanicon* original, et dix-neuf altérées, inutilisables, réparties entre les trois exemplaires qui n'étaient identiques que dans leur apparence extérieure et leur texte. Pour cette raison, aucun des trois livres n'était faux, pas plus qu'il n'était totalement authentique. Aristide Torchia avait dit la vérité à ses bourreaux ; mais pas toute la vérité. Il restait un livre, en effet. Caché et à l'abri du bûcher, comme interdit aux mains indignes. Et les gravures en constituaient la clé. Il restait un livre caché parmi les trois exemplaires, un livre qu'il fallait reconstituer selon les clés, les règles de l'Art, si le disciple dépassait le maître :

	I	II	III	IIII	V	VI	VII	VIII	VIIII
UN	Quatre tours	Main gauche	Sans flèche	Sans issue	Sable en bas	Pied gauche	Échiquier blanc	Sans auréole	Pas de différence
DEUX	Quatre tours	Main droite	Sans flèche	Issue	Sable en haut	Pied gauche	Échiquier noir	Auréole	Pas de différence
TROIS	Trois tours	Main droite	Flèche	Sans issue	Sable en haut	Pied droit	Échiquier blanc	Sans auréole	Pas de différence

	I	II	III	IIII	V	VI	VII	VIII	VIIII
UN	AT(s) AT(i)	AT(s) LF(i)	AT(s) AT(i)	AT(s) AT(i)	AT(s) LF(i)	AT(s) AT(i)	AT(s) AT(i)	AT(s) AT(i)	AT(s) AT(i)
DEUX	AT(s) AT(i)	AT(s) AT(i)	AT(s) AT(i)	AT(s) LF(i)	AT(s) AT(i)	AT(s) AT(i)	AT(s) LF(i)	AT(s) LF(i)	AT(s) AT(i)
TROIS	AT(s) LF(i)	AT(s) AT(s)	AT(s) LF(i)	AT(s) AT(i)	AT(s) AT(i)	AT(s) LF(i)	AT(s) AT(s)	AT(s) AT(s)	AT(s) AT(s)

Il trempa les lèvres dans son gin en regardant la Seine plongée dans le noir, derrière les lampadaires qui éclairaient une partie des quais en laissant des taches d'ombre noire sous les arbres dépouillés de leurs feuilles. À vrai dire, il ne ressentait ni euphorie ni sentiment de triomphe ; pas même la simple satisfaction d'avoir mené à terme un travail difficile. Il connaissait bien cet état d'esprit, le calme froid et lucide qu'il ressentait lorsqu'un livre poursuivi depuis longtemps lui tombait enfin entre les mains ; quand il réussissait à devancer un concurrent, à se procurer un volume difficile à acquérir ou à déterrer une pépite dans un tas de vieux papiers et de scories. Il se souvenait de Nikon, à une autre époque, en train d'étiqueter des bandes vidéo sur le tapis, à côté du téléviseur allumé, en se balançant doucement au rythme de la musique — Audrey Hepburn amoureuse d'un journaliste, à Rome — sans détourner de Corso ses grands yeux noirs auxquels la vie imprimait un étonnement perpétuel. C'était déjà l'époque où pointaient derrière ce regard la dureté, le reproche ; présages de la solitude qui planait sur eux comme une dette inéluctable dont le terme ne peut être reporté. Le chasseur à côté de sa proie, avait dit Nikon à voix basse, comme étonnée de sa découverte, car peut-être était-ce cette nuit-là qu'elle l'avait vu pour la première fois sous ce jour : Corso qui reprenait son souffle, comme un loup efflanqué dédaigne la proie qu'il vient de capturer après une longue course. Prédateur sans faim ni passion, sans frémissement devant la chair et le sang. Sans autre but que la chasse pour la chasse. Mort comme tes proies, Lucas Corso. Comme ce papier sec et cassant dont tu as fait ta bannière. Cadavres poussiéreux que tu n'aimes pas non plus, qui ne t'appartiennent même pas, dont tu te moques éperdument.

Il se demanda un instant ce que dirait Nikon de ce qu'il sentait en ce moment : ce chatouillement au bas-ventre, sa bouche sèche malgré le gin, et lui assis à cette petite table du bar-tabac, en train de surveiller la rue sans se décider à sortir parce qu'ici, dans la lumière et la chaleur, enveloppé par la fumée des cigarettes et le bruit des conversations dans son dos, il était temporairement à l'abri du noir présage, du danger sans nom ni forme qu'il devinait se frayer un passage vers lui à travers le matelas amortisseur du gin dilué dans son sang, avec ce brouillard lourd et sinistre qui montait de la Seine. Comme sur cette lande anglaise en noir et blanc ; Nikon aurait su apprécier. Basil Rathbone, immobile, attentif, alors que hurle dans le lointain le chien des Baskerville.

Il se décida enfin. Après avoir vidé un dernier verre, il laissa quelques pièces sur la table, mit son sac à l'épaule et sortit dans la rue en relevant le col de son manteau. Il regarda dans les deux directions avant de traverser et, lorsqu'il arriva au banc de pierre où la jeune fille lisait tout à l'heure, il se mit à longer le parapet. Les lumières jaunâtres d'une péniche qui descendait le fleuve l'éclairèrent d'en bas lorsqu'il passa près d'un pont, découpant sa silhouette dans un halo de brume sale.
La rive et les quais de la Seine semblaient déserts. À peine s'il y avait quelques autos. Près de l'étroit passage de la rue Mazarine, il fit signe à un taxi qui ne s'arrêta pas. Il continua à marcher jusqu'à la hauteur de la rue Guénégaud pour prendre le Pont-Neuf en direction du Louvre. Le brouillard et les immeubles noirs donnaient à la Seine une allure sombre, sans âge. Corso, inquiet pour une fois, comme un loup qui flaire le danger, reniflait à gauche et à droite. Il changea son sac d'épaule pour libérer sa main droite et s'arrêta, perplexe, en regardant autour de lui. C'était exactement là — chapitre XI : *L'intrigue se noue* —, que d'Artagnan avait vu Constance Bonacieux déboucher de la rue Dauphine, elle aussi en route vers le même pont et le Louvre, accompagnée d'un gentilhomme qui se révélerait être le duc de Buckingham, à qui son aventure nocturne aurait pu valoir une paume de l'épée de d'Artagnan dans le corps :

Je l'aimais, Milord, et j'étais jaloux...

Peut-être ce sentiment de danger n'était-il que le fruit de son imagination, piège pervers ourdi par trop de lectures et par l'étrangeté du décor ; mais le coup de téléphone de la jeune fille et la BMW grise à la porte n'étaient pas des inventions. Au loin, une horloge sonna. Corso poussa un long soupir. Tout cela était ridicule.

C'est alors que Rochefort se jeta sur lui. Il parut naître de l'ombre, surgir du fleuve, quoiqu'en réalité il l'eût suivi sur le quai, sous le parapet, pour le rattraper en prenant un escalier de pierre. L'escalier, Corso le découvrit quand il se sentit rouler au bas des marches. Il n'avait jamais fait une chute pareille et il crut qu'elle allait durer davantage encore, marche après marche, comme au cinéma ; mais tout se passa très vite. Après le premier coup de poing derrière l'oreille droite, très professionnel, la nuit s'épaissit et les sensations extérieures se firent lointaines, comme si elles lui parvenaient à travers une bouteille de gin. Et c'est pour cette raison qu'il ne se fit pas trop de mal lorsqu'il roula en bas de l'escalier en se frappant sur les marches de pierre, pour s'arrêter enfin, meurtri mais conscient ; peut-être un peu surpris de ne pas entendre le *splash* — onomatopée à la Conrad, pensa-t-il dans une absurde association d'idées — de son corps crevant les eaux du fleuve. Par terre, la tête contre les pavés mouillés du quai, les jambes sur les dernières marches de l'escalier, il regarda en l'air et vit confusément la silhouette de Rochefort qui descendait l'escalier quatre à quatre et se précipitait sur lui.

Tu es foutu, Corso. Ce fut l'unique pensée qu'il parvint à peu près à formuler. Puis il fit deux choses : premièrement, il essaya de donner un coup de pied à l'autre au moment où il passait au-dessus de lui ; mais le mouvement manquait d'ampleur et se perdit dans le vide. Dans les circonstances, il ne restait plus que l'ancien réflexe familier : former le carré, et que la fusillade s'éteigne dans le crépuscule. Entre l'humidité du fleuve et ses ténèbres particulières — il avait de plus perdu ses lunettes dans la bagarre —, il fit la grimace. La Garde meurt, mais en plus elle tombe dans les escaliers. Il forma donc le carré, se mit en boule pour défendre le sac qui était encore suspendu, ou plutôt pris à son épaule. L'arrière-arrière-grand-père de Corso apprécia peut-être le geste de l'autre rive du Léthé. Mais il était difficile de savoir si Rochefort l'appréciait lui aussi ; le fait est que, comme Wellington, il sut être à la hauteur de la traditionnelle efficacité britannique : Corso entendit un lointain cri de douleur — qu'il crut bien sortir de sa propre gorge — quand l'autre lui assena un coup de pied net et précis dans les reins.

Il n'y avait guère d'avenir dans tout cela, et le chasseur de livres ferma les yeux, résigné, attendant qu'on tourne la page. Il sentait tout près la respiration de Rochefort penché sur lui, qui tirait d'abord sur le sac, puis tentait d'arracher la courroie de son épaule. Ceci lui fit rouvrir les yeux une autre fois, juste à temps pour deviner l'escalier dans son champ de vision. Mais comme son visage était collé contre les pavés du quai, il le voyait horizontalement, sous un angle étrange, légèrement flou. C'est pour cette raison qu'il ne comprit pas bien au début si la jeune fille montait ou descendait ; il la vit seulement arriver avec une rapidité incroyable, ses longues jambes moulées dans les jeans qui sautaient les marches, le blouson bleu qu'elle venait d'enlever flottant en l'air, ou plutôt fonçant vers un angle de l'écran en faisant tourbillonner le brouillard, comme la cape du fantôme de l'Opéra.

Fasciné, il battit des paupières pour essayer de mieux voir et bougea un peu la tête pour mieux cadrer la scène. C'est ainsi qu'il put apercevoir du coin de l'œil Rochefort, à l'envers sur l'image, qui sursautait tandis que la jeune fille franchissait d'un seul bond les dernières marches pour tomber sur lui en poussant un cri bref, sec, plus dur et coupant qu'un éclat de cristal. Puis on entendit un bruit sourd — *paf*, ou peut-être *toump* — et Rochefort disparut du champ de vision de Corso comme si un ressort l'en avait fait sortir. Il ne voyait plus maintenant que l'escalier, de travers et désert, si bien qu'il tourna avec difficulté la tête dans la direction du fleuve en appuyant la joue gauche sur les pavés. L'image était toujours tordue : le sol d'un côté, le ciel obscur de l'autre, le pont en bas, le fleuve en haut ; mais au moins Rochefort et la jeune fille étaient là. L'espace d'un dixième de seconde, Corso put la voir, encore immobile, qui se découpait dans la lueur des lumières brumeuses du pont, les jambes écartées, les mains tendues en avant, comme si elle réclamait un moment de calme pour écouter une mélodie lointaine dont les notes l'auraient intéressée tout particulièrement. Devant elle, un genou et une main à terre, semblable à ces boxeurs qui ne se décident pas à se relever tandis que l'arbitre compte huit, neuf, dix, Rochefort. La lumière qui tombait du pont éclairait sa cicatrice et Corso eut le temps de voir son expression de stupeur avant que la jeune fille pousse une deuxième fois ce cri sec, coupant comme un couteau, se balance sur une de ses jambes et, levant l'autre, d'un mouvement semi-circulaire qui ne semblait pas lui coûter le moindre effort, décoche à Rochefort un incroyable coup de pied en pleine figure.

XII

Buckingham et Milady

Ce crime avait été commis avec la complicité d'une femme.
(E. de Queiroz, El misterio de la carretera de Sintra)

Assis sur la dernière marche de l'escalier, Corso essayait d'allumer une cigarette. Encore trop étourdi pour retrouver une perception spatiale normale, il ne parvenait pas à faire coïncider dans le même plan l'allumette et le bout de sa cigarette. De plus, un verre de ses lunettes était cassé, ce qui l'obligeait à fermer un œil pour regarder de l'autre. Quand la flamme crachota en s'éteignant entre ses doigts, il laissa tomber l'allumette entre ses pieds et garda la cigarette à la bouche, tandis que la jeune fille qui avait récupéré le contenu de son sac éparpillé sur les pavés du quai revenait vers lui.

— Ça va ?

C'était une question objective, dépourvue de sollicitude ou d'inquiétude. Elle était certainement fâchée de la façon stupide dont Corso, malgré la mise en garde qu'elle lui avait faite au téléphone, s'était laissé prendre. Le chasseur de livres hocha la tête, humilié, encore un peu perdu. Il pouvait cependant se consoler au souvenir de l'expression de Rochefort quand il avait reçu la monnaie de sa pièce. La jeune fille l'avait frappé avec précision et cruauté, mais sans s'acharner quand il s'était retrouvé sur le dos avant de se retourner péniblement, et de s'éloigner d'un pas traînant tandis qu'elle se désintéressait de lui pour s'occuper du sac. S'il n'en avait tenu qu'à lui, Corso se serait lancé à sa poursuite pour lui tordre le cou sans la moindre hésitation, jusqu'à ce qu'il crache le dernier morceau de ce qu'il savait de cette affaire ; mais il était trop faible pour se relever et il n'était pas trop sûr non plus que la jeune fille l'aurait laissé faire. Débarrassée de Rochefort, elle ne s'occupait que du sac et de Corso.

— Pourquoi l'as-tu laissé partir ?

Ils pouvaient voir une silhouette vacillante, déjà loin, qui bientôt allait se perdre dans le noir derrière un coude du quai, parmi les péniches amarrées qui ressemblaient à des vaisseaux fantômes perdus dans la nappe de brouillard. Corso s'imagina le type à la cicatrice en train de battre en retraite, la queue entre les jambes, la bouche transformée en hochet, se demandant encore comment diable la jeune fille avait pu lui faire ça, et il sentit en lui une sensation vengeresse de bonheur l'envahir.

— On aurait pu interroger ce fils de pute, se plaignit-il.

Elle était allée chercher son blouson. Elle revint s'asseoir à côté de lui, sur la même marche, sans lui répondre tout de suite. Elle semblait fatiguée.

— Il reviendra, dit-elle, et elle regarda un moment Corso avant de détourner les yeux vers la Seine. Essaie de faire plus attention la prochaine fois.

Il retira de sa bouche sa cigarette humide et la défit en la faisant tourner entre ses doigts.

— Je croyais que...

— Tous les hommes croient que... Jusqu'à ce qu'on leur casse la figure.

C'est alors qu'il remarqua que la jeune fille était blessée. Pas grand-chose : un filet de sang coulait de son nez sur sa lèvre supérieure, puis descendait par la commissure des lèvres jusqu'au menton.

— Tu saignes du nez, dit-il stupidement.

— Je sais, répondit-elle sans s'émouvoir ; elle se contenta de se toucher un instant avec deux doigts qu'elle examina ensuite, tachés de sang.

— Comment est-ce qu'il t'a fait ça ?

— Je me suis frappée toute seule, ou presque — elle s'essuyait les doigts sur ses jeans. Au début, je suis tombée sur lui. Nous nous sommes cognés.

— Et qui t'a appris ces choses-là ?

— Quelles choses ?

— Je t'ai vue là-bas, au bord de l'eau — Corso imita maladroitement son geste avec les mains —, quand tu lui as réglé son compte.

Il la vit sourire un peu tandis qu'elle se relevait en épousse-
tant le fond de ses jeans :

— Un jour, je me suis battue contre un archange. C'est lui
qui a gagné, mais j'ai compris son truc.

Elle paraissait tout à coup extrêmement jeune avec ce filet
de sang sur le visage. Elle jeta le sac sur son épaule et tendit la
main à Corso pour l'aider à se relever. Il fut surpris de la
fermeté de sa poigne. Quand il réussit enfin à se mettre debout,
tous ses os lui faisaient mal.

— J'avais toujours cru que les archanges se battaient avec
des lances et des épées.

La tête penchée en arrière, elle renifla pour empêcher le
sang de couler trop fort de son nez. Puis elle le regarda de
travers, agacée.

— Tu as trop vu de gravures de Dürer, Corso.

Ils rentrèrent à l'hôtel par le Pont-Neuf et les guichets du
Louvre, sans autres incidents. Dans un endroit mieux éclairé, il
vit que la jeune fille saignait encore. Il sortit son mouchoir de
sa poche mais, quand il fit le geste de l'aider, elle le lui arracha
de la main pour le poser toute seule sur son nez. Elle marchait,
perdue dans des pensées que Corso était incapable d'imaginer
tandis qu'il l'épiait à la dérobée : ce cou long et nu, ce profil
parfait, sa peau mate dans la clarté brumeuse des lampadaires
du Louvre. Elle avançait le sac à l'épaule, la tête un peu baissée,
ce qui lui donnait une allure à la fois décidée et têtue. Parfois,
lorsqu'ils arrivaient dans un endroit plus sombre, elle lançait
des coups d'œil rapides autour d'elle, et la main qui tenait le
mouchoir sous son nez allait reprendre sa place le long de son
corps, crispée, en éveil. Plus loin, sous les arcades bien éclai-
rées de la rue de Rivoli, elle parut se détendre un peu. Elle ne
saignait plus du nez et elle lui rendit son mouchoir taché de
sang déjà coagulé. Elle semblait même être de meilleure
humeur et ne plus tellement en vouloir à Corso de s'être laissé
prendre comme un sot. Puis elle posa deux ou trois fois sa main
sur son épaule tandis qu'ils marchaient, dans un geste parfaitement spontané, totalement naturel, comme s'ils étaient deux
vieux camarades rentrant de promenade ; peut-être aussi, fatiguée, avait-elle besoin de s'appuyer. Au début, ce geste plut à
Corso à qui la promenade faisait retrouver sa lucidité. Ensuite,

il se sentit un peu mal à l'aise. Ce contact sur son épaule réveillait une sensation insolite, pas totalement désagréable mais inattendue. Comme s'il se sentait mou à l'intérieur, mou comme un caramel.

Grüber était de service ce soir-là. Il se permit un bref regard interrogateur lorsqu'il vit le couple, le chasseur de livres avec son manteau sale et trempé, un verre de ses lunettes cassé, la jeune fille avec le visage taché de sang ; mais il ne laissa paraître aucune émotion particulière. Il se contenta de hausser un sourcil, très courtois, en inclinant silencieusement la tête pour indiquer qu'il s'en remettait à la discrétion de Corso, jusqu'à ce que celui-ci le tranquillise d'un geste. Le concierge lui tendit alors une enveloppe cachetée en même temps que les clés des deux chambres. Ils entrèrent dans l'ascenseur et Corso s'apprêtait à ouvrir l'enveloppe quand il vit que la jeune fille recommençait à saigner du nez. Il glissa alors le message dans la poche de son manteau, puis lui offrit une fois de plus son mouchoir. L'ascenseur s'arrêta à l'étage de la jeune fille et Corso lui conseilla d'appeler un médecin, mais elle fit signe que non et sortit. Après un moment d'hésitation, il la suivit dans le couloir où un chapelet de gouttes de sang traçait une piste sur la moquette. Puis, dans la chambre, il la fit s'asseoir sur le lit et disparut dans la salle de bains pour revenir un instant plus tard avec une serviette humide.

— Mets ça sur ta nuque et lève la tête.

Elle obéit sans desserrer les dents. Toute l'énergie dont elle avait fait preuve sur les quais semblait s'être évanouie, peut-être à cause de l'hémorragie. Il lui enleva son blouson et ses tennis pour la coucher ensuite sur le lit en pliant l'oreiller en deux sous son dos ; elle se laissait faire comme une petite fille à bout de forces. Avant d'éteindre toutes les lumières, sauf celle de la salle de bains, Corso jeta un coup d'œil autour de lui dans la chambre : à part la brosse à dents, le tube de dentifrice et un petit flacon de shampooing sous le miroir du lavabo, les seules possessions visibles de la jeune fille étaient son blouson, son sac à dos ouvert sur le fauteuil, les cartes postales achetées la veille avec *Les Trois Mousquetaires*, deux chemisettes de coton et des culottes blanches qui séchaient sur le radiateur. Sa tournée d'exploration achevée, il regarda la jeune fille, gêné, ne sachant s'il devait s'asseoir au bord du lit ou ailleurs. La sensation qu'il avait éprouvée rue de Rivoli le reprenait maintenant, dans son estomac semblait-il. Mais il ne pouvait pas la laisser comme ça ; pas avant qu'elle ne se sente un peu mieux. Finalement, il décida de rester debout. Il avait les mains dans les poches de son manteau, et l'une d'elles touchait la flasque de gin vide. Il lança un regard d'envie dans la direction du mini-bar dont le scellé était encore intact. Il mourait d'envie de prendre un verre.

— Tu as été formidable là-bas, sur le quai, dit-il pour meubler le silence. Je ne t'ai pas encore dit merci.

Elle sourit légèrement, à moitié endormie ; mais ses yeux aux pupilles dilatées par la pénombre avaient suivi les moindres gestes de Corso.

— Que se passe-t-il ? demanda-t-il.

Elle soutint son regard avec un soupçon d'ironie, comme pour lui faire comprendre que sa question était absurde :

— Apparemment, ils veulent quelque chose que tu as avec toi.

— Le manuscrit Dumas ?... *Les Neuf Portes* ?

La jeune fille soupira. Tout cela n'avait peut-être pas tellement d'importance, semblait-elle dire.

— Tu es intelligent, Corso, répondit-elle enfin. Tu devrais avoir au moins une petite idée.

— J'en ai trop. Ce qui me manque, ce sont des preuves.

— Les preuves ne sont pas toujours nécessaires.

— Seulement dans les romans policiers : Sherlock Holmes ou Poirot peuvent se contenter d'imaginer qui est l'assassin et comment il a commis son crime. Ensuite, ils inventent le reste et le racontent comme si c'était la vérité. Alors, Watson ou Hastings les admirent, applaudissent et s'exclament : « Bravo, maestro, c'est exactement cela. » Et l'assassin avoue. Le crétin.

— Moi aussi, je suis prête à applaudir.

Cette fois, il n'y avait pas d'ironie dans sa voix. Elle l'observait fixement, attentive, attendant de lui un mot ou un geste.

Il changea de position, mal à l'aise.

— Je sais, dit-il. — La jeune fille continuait à le regarder dans les yeux comme si elle n'avait vraiment rien à cacher. Et je me demande pourquoi.

Il faillit ajouter : « Ce n'est pas un roman policier, mais la vraie vie » ; mais il préféra s'abstenir car, à ce stade de la trame, la ligne qui séparait la réalité de l'imaginaire lui paraissait passablement diffuse. Corso, être concret de chair et de sang, titulaire d'une carte d'identité, domicile connu, doué d'une conscience physique dont, en ce moment même, après l'incident de l'escalier, ses os endoloris lui donnaient la preuve, cédait chaque fois plus à la tentation de se considérer comme un personnage réel dans un monde irréel. Ce qui n'avait rien de très divertissant, car de là à se croire aussi un personnage irréel s'imaginant réel dans un monde irréel, il n'y avait qu'un pas : celui qui sépare l'homme sain d'esprit du cinglé. Et il se demanda si quelqu'un, romancier à l'esprit tordu ou auteur ivrogne de scénarios bon marché, était en train de l'imaginer en ce moment comme un personnage *irréel* qui s'imaginait être *irréel* dans un monde *irréel*. Il n'aurait plus manqué que ça.

Ce raisonnement eut pour effet de lui assécher le gorgoton. Il était là, debout devant la jeune fille, les mains dans les poches de son manteau, la langue tapissée de papier de verre. Si j'étais irréel, pensa-t-il, soulagé, mes cheveux se dresseraient sur ma tête et je me mettrais à crier *Bonté divine !*, ou encore la sueur perlerait sur mon front. Mais je n'aurais pas aussi soif. Je bois, donc je suis. Et il fonça tout droit sur le mini-bar, fit sauter le scellé et s'envoya une petite bouteille de gin d'un seul coup, cul sec. Il souriait presque lorsqu'il se releva en fermant la porte du mini-bar, comme s'il refermait un tabernacle. Lentement, les choses retrouvaient leur place dans l'univers.

Il n'y avait pas beaucoup de lumière dans la chambre. Celle de la salle de bains, tamisée, éclairait en biais une partie du lit où la jeune fille était toujours allongée. Il regarda ses pieds nus, ses jambes moulées dans ses jeans, sa chemisette tachée de gouttes de sang. Puis il s'arrêta sur son long cou brun et nu. Sa bouche entrouverte laissait voir la pointe de ses incisives blanches dans la pénombre. Ses yeux le suivaient toujours. Il toucha la clé de sa chambre dans la poche de son manteau en avalant sa salive. Il fallait qu'il s'en aille d'ici.

— Ça va mieux ?

Elle hocha la tête sans répondre. Corso consulta sa montre, même s'il se moquait éperdument de l'heure qu'il pouvait être. Il ne se souvenait pas avoir allumé la radio en entrant. Pourtant, de la musique jouait quelque part. Une chanson mélancolique, en français. Une fille de bar, dans un port, amoureuse d'un marin inconnu.

— Bon... Il faut que j'y aille.

La voix de la femme continuait à égrener sa chanson à la radio. Le marin — comme on pouvait s'y attendre — avait définitivement pris la tangente et la fille de bar contemplait sa chaise vide, le cercle humide laissé par son verre sur la table. Corso s'approcha de la table de nuit pour récupérer son mouchoir dont il utilisa la partie la plus propre pour essuyer l'unique verre intact de ses lunettes. Il vit alors que la jeune fille avait recommencé à saigner du nez.

— Tu saignes encore, dit-il.

Le filet de sang coulait à nouveau sur sa lèvre supérieure et le coin de sa bouche. Elle porta une main à son visage et sourit, stoïque, puis regarda ses doigts tachés de sang.

— Aucune importance.

— Tu devrais voir un médecin.

Elle ferma à demi les yeux en secouant la tête, tout doucement. Elle paraissait très mal en point ainsi, dans l'obscurité de la chambre, sur l'oreiller où coulaient de gros points foncés. Les lunettes encore à la main, Corso s'assit au bord du lit et approcha le mouchoir de son visage. Et lorsqu'il se pencha vers elle, son ombre que la lumière oblique de la salle de bains projetait sur le mur sembla hésiter entre la clarté et l'obscurité avant de s'évanouir dans un coin.

C'est alors que la jeune fille eut un geste inattendu, étrange. Sans se soucier du mouchoir qu'il lui offrait, elle tendit vers Corso sa main tachée de sang et lui toucha le visage en traçant du bout des doigts quatre lignes rouges, du front jusqu'au menton. Elle ne retira pas sa main après cette singulière caresse, mais la laissa là, tiède et humide, et il sentit les gouttes de sang glisser le long de la quadruple trace qu'elle avait laissée sur sa peau. Ses iris clairs reflétaient la lumière qui entrait par la porte entrouverte et Corso frissonna en y découvrant le double reflet de son ombre perdue.

Une autre chanson jouait à la radio, mais ni lui ni elle n'écoutaient plus. La jeune fille avait une odeur de chaleur et de fièvre, et une douce palpitation apparaissait sous la peau de son cou dénudé. La chambre virait de l'ombre et de la clarté aux clairs-obscurs où les objets perdent leurs contours. Elle murmura tout bas quelque chose d'inintelligible et de petites étincelles éclairèrent son regard tandis que sa main glissait vers la nuque de Corso, élargissant autour de son cou la tache de

sang tiède. Le goût d'une de ces gouttes sur la langue, il se
pencha vers elle, vers la tiédeur de ses lèvres entrouvertes d'où
sortait à présent un doux gémissement qui semblait venir de
très loin, lent et monotone, vieux de siècles et de siècles. Un
bref moment, dans la palpitation de cette chair, retrouvèrent
vie toutes les morts antérieures de Lucas Corso, comme si le
courant d'un fleuve noir et tranquille aux eaux aussi épaisses
que du vernis les charriait avec lui. Et il regretta qu'elle n'eût
point de nom qu'il puisse tatouer à l'instant dans sa conscience.

Ce ne fut que l'affaire d'une seconde. Ensuite, retrouvant
son rictus lucide, le chasseur de livres se vit assis au bord du lit,
le manteau toujours sur les épaules, fasciné comme un parfait
imbécile, tandis qu'elle se reculait un peu et, arquant les reins
comme un jeune et bel animal, défaisait le bouton de ses jeans.
Il la regarda faire avec une espèce de clin d'œil intérieur bienveillant ; avec cette indulgence à la fois sceptique et lasse qu'il
s'accordait parfois. Avec plus de curiosité que de désir. Quand
la fermeture glissa jusqu'en bas, la jeune fille découvrit un
triangle de peau sombre qui contrastait avec le coton blanc de
sa culotte que le jeans emporta avec lui lorsqu'elle s'en débar-
rassa ; et ses longues jambes, bronzées, allongées sur le lit,
laissèrent Corso — les deux Corso — le souffle coupé, comme
elles avaient laissé Rochefort édenté. Elle leva ensuite les bras
pour enlever sa chemisette ; elle le fit avec un naturel parfait,
sans coquetterie ni indifférence, en gardant sur lui ses yeux
tranquilles et doux jusqu'à ce que le vêtement lui couvre la tête.
Alors, le contraste fut plus grand encore : encore plus de coton
blanc qui cette fois glissait vers le haut sur la peau mate, la
chair ferme, chaude, la ceinture fine ; les seins lourds et parfaits, dessinés à contre-jour dans la pénombre ; la naissance du
cou, la bouche entrouverte et à nouveau les yeux, remplis de
toute la lumière arrachée au ciel. Avec l'ombre de Corso tout au
fond, captive comme une âme enfermée au cœur d'une double
boule de cristal ou d'une émeraude.

Dès ce moment, il sut avec une certitude absolue qu'il
n'allait pas pouvoir. Ce fut une de ces intuitions lugubres qui
précèdent certains événements et les marquent, avant même
qu'ils ne se produisent, un de ces signes d'inévitable désastre.
Pour parler de façon plus prosaïque : tandis qu'il envoyait le
reste de ses vêtements retrouver son manteau jeté au pied du
lit, Corso constata que l'érection initiale provoquée par les

circonstances se trouvait en franc recul. Il allait faire chou blanc. Ou comme aurait dit l'arrière-arrière-grand-père bonapartiste, la Garde recule. Complètement. Il en ressentit une angoisse soudaine, même s'il espérait bien que, debout comme il l'était, dans le contre-jour de la porte, sa flaccidité inopportune passerait inaperçue. Avec d'infinies précautions, il se laissa tomber sur le ventre, à côté du corps tiède et brun qui attendait dans l'ombre, afin de recourir à ce que, dans la boue des Flandres, l'Empereur aurait appelé une approche tactique indirecte : reconnaissance du terrain à moyenne distance et absence de contact dans la zone critique. De cette prudente position, il voulut s'accorder un peu de temps, au cas où Grouchy arriverait avec les renforts, caressant la jeune fille et l'embrassant sans hâte sur la bouche et le cou. Mais rien, strictement rien. Grouchy n'apparaissait nulle part ; ce souffleur de verre faisait la chasse aux Prussiens, loin du champ de bataille. Et l'angoisse de Corso se transforma en panique quand la jeune fille se serra contre lui, glissa une cuisse ferme, parfaite et tiède, entre les siennes, et put ainsi constater l'ampleur du désastre. Il la vit sourire légèrement, un peu déconcertée. Un sourire d'encouragement, dans le genre : allez, champion ! je sais que tu peux y arriver. Puis elle l'embrassa avec une douceur extraordinaire tout en avançant une main volontaire, fermement résolue à redresser la situation. Et juste au moment où il sentit le contact de ces doigts sur l'épicentre même du drame, Corso s'effondra, coula à pic. Sans demi-mesures. Comme le *Titanic*, l'orchestre qui joue sur le pont, les femmes et les enfants d'abord. Les vingt minutes suivantes furent une véritable agonie ; de celles qui vous font purger tout le mal commis dans une vie. Attaques héroïques qui s'écrasaient contre les carrés imperturbables des fusiliers écossais. L'infanterie de ligne lancée à l'assaut ne laissait entrevoir qu'une bien mince possibilité de victoire. Sorties improvisées des chasseurs et de l'infanterie légère, dans le vain désir de surprendre l'ennemi. Escarmouches de hussards et pesantes charges de cuirassiers. Mais toutes les tentatives connurent un sort semblable : Wellington riait dans sa barbe, dans ce petit village belge intouchable, tandis que son cornemuseur major jouait la marche des Écossais gris à la barbe de Corso, et que la Vieille Garde, ou ce qu'il en restait, lançait en biais des regards exorbités, les dents serrées, étouffant son halètement contre les draps, à la montre qui pour son malheur était toujours à son poignet. Des gouttes de sueur grosses comme des pois chiches perlaient à la racine des cheveux de Corso et dégoulinaient le long de sa nuque. Et il regardait autour de lui avec des yeux égarés, par-dessus l'épaule de la jeune fille, cherchant désespérément un pistolet pour se tuer.

Elle dormait. Avec une extrême lenteur pour ne pas la réveiller, il tendit la main vers son manteau pour prendre une cigarette. Quand il l'eut allumée, il se redressa sur un coude et se mit à la regarder. Elle était allongée sur le dos, nue, la tête renversée en arrière sur l'oreiller taché de sang déjà sec, et elle respirait doucement, la bouche entrouverte. Elle sentait toujours la fièvre et la chair tiède. À la lumière indirecte de la salle de bains qui dessinait sa silhouette en ombres et taches claires, Corso admirait son corps immobile, parfait. Chef-d'œuvre de l'ingénierie génétique, se dit-il ; et il se demanda quel mélange de sang ou d'énigmes, de salive, de peau, de chair, de sperme et de hasard s'était combiné dans le temps pour assembler les maillons de la chaîne qui avec elle atteignait son point culminant. Toutes les femmes, toutes les femelles créées par le genre humain étaient là, résumées dans ce corps de dix-huit ou vingt ans. Il regarda son cou qui palpitait au rythme de son sang, le battement presque imperceptible de son cœur, la ligne douce et sinueuse qui partait de ses muscles dorsaux pour rejoindre la ceinture et s'élargir aux hanches. Il approcha la main pour caresser du bout des doigts le petit triangle bouclé, là où la peau était un peu plus claire, entre ces cuisses où il avait été incapable de bivouaquer selon les règles. La jeune fille avait fait face à la situation avec un talent impeccable, sans lui accorder trop d'importance, laissant l'affaire dériver dans le sens d'un jeu léger et complice quand elle avait fini par comprendre que, du côté de Corso et pour cet assaut du moins, il n'y aurait ni fumée ni mitraille. Ce qui eut pour effet de détendre l'atmosphère ; ou du moins d'empêcher que lui, à défaut d'une arme à feu — on achève bien les chevaux, non ? —, ne se jette contre la table de nuit et ne se cogne la tête jusqu'à la fendre en deux ; option qu'il en était venu à envisager dans sa confusion et qu'il ne parvint à écarter, avec un succès relatif, qu'en assenant à la dérobée un coup de poing au mur, passant bien près de se fracturer les phalanges ; et elle, surprise par ce brusque mouvement et par la tension soudaine de son corps, le regarda avec étonnement. Le fait est que la douleur et les efforts qu'il fit pour ne pas hurler calmèrent un peu Corso qui retrouva en outre suffisamment de présence d'esprit pour esquisser un sourire crispé et dire à la jeune fille qu'il était coutumier de ce genre d'accident les trente premières fois. Elle éclata de rire, collée contre lui, et l'embrassa sur les yeux et la bouche, amusée et tendre. Tu es idiot, Corso ; ça n'a aucune importance. Absolument aucune. Même ainsi, il fit la seule chose qu'il pouvait tenter à ce stade : un travail de délicate broderie avec des doigts habiles posés dans le lieu propice, et des résultats qui, s'ils n'étaient pas glorieux, furent du moins raisonnables. Ensuite, quand elle eut repris son souffle, la jeune fille le regarda longuement en silence avant de l'embrasser lentement et consciencieusement, jusqu'à ce que la pression de ses lèvres finisse par céder et qu'elle trouve le sommeil.

Le bout de sa cigarette éclairait les doigts de Corso dans la pénombre. Il retint la fumée aussi longtemps qu'il le put dans ses poumons, puis l'expulsa d'un seul coup en la regardant se matérialiser dans l'air quand elle traversa le rayon de lumière qui tombait sur le lit. Il sentit que la respiration de la jeune fille s'interrompait un instant et il la regarda, attentif. Elle fronçait les sourcils en gémissant tout doucement, comme une petite fille qui aurait fait un mauvais rêve. Puis, toujours endormie, elle se mit sur le côté, à demi retournée vers lui, le bras sous ses seins nus, la main toute proche de son visage. Mais qui es-tu, nom de Dieu, lui demanda-t-il une fois de plus sans ouvrir la bouche, irrité, même s'il se pencha ensuite pour embrasser son visage immobile. Il caressa ses cheveux courts, la ligne de sa ceinture et ses hanches qui se découpaient maintenant avec netteté dans le contre-jour de la chambre. Il y avait plus de beauté dans cette douce ligne courbe que dans une mélodie, une sculpture, un poème ou un tableau. Il s'approcha pour flairer son cou tiède et son pouls se mit alors à tambouriner plus fort, réveillant sa chair. Du calme, se dit-il. Du sang-froid, et surtout pas de panique cette fois. De l'ordre et de la méthode. Il ignorait combien de temps allait se maintenir la chose, si bien qu'il éteignit précipitamment sa cigarette dans le cendrier posé sur la table de nuit avant de se coller contre la jeune fille, s'assurant au passage que son organisme répondait au stimulus de façon satisfaisante. Il lui écarta ensuite les cuisses et atteignit enfin, étourdi, un paradis humide, accueillant, qui paraissait fait de crème tiède et de miel. Il sentit que la jeune fille bougeait, somnolente, et qu'elle le prenait par les épaules, encore à moitié endormie. Il l'embrassa dans le cou et sur sa bouche qui poussait une longue plainte infiniment douce, puis constata qu'elle remuait les hanches pour s'accoupler à lui et prendre la cadence de ses mouvements. Et lorsqu'il s'enfonça jusqu'au fond de la chair et de lui-même, s'ouvrant sans effort un passage vers le lieu perdu de sa mémoire où, par instinct, il se dirigeait, elle avait ouvert les yeux et le regardait, surprise et heureuse, reflets verts derrière ses longs cils humides. Je t'aime, Corso. T'aimejet'aimejet'aimejet'aime. Je t'aime. Un peu plus tard, il dut se mordre la langue pour ne pas lui dire de pareilles bêtises. Il se voyait de très loin, étonné et incrédule, presque incapable de se reconnaître : attentif à ses gestes, pendu à ses battements, devançant son désir tandis qu'il découvrait les ressorts secrets, les clés intimes de ce corps doux et tendu tout à la fois, solidement enlacé au sien. Ils continuèrent ainsi pendant un peu plus d'une heure. Puis Corso demanda à la jeune fille si elle était fertile ou pas, et elle lui répondit de ne pas s'inquiéter, qu'elle prenait ses précautions. Alors il lui mit tout, jusqu'au fond du fond, tout près du cœur.

Le soleil commençait à se lever quand il se réveilla. La jeune fille dormait serrée contre lui et Corso resta un moment immobile pour ne pas la réveiller, refusant de réfléchir à ce qui s'était passé et à ce qui pouvait maintenant arriver. Il entrouvrit les yeux en se laissant aller calmement, jouissant de l'heureuse indolence de cet instant. La respiration de la jeune fille lui caressait la peau. Irene Adler, 223b Baker Street. Le diable amoureux. La silhouette dans le brouillard, en face de Rochefort. Le blouson bleu qui tombait lentement en s'ouvrant sur le quai de la Seine. Et l'ombre de Corso dans ses yeux. Elle dormait détendue et paisible, étrangère à tout, et Corso ne parvenait pas à établir un lien logique qui puisse ordonner les images conservées par sa mémoire. Mais la logique ne lui disait absolument rien en ce moment précis ; il se sentait paresseux et content. Il glissa une main dans la chaleur des cuisses de la jeune fille et la laissa là, tranquille. Au moins, ce corps nu était bien réel.

Un peu plus tard, il se leva avec précaution pour aller à la salle de bains. Devant le miroir, il s'aperçut qu'il avait encore du sang coagulé sur le visage, ainsi qu'un bleu — en prime pour son escarmouche avec Rochefort sur l'escalier — sur l'épaule gauche et un autre sur deux côtes qui lui firent mal quand il appuya dessus. Il fit un brin de toilette, puis alla chercher une cigarette. Et c'est en fouillant dans son manteau qu'il tomba sur le message de Grüber.

Il lança un juron dans sa barbe, furieux de l'avoir oublié, mais il n'y avait plus rien à faire. Il ouvrit donc l'enveloppe et revint à la lumière de la salle de bains pour lire le mot. Il n'était pas bien long et son contenu — deux noms, un numéro et une adresse — lui arracha un sourire cruel. Il alla se regarder une autre fois dans le miroir, les cheveux en bataille, le menton bleu par sa barbe naissante, et chaussa ses lunettes au verre cassé comme un chevalier enfonce sa salade sur sa tête ; il avait sur les lèvres le rictus d'un loup méchant qui flaire sa proie. Puis il ramassa ses vêtements et son sac de toile sans faire de bruit et lança un dernier regard à la jeune fille endormie. Peut-être, après tout, serait-ce une belle journée. Buckingham et Milady allaient avaler de travers leur petit déjeuner.

L'hôtel Crillon était nettement au-dessus des moyens de Flavio La Ponte ; c'était donc la veuve Taillefer qui devait faire les frais. Corso pensait à ce détail tandis qu'il descendait du taxi, place de la Concorde, et qu'il traversait tout droit le hall en marbre de Sienne, cap sur l'escalier et la chambre 206. Il y avait une petite carte « Prière de ne pas déranger » à la porte et le silence était total de l'autre côté lorsqu'il donna trois coups secs.

Et l'on donna trois coups dans la chair païenne, et les barbes du harpon promis à la Baleine blanche prirent leur trempe.

La Fraternité des Harponneurs de Nantucket paraissait sur le point de se dissoudre et Corso ne savait s'il devait le regretter ou pas. Un jour, La Ponte et lui avaient imaginé une deuxième version de *Moby Dick* : Ismahel écrit l'histoire, glisse le manuscrit dans le cercueil calfaté et se noie avec le reste de l'équipage du *Pequod*. Celui qui survit est Quiequeg, le harponneur sauvage et sans prétentions intellectuelles. Avec le temps, il apprend à lire et se plonge dans le roman de son compagnon pour découvrir que la version de celui-ci n'a rien à voir avec ses propres souvenirs. Il écrit alors sa version de l'histoire. « *Appelons-moi Quiequeg* », commence-t-il, et il intitule son récit : *Une baleine.* Du point de vue professionnel du harponneur, Ismahel était un érudit pédant qui avait tout raconté de travers : Moby Dick n'était pas coupable, ce n'était qu'un cétacé comme les autres, et tout se résumait à l'histoire d'un capitaine incompétent qui fait passer un règlement de compte personnel — « *Qu'importe qui lui a arraché la jambe* », écrit Quiequeg — avant son obligation de remplir des barriques d'huile. Corso se souvenait de la scène, autour de la table du bar : de son air masculin, solennel et balte, Makarova écoutait avec attention La Ponte qui expliquait l'utilité de calfater le cercueil du charpentier tandis que, derrière le comptoir, Zizi leur lançait des regards assassins et jaloux. C'était l'époque où, si Corso composait son propre numéro de téléphone, c'était la voix de Nikon — il la voyait toujours sortir de la chambre noire, les mains trempées de fixateur — qu'il entendait au bout du fil. C'était ainsi que les choses s'étaient passées le soir où ils avaient réécrit *Moby Dick*, avant de tous se retrouver chez lui pour vider encore d'autres bouteilles devant le téléviseur où ils avaient regardé sur le magnétoscope le film de John Huston. Et ils avaient levé leurs verres à la santé du vieux Melville quand le *Raquel* qui naviguait à la recherche de ses fils perdus était enfin tombé sur un autre orphelin.

Les choses s'étaient passées ainsi. Pourtant, à présent, devant la porte de la chambre 206, Corso ne parvenait pas à ressentir la colère de celui qui va accuser quelqu'un de trahison ; peut-être parce qu'au fond il était de ceux qui pensent qu'en politique, en affaires et en matière de sexe, trahir n'est qu'une question de dates. La politique étant exclue, il ignorait si la présence de son ami à Paris s'expliquait par les affaires ou par le sexe ; peut-être les deux facteurs s'associaient-ils, car même Corso le retors ne pouvait se l'imaginer en train de courir après les complications simplement pour de l'argent. Mentalement, il passa en revue Liana Taillefer dans sa mémoire, lors de cette brève escarmouche chez lui, belle et sensuelle, hanches généreuses, chair blanche, délicate, la santé qu'elle respirait, son allure de Kim Novak en train de jouer les femmes fatales, et il haussa un sourcil — l'amitié était faite de ces petits détails — en hommage généreux aux mobiles du libraire. Peut-être est-ce pour cette raison que La Ponte ne lut aucune animosité sur son visage lorsqu'il apparut à la porte ; ce qu'il fit en pyjama, pieds nus, mal réveillé. Et il eut le temps d'ouvrir la bouche, surpris, avant que Corso ne la lui ferme d'un coup de poing qui l'envoya valser en trébuchant jusqu'au fond de la chambre.

En d'autres circonstances, il n'est pas impossible que Corso eût apprécié la scène : suite de luxe, fenêtre avec vue sur l'obélisque de la Concorde, épaisse moquette, immense salle de bains. La Ponte par terre, en train de frotter son menton endolori et d'essayer d'aligner ses yeux fortement ébranlés par le coup. Un grand lit, deux petits déjeuners sur un plateau. Liana Taillefer assise sur le lit, blonde et stupéfaite, une tartine de pain grillé entamée à la main, un sein volumineux et blanc à l'air libre, l'autre retenu par sa chemise de nuit de soie, largement échancrée. Mamelons de cinq centimètres de diamètre, observa Corso sans passion en refermant la porte derrière lui. Mieux vaut tard que jamais.

— Bonjour, dit-il.

Puis il s'approcha du lit. Liana Taillefer, immobile, sa tartine toujours à la main, le regarda s'asseoir à côté d'elle et, après avoir déposé son sac de toile par terre, puis jeté un coup d'œil au plateau, se servir une tasse de café. Pendant plus d'une demi-minute, personne ne prononça un mot. Finalement, Corso but une gorgée en souriant à la femme.

— Je crois me souvenir — son menton mal rasé lui donnait des traits plus anguleux ; il souriait avec autant d'amabilité qu'une lame de couteau — que j'ai été un peu brusque la dernière fois que nous nous sommes vus...

Elle ne répondit rien. Elle avait déposé sur le plateau sa tartine entamée et rangeait son anatomie débordante dans sa chemise de nuit. Elle regardait Corso d'une façon indéfinissable, sans peur, sans hauteur, sans rancœur, presque avec indifférence. Après la scène chez le chasseur de livres, Corso se serait attendu à lire de la haine dans ses yeux. Tu mourras ! etc. Et ce souhait avait bien failli devenir réalité. Mais les yeux bleu acier de Liana Taillefer avaient autant d'expression que deux flaques d'eau gelées, ce qui préoccupa davantage Corso qu'une explosion de colère. Il pouvait se l'imaginer sans mal en train de regarder, impassible, le cadavre de son mari pendu au lustre du salon. Et il se souvint de la photo du pauvre diable avec son tablier et ce plat qu'il brandissait en l'air, sur le point de découper le cochonnet de lait à la ségovienne. Drôle de feuilleton qu'on lui avait fait écrire là.

— Fils de pute, grommela La Ponte, toujours par terre. Il semblait avoir enfin réussi à fixer les yeux sur lui. Puis il commença à se relever, étourdi, en s'appuyant aux meubles. Corso l'observait, avec intérêt.

— Tu n'as pas l'air content de me voir, Flavio.

— Content ? — le libraire se frottait le menton en regardant de temps en temps la paume de sa main, comme s'il avait peur d'y trouver un bout de molaire. Tu es devenu fou. Complètement cinglé.

— Pas encore, mais vous n'êtes pas loin d'y réussir. Toi et ta bande. Sans oublier la veuve éplorée, ajouta-t-il en désignant Liana Taillefer avec le pouce.

La Ponte s'approcha un peu, mais s'arrêta à bonne distance.

— Tu voudrais bien m'expliquer de quoi tu parles ?

Corso leva la main devant le visage du libraire et se mit à compter sur ses doigts.

— Je parle du manuscrit Dumas et des *Neuf Portes*. De Victor Fargas, noyé à Sintra. De Rochefort, qui me suit comme une ombre, qui m'attaque il y a une semaine à Tolède et hier soir encore, ici, à Paris — il refit un geste dans la direction de Liana Taillefer. De Milady. Et de toi, quel que soit ton rôle dans cette histoire.

La Ponte avait suivi avec beaucoup d'attention les doigts de Corso tandis qu'il comptait, battant cinq fois de suite des paupières, une fois par doigt. Quand il eut terminé, il se caressa à nouveau le menton, mais son geste n'était plus de douleur à présent, mais bien de perplexité. Il sembla vouloir répondre quelque chose, mais se ravisa. Quand il se décida enfin, c'est à Liana Taillefer qu'il s'adressa.

— Qu'est-ce que nous avons à voir avec tout ça ?

Elle haussa les épaules, dédaigneuse. Elle ne s'intéressait pas à d'éventuelles explications et n'était pas disposée non plus à coopérer. Elle était toujours appuyée sur les oreillers, le plateau du petit déjeuner à côté d'elle ; ses ongles vernis rouge sang émiettaient une tartine de pain grillé et le seul autre mouvement que l'on pouvait déceler en elle était celui de sa respiration qui faisait monter et descendre sa poitrine dans son décolleté généreux et bien rempli. Pour le reste, elle se bornait à regarder Corso comme quelqu'un qui attend que l'autre abatte son jeu ; aussi troublée par l'incident que pourrait l'être une tranche de filet cru.

La Ponte se gratta la tête, à l'endroit où ses cheveux s'éclaircissaient. Il n'avait rien de bien élégant, planté ainsi au milieu de la chambre, son pyjama à rayures tout fripé, sa joue gauche enflée sous la barbe, séquelle du coup de poing. Ses yeux déconcertés allaient de Corso à la femme, puis de la femme à Corso. Ils s'arrêtèrent enfin sur son ami.

— J'exige une explication.

— Quelle coïncidence. Je suis venu te demander la même chose.

La Ponte hésita et lança un autre coup d'œil indécis à Liana Taillefer. Il semblait humilié. On l'aurait été à moins. Il regarda l'un après l'autre les trois boutons de son pyjama, puis ses pieds nus. Affronter une crise en semblable appareil frisait le pathétique. Finalement, il montra à Corso la salle de bains.

— Allons là-dedans — il essayait de parler d'un ton digne, mais sa joue enflammée le gênait fort dans la prononciation des consonnes. Toi et moi.

La femme était toujours impénétrable, immobile, ne laissant paraître aucune inquiétude, les regardant avec l'intérêt de quelqu'un qui suit à la télévision un concours assommant. Corso se dit qu'il fallait faire quelque chose avec elle, mais il ne savait pas quoi pour le moment. Après une brève hésitation, il ramassa par terre son sac de toile pour précéder La Ponte qui referma la porte derrière lui.

— On peut savoir pourquoi tu m'as cassé la figure ?

Il parlait à voix basse, craignant que la veuve ne les entende de son lit. Corso déposa son sac sur le bidet, s'assura de la blancheur des serviettes et farfouilla parmi les articles de toilette posés sur la tablette avant de se retourner très calmement vers le libraire.

— Parce que tu es un menteur et un traître, répondit-il. Tu ne m'as pas dit que tu étais dans le coup. Tu as permis qu'on me trompe, qu'on me suive, qu'on me rosse !

— Je n'y suis pour rien. Et le seul rossé ici, c'est moi — le libraire examinait son visage dans le miroir. Mon Dieu ! Regarde ce que tu as fait. Tu m'as défiguré.

— Et je te défigurerai davantage si tu ne me racontes pas tout.

— Te raconter tout ?... — La Ponte palpait sa joue enflée, regardant Corso du coin de l'œil comme s'il avait perdu la tête. Il n'y a pas de secret ; Liana et moi... — il s'interrompit, cherchant le mot juste pour définir la chose. Hum... Bon, tu as vu.

— Vous êtes intimes, proposa Corso.

— Exactement, c'est ça.

— Depuis quand ?

— Le jour où tu es parti au Portugal.

— Qui a fait les premiers pas ?

— Moi, pratiquement.

— Pratiquement ?

— Plus ou moins. Je suis allé lui rendre visite.

— Pourquoi ?

— Pour lui faire une proposition au sujet de la bibliothèque de son mari.

— Et tu en as eu l'idée comme ça, tout d'un coup ?

— Eh bien... Elle m'a d'abord téléphoné. Je te l'avais dit.

— C'est vrai.

— Elle voulait récupérer le manuscrit Dumas que m'avait vendu son mari.

— Elle t'a donné des explications ?

— Motifs sentimentaux.

— Et tu l'as crue ?

— Oui.

— Ou plutôt, ça t'était égal.

— En réalité...

— Oui, oui. Ce que tu voulais, c'était te l'envoyer.

— Ça aussi.

— Et elle est tombée dans tes bras.

— Évidemment.

— Évidemment. Et tu es venu à Paris en lune de miel.

— Pas exactement. Elle avait à faire ici.

— ... Et elle t'a invité à l'accompagner.

— Exact.

— Comme si de rien n'était, c'est ça ?... Tous frais payés, pour continuer l'idylle.

— Quelque chose du genre.

Corso fit une grimace désagréable.

— Quelle beauté, l'amour, Flavio. Quand on s'aime vraiment.

— Ne joue pas les cyniques. Elle est extraordinaire. Tu ne peux pas imaginer...

— Si, je peux.

— Non, tu ne peux pas.

— Je te dis que si, que je peux parfaitement.

— C'est bien ce que tu aurais voulu, pouvoir. Avec ce beau brin de femme.

— Nous nous écartons, Flavio. Nous étions ici, à Paris.

— Oui.

— Quels étaient vos projets à propos de moi ?

— Nous n'avions pas de projets. Nous avions l'intention de te retrouver aujourd'hui ou demain. Pour récupérer le manuscrit.

— À l'amiable.

— Évidemment. Quoi d'autre ?

— Tu ne pensais pas que je refuserais ?

— Liana s'en doutait un peu.

— Et toi ?

— Moi, non.

— Non, quoi ?

— Je ne voyais pas de problème. Nous sommes amis, non ? Et *Le Vin d'Anjou* est à moi.

— Je vois : tu étais sa deuxième cartouche.

— Je ne vois pas de quoi tu veux parler. Liana est formidable. Et elle m'adore.

— Oui. J'ai l'impression qu'elle est très amoureuse.

— Tu crois ?

— Tu es un imbécile, Flavio. On s'est moqué de toi comme on s'est moqué de moi.

Ce fut une intuition fulgurante, perçante comme une sirène d'alarme. Corso écarta brusquement La Ponte et se précipita dans la chambre où il constata que Liana Taillefer était sortie du lit, déjà à moitié habillée, et qu'elle mettait ses vêtements dans une valise. Un moment, il put voir ses yeux glacés fixés sur lui — les yeux de Milady de Winter — et il comprit que tout ce temps-là, pendant qu'il fanfaronnait comme un imbécile, elle s'était contentée d'attendre quelque chose : un bruit ou un signal. Comme une araignée au centre de sa toile.

— Adieu, monsieur Corso.

Au moins l'entendait-il dire trois mots. Il l'écouta — il se souvenait bien de sa voix grave, un peu rauque — sans savoir ce qu'elle pouvait bien vouloir dire, si ce n'est qu'elle était sur le point de se tirer. Il fit encore un pas dans sa direction, ne sachant ce qu'il allait faire lorsqu'il arriverait jusqu'à elle, avant de sentir une autre présence dans la chambre : une ombre derrière lui, sur sa gauche, collée contre l'encadrement de la porte. Il voulut se retourner pour faire face au danger, convaincu d'avoir commis une nouvelle erreur et qu'il était trop tard. Il entendit encore Liana Taillefer qui riait comme dans ces films où l'on voit des vampiresses blondes et très méchantes. Quant au coup — le deuxième en moins de douze heures —, il le reçut encore une fois derrière l'oreille, au même endroit. Et il eut le temps de voir Rochefort s'évanouir devant ses yeux troubles.

Il était déjà inconscient quand il toucha le sol.

XIII

L'intrigue se noue

*En ce moment, vous tremblez en raison de la situation
et de la perspective de la chasse. Où serait ce tremblement
si j'étais précis comme un indicateur de chemin de fer ?
(A. Conan Doyle, La Vallée de la peur)*

D'abord ce fut une voix lointaine ; un murmure confus qu'il
ne parvenait pas à identifier. Mais il fit un effort, comprenant
qu'on parlait de lui. Quelque chose à propos de l'air qu'il avait.
Corso n'avait pas la moindre idée de l'air qu'il pouvait bien
avoir, et il n'en avait cure. Il était commode de rester là, où qu'il
fût, renversé sur le dos ; et il n'avait pas envie d'ouvrir les yeux.
Surtout de crainte que n'augmente cette douleur qui lui vrillait
les tempes.

Il sentit qu'on lui donnait quelques tapes sur les joues et il
n'eut d'autre choix que d'ouvrir un œil, à regret. Flavio était
penché sur lui, l'air inquiet. Il était encore en pyjama.

— Arrête de me taper sur la gueule, dit Corso, de fort
méchante humeur.

Le libraire expulsa avec un soulagement visible l'air qu'il
retenait dans ses poumons.

— Je croyais que tu étais mort, avoua-t-il.

Corso ouvrit un autre œil et fit mine de se lever. Aussitôt, il
sentit son cerveau remuer dans son crâne, comme de la géla-
tine sur une assiette.

— Ils ne t'ont pas raté, lui expliqua bien inutilement La
Ponte en l'aidant à se relever.

Appuyé sur son épaule pour garder l'équilibre, Corso jeta

un coup d'œil dans la chambre. Liana Taillefer et Rochefort avaient disparu.

— Tu as vu qui m'a frappé ?

— Naturellement. Grand, brun. Une cicatrice sur le visage.

— Tu l'avais déjà vu ?

— Non — le libraire fronça les sourcils, mécontent. Mais elle semblait bien le connaître... Elle a dû lui ouvrir la porte pendant que nous discutions dans la salle de bains... Ah oui, et le type avait la lèvre en deuil. Fendue en deux. Quelques points de suture, mercurochrome — il se toucha la joue dont l'enflure commençait à diminuer et eut un petit rire vengeur. À ce que je vois, tout le monde en a pris pour son grade.

Corso, qui cherchait ses lunettes sans les trouver, lui lança un regard assassin.

— Ce que je ne comprends pas, dit-il, c'est pourquoi on ne t'a pas secoué les puces à toi aussi.

— C'était leur intention. Mais je leur ai dit que c'était inutile. Qu'ils pouvaient tranquillement vaquer à leurs petites affaires. Que j'étais un simple touriste qui se trouvait là par accident.

— Tu aurais pu faire quelque chose, quand même.

— Moi ? Tu veux rire. Avec le coup de poing que tu m'avais donné, j'avais amplement mon compte. Alors, j'ai fait deux *V* avec mes doigts, comme ça, tu vois ?... Le signe de la paix. J'ai fermé le couvercle des w.-c. et je me suis assis dessus, bien tranquillement. Jusqu'à ce qu'ils foutent le camp.

— Tu parles d'un héros...

— Mieux vaut dire *on ne sait jamais* que *si j'avais su*. Ah, regarde ça — il lui tendit une feuille de papier pliée en quatre. Ils l'ont laissée en s'en allant, sous un cendrier avec un mégot de Montecristo.

Corso avait du mal à fixer ses yeux sur l'écriture. C'était un message calligraphié à l'encre, en anglaises élégantes, avec des majuscules aux volutes tarabiscotées :

C'est par mon ordre et pour le bien de l'État que le porteur du présent a fait ce qu'il a fait.

3 décembre 1627
Richelieu

En dépit des circonstances, il faillit éclater de rire. C'était le texte du sauf-conduit remis à Milady au siège de La Rochelle, lorsqu'elle avait demandé la tête de d'Artagnan. Celui-là même qu'avait ensuite volé Athos, à la pointe de son pistolet —

« *Vipère, mords si tu peux* » —, et qui sert à justifier devant Richelieu l'exécution de la femme, à la fin de l'histoire... En deux mots : trop pour un seul chapitre. Titubant, Corso s'en alla dans la salle de bains, ouvrit le robinet du lavabo et se mit la tête sous l'eau froide. Puis il se regarda dans la glace : les yeux enflés, la barbe en grand besoin d'être rasée, dégoulinant d'eau, les tempes bourdonnantes comme s'il s'était trouvé dans une ruche. Ce serait le moment de prendre une photo, pensa-t-il. Jolie façon de commencer la journée.

Dans le miroir, à côté de lui, La Ponte lui tendait une serviette et ses lunettes.

— J'oubliais, dit-il. Ils sont partis avec ton sac.

— Fils de pute.

— Écoute, je ne vois pas pourquoi tu m'engueules. Dans tout ce cinéma, la seule chose que j'ai faite, c'est de tirer un coup.

Corso était inquiet. Il arpentait la réception de l'hôtel, essayant de penser à toute vitesse, mais avec chaque minute qui passait s'amenuisaient les chances de retrouver les fugitifs. Tout était perdu, sauf un maillon de la chaîne : l'exemplaire numéro Trois. Il leur fallait encore mettre la main dessus, ce qui lui donnait au moins une possibilité d'aller à leur rencontre s'il faisait vite. Il s'avança vers la cabine téléphonique et composa le numéro de Frida Ungern, tandis que La Ponte réglait la note ; mais Corso n'obtint que le signal occupé pour toute réponse. Après un moment d'hésitation, il appela le Louvre Concorde et demanda la chambre d'Irene Adler. Il n'était pas très sûr non plus de l'état de la situation sur ce flanc et se sentit un peu rassuré quand il entendit la voix de la jeune fille. Il la mit au courant en quelques mots et lui demanda de le retrouver à la Fondation Ungern. Puis il raccrocha tandis que La Ponte revenait, très déprimé, en rangeant sa carte de crédit dans son portefeuille.

— La vipère ! Foutre le camp sans payer la note.

— Elle s'est bien fichue de toi, crétin.

— Je vais la tuer de mes propres mains. Je le jure !

L'hôtel était excessivement cher et cette trahison commençait à paraître parfaitement monstrueuse au libraire ; il ne se voyait plus autant sur la touche qu'une demi-heure plus tôt, mais commençait à se sentir de fort méchante humeur, comme

un Achab vengeur. Ils montèrent dans un taxi et Corso donna
au chauffeur l'adresse de la baronne Ungern. En chemin, il
raconta à son compagnon le reste de l'histoire : le train, la jeune
fille, Sintra, Paris, les trois exemplaires des *Neuf Portes*, la mort
de Fargas, l'incident sur les quais de la Seine... La Ponte écoutait en hochant la tête, incrédule au début, puis parfaitement
accablé.

— J'ai cohabité avec une vipère, se lamentait-il en frissson-
nant.

Corso était de mauvais poil et fit observer que les vipères
ne mordaient que très rarement les crétins. La Ponte rumina
un instant cette affirmation. Il ne paraissait pas offensé.

— Pourtant, reprit-il, c'est une femme qui pète le feu. Avec
un corps du tonnerre de Dieu.

Malgré sa rancune récemment née des dommages subis
par sa carte de crédit, ses yeux brillaient, lubriques, tandis qu'il
caressait sa barbe.

— Impressionnant, répéta-t-il avec un petit sourire idiot.

Corso regardait les voitures par la fenêtre.

— C'est probablement ce que pensait le duc de Buckingham.

— Buckingham ?

— Oui. Dans *Les Trois Mousquetaires*. Après l'épisode des
ferrets de diamants, Richelieu charge Milady d'assassiner le
duc ; mais celui-ci la fait jeter en prison quand elle rentre à
Londres. Là, elle séduit son geôlier, Felton, un idiot dans ton
genre, version puritaine et fanatique, elle le persuade de l'aider
à s'enfuir et, en passant, d'assassiner Buckingham.

— Je ne me souvenais pas de ce passage. Et qu'est devenu
ce Felton ?

— Il poignarde le duc. Ensuite, on l'exécute. Coupable
d'assassinat ou bien de crétinerie ? Je ne sais pas.

— Au moins, on ne lui a pas fait payer la note de l'hôtel.

Le taxi roulait sur le quai de Conti, près de l'endroit où
Corso avait eu son avant-dernière escarmouche avec Rochefort.
C'est alors que La Ponte se souvint de quelque chose :

— Écoute, Milady n'avait pas une marque sur l'épaule ?

Corso acquiesça d'un signe de tête. Ils passaient justement
devant l'escalier qu'il avait descendu plus vite qu'il ne l'aurait
souhaité la veille au soir.

— Oui, répondit-il. La marque du bourreau, imprimée au
fer rouge ; la marque des criminels. Elle la portait quand elle

s'était mariée avec Athos... D'Artagnan l'avait découverte quand il avait couché avec elle, ce qui avait bien failli lui coûter la vie.

— C'est curieux. Tu sais que Liana a elle aussi une marque ?

— À l'épaule ?

— Non. Sur la cuisse. Un petit tatouage, très joli, une fleur de lys.

— Tu te moques de moi !

— Non, je te le jure.

Corso ne se souvenait pas du tatouage, car lors de cette brève chevauchée à son domicile avec Liana Taillefer — des années plus tôt, lui semblait-il —, il n'avait guère eu le temps de s'occuper de ce genre de détails. Quoi qu'il en soit, les choses commençaient à prendre un tour inquiétant. Et il ne s'agissait plus de coïncidences folkloriques, mais d'un plan bien arrêté ; trop complexe et périlleux pour qu'on puisse le prendre pour une simple parodie du rôle qu'avait joué la femme inventée par Dumas et son sbire à la cicatrice. Il s'agissait bel et bien d'un complot, avec tous les ingrédients du genre, et quelqu'un devait nécessairement tirer les fils. Une éminence grise, c'était vraiment le cas de le dire. Il toucha la poche où il avait glissé le mot de Richelieu. Non, c'était trop. Et pourtant, c'était précisément dans le caractère insolite, romanesque, de toute cette affaire que devait résider la solution. Il se souvenait d'avoir lu une phrase quelque part, chez Allan Poe ou Conan Doyle : « *Il me semble que le mystère est considéré comme insoluble, pour la raison même qui devrait le faire regarder comme facile à résoudre — je veux parler du caractère excessif sous lequel il apparaît.* »

— Je ne sais toujours pas s'il s'agit d'un canular monumental, ou d'une véritable broderie au petit point, dit-il à haute voix en guise de conclusion.

La Ponte avait découvert un trou dans le simili-cuir de la banquette et il l'agrandissait en fouillant dedans avec le doigt, nerveux.

— De toute façon, ça sent terriblement mauvais — il parlait à voix basse, malgré la glace de sécurité qui les séparait du chauffeur. J'espère que tu sais ce que tu fais.

— C'est bien le problème. Je ne suis pas du tout sûr de ce que je fais.

— Pourquoi ne prévient-on pas la police ?

— Pour leur dire quoi ?... Que Milady et Rochefort, agents du cardinal Richelieu, nous ont volé un chapitre des *Trois Mousquetaires* et un livre qui permet d'invoquer Lucifer ? Que le diable est tombé amoureux de moi et qu'il s'est incarné dans la personne d'une jolie petite fille de vingt ans pour se faire mon garde du corps ?... Dis-moi ce que tu ferais si tu étais le commissaire Maigret et que je venais te voir avec ce scénario.

— Je suppose que je te ferais souffler dans la biroute de l'alcootest.

— Tu vois bien.

— Et Varo Borja ?

— Ça, c'est autre chose, répondit Corso en poussant un soupir de lassitude. Je ne veux même pas y penser. Quand il saura que j'ai perdu son livre...

Le taxi se frayait avec difficulté un passage dans la circulation du matin et Corso consultait constamment sa montre, impatient. Ils arrivèrent finalement devant le bar-tabac où il s'était trouvé la veille au soir. Ils tombèrent sur des badauds qui bayaient aux corneilles sur les trottoirs, derrière des barrières qui interdisaient le passage. Tandis qu'ils descendaient du taxi, Corso vit aussi un fourgon de la police et un camion de pompiers. Il serra les dents et lâcha un juron sonore qui fit sursauter La Ponte. L'exemplaire numéro Trois s'était envolé lui aussi.

La jeune fille s'approcha d'eux parmi la foule, son petit sac sur le dos, les mains dans les poches de son blouson. Un peu de fumée s'élevait encore au-dessus des toits.

— L'appartement a brûlé à trois heures du matin, expliqua-t-elle sans regarder La Ponte, comme s'il n'existait pas. Les pompiers sont encore là.

— Et la baronne Ungern ? demanda Corso.

— Encore là elle aussi — il la vit faire un geste ambigu, pas vraiment d'indifférence, mais plutôt de résignation fataliste ; comme si la chose eût été écrite quelque part. On a retrouvé son cadavre carbonisé, dans son bureau. C'est là que le feu a pris. Incendie accidentel, disent les voisins ; une cigarette mal éteinte.

— La baronne ne fumait pas, dit Corso.

— Elle a fumé hier soir.

Le chasseur de livres jeta un coup d'œil par-dessus les têtes qui se pressaient devant la barrière de police. Il ne voyait presque rien : l'extrémité supérieure d'une échelle appuyée contre l'immeuble, les éclats des gyrophares d'une ambulance à la porte. Des képis d'agents de police, des casques de pompiers. L'air sentait le bois et le plastique brûlés. Parmi les curieux, deux touristes américains se photographiaient l'un l'autre, posant près de l'agent qui gardait la barrière. Une sirène se mit en marche quelque part, puis se tut soudainement. Quelqu'un parmi les curieux annonça qu'on sortait le cadavre, mais on ne voyait rien. C'est vrai qu'il n'y aurait pas eu grand-chose à voir, de toute façon, se dit Corso.

Il s'aperçut que la jeune fille le regardait fixement, comme si la nuit précédente n'avait pas existé. C'était maintenant un regard attentif, pratique ; un soldat évoluant près du champ de bataille.

— Qu'est-ce qui s'est passé ? demanda-t-elle.

— J'espérais que tu puisses me le dire.

— Je ne parle pas de ça — pour la première fois, elle sembla s'apercevoir de la présence de La Ponte. Qui est-ce ?

Corso le lui dit. Puis il hésita un instant, ne sachant si La Ponte allait saisir son allusion :

— La jeune fille dont je t'ai parlé. Elle s'appelle Irene Adler.

La Ponte ne saisit rien du tout. Il se contenta de les regarder, un peu déconcerté, d'abord la jeune fille, puis son ami, et finalement, en guise de salutation, il tendit une main qu'elle ne vit pas ou qu'elle fit semblant de ne pas voir. Elle n'avait d'yeux que pour Corso.

— Tu n'as pas ton sac, lui dit-elle.

— Non. Rochefort a fini par mettre la main dessus. Il est parti avec Liana Taillefer.

— Qui est Liana Taillefer ?

Corso lui lança un regard méchant, mais il ne vit que sérénité dans les yeux de la jeune fille.

— Tu ne connais pas la veuve inconsolable ?

— Non.

Elle soutenait son regard sans inquiétude ni surprise, imperturbable. Bien malgré lui, Corso faillit la croire.

— Peu importe, dit-il enfin. Toujours est-il qu'ils ont fichu le camp.

— Où ?

— Je n'en ai pas la moindre idée — il découvrit une de ses canines, découragé, soupçonneux. Je croyais que tu savais quelque chose.

— Je ne sais rien de Rochefort. Ni de cette femme — elle avait parlé avec indifférence, comme pour faire comprendre qu'il ne s'agissait pas vraiment de ses affaires.

Corso se sentit encore un peu plus déconcerté. Il s'attendait à une manifestation quelconque d'émotion de sa part ; ne serait-ce que parce qu'elle s'était elle-même désignée gardienne de ses intérêts. Ou au moins qu'elle lui adresse un reproche, dans le genre : comme taré, tu te poses un peu là. Mais la jeune fille ne fit pas de reproches. Elle regardait autour d'elle comme si elle cherchait un visage connu parmi la foule, et Corso fut incapable de deviner si elle réfléchissait à ce qui était arrivé ou si elle avait la tête ailleurs, loin du drame.

— Qu'est-ce qu'on peut faire ? demanda-t-il sans s'adresser à personne en particulier, tout à fait désorienté cette fois.

À part les agressions, il avait vu s'envoler en fumée les uns après les autres les trois exemplaires des *Neuf Portes* et le manuscrit Dumas. Il avait trois cadavres derrière lui, en comptant le suicide d'Enrique Taillefer, et avait dépensé une petite fortune qui n'était pas la sienne, mais celle de Varo Borja... Varus, Varus : rends-moi mes légions. Il s'en voulait à mourir. En ce moment, il aurait souhaité avoir trente-cinq ans de moins pour pouvoir pleurer à chaudes larmes, assis sur le trottoir.

— On pourrait prendre un café, proposa La Ponte.

Il avait parlé d'un ton badin, avec un sourire encourageant, allez les amis, ce n'est pas si grave, et Corso comprit que le pauvre type n'avait aucune idée de l'invraisemblable guêpier dans lequel ils s'étaient tous fourrés. Pourtant, l'idée ne lui parut pas si mauvaise. Dans l'état actuel des choses, il ne voyait rien de mieux à faire.

— Voyons si j'ai bien compris — La Ponte fit couler un peu de café au lait sur sa barbe en faisant trempette avec son croissant. En 1666, Aristide Torchia cache un exemplaire particulier. Une espèce de copie de sauvegarde répartie entre trois livres... C'est bien ça ? Avec des différences sur huit des neuf planches. Et il faut réunir les originaux pour que l'invocation fonctionne... — il avala son croissant dégoulinant de café et s'essuya avec une serviette de papier. Tout va bien jusqu'ici ?

Ils étaient assis tous les trois à une terrasse, devant Saint-Germain-des-Prés. La Ponte se vengeait de son petit déjeuner interrompu au Crillon et la jeune fille, qui continuait à garder ses distances, buvait un jus d'orange avec une paille tout en écoutant en silence. Elle avait ouvert *Les Trois Mousquetaires* sur la table et tournait parfois une page, lisait distraitement quelques phrases, puis relevait la tête pour les écouter de nouveau. Quant à Corso, les événements lui avaient complètement noué l'estomac ; impossible de rien avaler.

— C'est exactement ça, répondit-il à La Ponte ; il s'était renversé sur sa chaise, les mains dans les poches de son manteau, et regardait sans le voir le clocher de l'église. Mais il est également possible que l'édition complète, celle que le Saint-Office a fait brûler, comptait également trois séries de livres avec des planches altérées, afin que seuls les véritables disciples, les initiés, puissent combiner trois exemplaires de la façon voulue... — il fronça les sourcils, découragé. Nous ne pourrons jamais le savoir.

— Et pourquoi n'y en aurait-il que trois ? Il a tout aussi bien pu imprimer quatre ou neuf séries distinctes.

— Dans ce cas, tous ses efforts n'auraient servi à rien. Il n'existe que trois livres connus.

— Quoi qu'il en soit, quelqu'un cherche à reconstituer le livre original. Et il s'empare des planches authentiques... — La Ponte parlait la bouche pleine ; il continuait à engloutir son petit déjeuner avec grand appétit. Mais il ne s'intéresse pas à la valeur bibliophilique des ouvrages. Quand il est en possession des bonnes gravures, il détruit le reste. Et il assassine leurs propriétaires. Victor Fargas, à Sintra. La baronne Ungern, ici, à Paris. Et Varo Borja, à Tolède... — il s'arrêta, la bouche pleine, et regarda Corso, un peu déçu. Écoute, ça ne marche pas. Varo Borja est toujours vivant.

— C'est moi qui ai son livre. Et moi, on a essayé de me faire la peau, hier soir et ce matin.

La Ponte ne semblait pas très convaincu.

— Te faire la peau, te faire la peau... Si c'est le cas, pourquoi Rochefort ne t'a pas tué ?

— Je ne sais pas, répondit Corso avec un geste évasif ; il s'était déjà posé cette question. Il a eu deux fois la possibilité de le faire, mais il n'en a pas profité... Quant à savoir si Varo Borja est vivant, je ne peux pas te le dire non plus. Il ne répond pas à mes coups de téléphone.

— Ce qui en fait un candidat au statut de défunt. Ou alors, un suspect.

— Varo Borja est suspect par définition, et il a les moyens voulus pour avoir tout organisé — il montra la jeune fille qui continuait à lire, apparemment étrangère à leur conversation. Évidemment, elle pourrait nous le dire, si elle voulait.

— Et elle ne veut pas ?

— Non.

— Alors, dénonce-la. Quand il s'agit d'assassiner des gens, son attitude a un nom : elle est complice.

— La dénoncer ?... Je suis plongé jusqu'au cou dans cette histoire, Flavio. Et toi aussi.

La jeune fille avait interrompu sa lecture et soutenait leurs regards, imperturbable, n'ouvrant la bouche que pour siroter son jus d'orange. Ses yeux allaient de l'un à l'autre et leurs visages s'y reflétaient tour à tour. Finalement, ils s'arrêtèrent sur Corso.

— Tu lui fais vraiment confiance ? demanda La Ponte.

— Ça dépend. Hier soir, elle s'est battue pour moi, et très bien.

Le libraire fit la grimace, perplexe, sans cesser d'observer la jeune fille. Manifestement, il essayait de l'imaginer dans le rôle de garde du corps. Et il devait aussi se demander jusqu'à quel point ils avaient été intimes, elle et Corso, car le chasseur de livres le vit évaluer d'un regard connaisseur ce que laissait voir le blouson, en caressant sa barbe. Ce qui paraissait clair, c'était jusqu'où La Ponte était disposé à aller si la jeune fille lui en donnait l'occasion, malgré les nombreux soupçons qu'elle lui inspirait. Même dans des moments comme celui-ci, l'ancien secrétaire général de la Fraternité des Harponneurs de Nantucket était de ceux qui aspirent toujours à retourner à l'utérus. N'importe quel utérus.

— Elle est trop jolie — La Ponte hochait la tête en guise de conclusion. Et trop jeune. Trop jeune pour toi.

Corso sourit en l'entendant.

— Tu serais surpris de voir comme elle a l'air vieille à certains moments.

Le libraire fit claquer sa langue, sceptique.

— Ce genre de cadeau ne tombe pas du ciel.

La jeune fille avait suivi leur dialogue en silence. Pour la première fois de la journée, ils la virent sourire, comme si elle venait d'entendre une bonne blague.

— Tu parles trop, Flavio Machin-Chose, dit-elle à La Ponte

qui battit des paupières, troublé — le sourire de la jeune fille s'élargit encore, comme celui d'une petite fille espiègle. De toute manière, ce qu'il peut y avoir entre Corso et moi ne te regarde pas.

C'était la première fois qu'elle s'adressait au libraire. Après un bref moment d'hésitation, celui-ci se retourna vers son ami, confus, dans le vain espoir de trouver chez lui un appui ; mais le chasseur de livres se contenta de sourire encore.

— J'ai l'impression que je suis de trop ici — La Ponte fit mine de se lever, indécis, sans parvenir à consommer son geste. Il restait là, immobile, jusqu'à ce que Corso lui donne une tape sur le bras du revers de la main. Un coup sec mais amical.

— Ne fais pas l'andouille. Elle est de notre côté.

La Ponte se détendit un peu, mais il ne paraissait toujours pas convaincu.

— Alors qu'elle en donne la preuve. En te racontant ce qu'elle sait.

Corso se retourna vers la jeune fille pour regarder sa bouche entrouverte, son cou tiède, confortable. Il se demanda s'il sentait encore la chaleur et la fièvre, et il se perdit quelques instants dans ce souvenir. Les deux reflets verts, éclairés de toute la lumière du matin, soutenaient son regard comme d'habitude, indolents et tranquilles. Et son sourire, chargé un moment plus tôt de dédain pour La Ponte, avait pris une nouvelle expression. C'était à nouveau un souffle à peine perceptible ; un mot silencieux, solidaire et complice.

— Nous parlions de Varo Borja, dit Corso. Tu le connais ?

Son sourire s'effaça sur ses lèvres ; elle redevenait le soldat fatigué, indifférent. Mais l'espace d'une seconde, le chasseur de livres crut percevoir un éclair de dédain dans son regard. Corso posa la main sur le marbre de la table :

— Il aurait pu m'utiliser, ajouta-t-il. Et te mettre sur ma piste — tout à coup, cette possibilité lui paraissait absurde, il ne parvenait pas à imaginer le bibliophile millionnaire s'adressant à cette jeune fille pour lui tendre un piège à lui... Ou ses agents sont peut-être Rochefort et Milady.

Elle ne répondit pas et se replongea dans la lecture des *Trois Mousquetaires*. Mais le nom de Milady avait remué le fer dans la plaie de La Ponte qui vida sa tasse d'un trait tout en levant en l'air un doigt de l'autre main.

— C'est ce que je comprends le moins bien, dit-il. La

connexion Dumas... Qu'est-ce que mon *Vin d'Anjou* vient faire là-dedans ?

— *Le Vin d'Anjou* n'est à toi que par accident — Corso avait retiré ses lunettes et les regardait à contre-jour en se demandant si le verre cassé allait résister à tant de péripéties. C'est le point le plus obscur ; mais il y a plusieurs coïncidences intéressantes : le cardinal Richelieu, le personnage pervers des *Trois Mousquetaires*, aimait les livres sur les arts occultes. Les pactes avec le diable procurent le pouvoir, et Richelieu fut l'homme le plus puissant de France. Et pour boucler le *dramatis personae*, il se trouve que dans le texte de Dumas le cardinal a deux fidèles agents à ses ordres : le comte de Rochefort et Milady de Winter. Elle est blonde et méchante, le bourreau l'a marquée d'une fleur de lys. Lui est brun, avec une cicatrice sur le visage... Tu te rends compte ? Tous les deux ont une marque. Et puisque nous cherchons des références, il se trouve que les serviteurs du diable, selon l'Apocalypse, se reconnaissent à la marque de la Bête.

La jeune fille but encore une gorgée de jus d'orange sans lever les yeux de son livre, mais La Ponte frissonna comme s'il venait de sentir une odeur de roussi. Et ses sentiments se lisaient clairement sur son visage : c'était une chose que d'avoir une liaison avec une blonde du tonnerre et une autre, parfaitement différente, que de faire le sabbat avec sa virilité. Ils le virent se palper, mal à l'aise.

— Merde ! J'espère que ce n'est pas contagieux.

Corso lui lança un regard qui ne débordait pas de compassion.

— Trop de coïncidences, tu ne trouves pas ?... Eh bien, il y en a d'autres — il souffla sur ses lunettes, puis essuya le verre intact avec une serviette de papier. Dans *Les Trois Mousquetaires*, il se trouve que Milady a été la femme d'Athos, l'ami de d'Artagnan. Quand Athos découvre que son épouse a été marquée par le bourreau, il décide d'exécuter lui-même la sentence. Il la pend et la laisse, la croyant morte, mais elle survit, etc. — il redressa ses lunettes sur son nez. Quelqu'un s'amuse certainement beaucoup de toute cette histoire.

— Je peux comprendre Athos, dit La Ponte en fronçant les sourcils, sans doute au souvenir de la note impayée de l'hôtel Crillon. J'aimerais bien moi aussi lui mettre la main au collet. La pendre. Comme ce mousquetaire avec sa femme.

— Ou comme Liana Taillefer avec son mari. Je suis au regret de blesser ta vanité, Flavio, mais tu ne l'as jamais intéressée le moins du monde. Elle voulait simplement récupérer le manuscrit que t'avait vendu le défunt.

— Vipère ! siffla La Ponte. C'est certainement elle qui a fait le coup. Avec l'aide du moustachu balafré.

— Ce que je ne comprends toujours pas, reprit Corso, c'est le lien entre *Les Trois Mousquetaires* et *Les Neuf Portes*... La seule chose que je vois, c'est qu'Alexandre Dumas se trouve lui aussi au faîte de la puissance. Il connaît tout le succès qu'il désire ; la renommée, l'argent et les femmes. La vie lui sourit constamment, comme s'il bénéficiait d'un privilège, d'un pacte particulier. Et quand il meurt, son fils, l'autre Dumas, lui dédie une curieuse épitaphe, à peu près en ces termes : « Il est mort comme il a vécu ; sans s'en rendre compte. »

La Ponte le regarda avec des yeux incrédules :

— Tu insinues qu'Alexandre Dumas aurait vendu son âme au diable ?

— Je n'insinue rien du tout. J'essaye de déchiffrer le feuilleton que quelqu'un écrit à mes dépens... Ce qui est sûr, c'est que tout commence quand Enrique Taillefer décide de vendre le manuscrit Dumas. Le mystère part de là. Son suicide ou pseudo-suicide, ma visite à sa veuve, la première rencontre avec Rochefort... Et la mission que me confie Varo Borja.

— Et qu'est-ce que ce manuscrit a donc de spécial ?... Pourquoi et pour qui est-il si important ?

— Je n'en ai pas la moindre idée, répondit Corso en regardant la jeune fille. À moins qu'elle puisse nous éclairer sur ce point.

Ils la virent hausser les épaules avec ennui, sans lever les yeux de son livre.

— C'est ton affaire, Corso, dit-elle. Je crois comprendre que tu te fais payer pour ça.

— Mais tu es dans le coup toi aussi.

— Jusqu'à un certain point — elle fit une moue ambiguë, de celles qui n'engagent à rien, puis tourna une page. Seulement jusqu'à un certain point.

La Ponte se pencha vers Corso, piqué au vif.

— Tu as essayé de lui casser la gueule ?

— Tais-toi, Flavio.

— C'est ça, tais-toi, répéta la jeune fille.

— Complètement ridicule, gémit le libraire. Elle parle comme si elle était la reine du mambo. Et au lieu de lui faire subir le troisième degré, tu la laisses tranquille. Je ne te reconnais pas, Corso. D'accord, la petite est mignonne comme un cœur, mais je ne crois pas que... — il hésita, cherchant ses mots. Et puis, son petit côté voyou, ça lui vient d'où ?

— Un jour, elle s'est battue avec un archange, expliqua le chasseur de livres. Et hier soir, je l'ai vue casser la gueule à Rochefort... Tu te souviens... Le type qui m'a flanqué une trempe ce matin pendant que tu restais sur la touche, assis sur le bidet.

— Sur le trône.

— C'est la même chose — il insistait, moqueur, parfaitement de mauvaise foi. Avec ton pyjama de prince Danilo dans *Violettes impériales*... J'ignorais que tu te mettais en pyjama pour dormir avec tes conquêtes.

— De quoi je me mêle — La Ponte lançait des regards éperdus à la jeune fille tandis qu'il battait en retraite, contrarié. Si tu veux tout savoir, je prends souvent froid la nuit. En plus, nous parlons du *Vin d'Anjou* — il se lança sur la piste du manuscrit, manifestement désireux de changer de sujet... Alors, et ton expertise ?

— Nous savons qu'il est authentique, avec deux écritures différentes : Dumas, et son collaborateur Auguste Maquet.

— Qu'est-ce que tu as trouvé sur ce type ?

— Maquet ? Pas grand-chose à découvrir sur son compte. Il s'est brouillé avec Dumas, des histoires de procès, des questions d'argent. Il y a cependant un détail curieux : Dumas a tout gaspillé durant sa vie et est mort sans le sou ; mais Maquet a passé sa vieillesse dans l'aisance. Il était même propriétaire d'un château. Chacun à sa façon, ils s'en sont bien tirés tous les deux.

— Et ce chapitre qu'ils ont écrit à deux ?

— Maquet s'est chargé de la rédaction originale, une première version plus simple, et Dumas l'a retapée pour lui donner du style et du panache en développant le texte. Ses annotations sont écrites sur l'original de son collaborateur. Le sujet, tu le connais : Milady essaye d'empoisonner d'Artagnan.

La Ponte regardait avec inquiétude sa tasse de café vide.

— En conclusion...

— Eh bien, je dirais que quelqu'un, qui se considère

comme une espèce de réincarnation de Richelieu, a réussi à réunir toutes les gravures originales du *Delomelanicon*, ainsi que le chapitre de Dumas où, pour une raison que j'ignore, se trouve la clé de tout ce qui se passe. Et peut-être s'apprête-t-il en ce moment à invoquer Lucifer. En attendant, tu n'as plus de manuscrit, Varo Borja n'a plus de livre, et moi, je me suis vraiment cassé la gueule.

Il sortit de sa poche la lettre de Richelieu pour y jeter un nouveau coup d'œil. La Ponte semblait d'accord.

— La perte du manuscrit n'est pas si grave, précisa-t-il. Je l'avais bien acheté à Taillefer, mais pas tellement cher — il eut un petit rire rusé. Au moins, j'ai été payé en nature avec Liana. Mais toi, tu t'es vraiment fourré dans une sale histoire.

Corso regarda la jeune fille qui continuait à lire en silence.

— Elle pourrait peut-être nous dire dans quel genre d'histoire je me suis fourré.

Il fit une grimace, puis se mit à tambouriner sur la table, comme un joueur qui n'a plus de cartes en main, résigné. Mais il n'obtint pas de réponse cette fois non plus. Ce fut La Ponte qui poussa un grognement réprobateur.

— Je ne comprends toujours pas pourquoi tu lui fais confiance.

— Il te l'a déjà dit, répondit enfin la jeune fille, à contre-cœur ; elle avait glissé la paille de son jus d'orange entre deux pages, en guise de signet. Je m'occupe de lui.

Corso hocha la tête d'un air amusé, ce qui était certainement excessif dans les circonstances.

— Tu as entendu. C'est mon ange gardien.

— Ah bon ? Alors, elle pourrait te garder un peu mieux. Où était-elle quand Rochefort t'a volé le sac ?

— S'il y avait quelqu'un, c'était toi.

— Rien à voir. Je suis un libraire pusillanime. Pacifique. Le contraire d'un homme d'action. Si je me présentais à un concours de trouillards, je suis sûr que les juges me mettraient dehors. Trop qualifié.

Corso ne l'écoutait pas très attentivement, car il venait de faire une découverte. L'ombre du clocher de l'église se projetait par terre, près d'eux. La silhouette large et noire s'était déplacée peu à peu en sens contraire du soleil. Et il se rendait maintenant compte que la croix du clocher frôlait les pieds de la jeune fille, tout près d'elle, mais sans jamais la toucher. Prudente, l'ombre de la croix gardait ses distances.

Il alla téléphoner à Lisbonne dans un bureau de poste, pour savoir comment évoluait l'affaire Victor Fargas. Les nouvelles n'étaient pas très encourageantes. Pinto avait pu jeter un coup d'œil au rapport du médecin-légiste : mort par immersion forcée dans le bassin. La police de Sintra avait conclu que le vol était le mobile probable. Un ou plusieurs inconnus. Le côté positif, c'était que personne ne faisait un lien entre Corso et l'assassinat pour le moment. Le Portugais ajouta qu'il avait diffusé le signalement du type à la cicatrice, au cas où Corso lui aurait dit d'oublier Rochefort. L'oiseau s'était envolé.

Apparemment, les choses ne pouvaient pas aller plus mal ; mais elles allaient pourtant se compliquer encore au milieu de la journée. À peine entra-t-il dans le hall de son hôtel en compagnie de La Ponte et de la jeune fille que le chasseur de livres sut qu'il y avait un hic. Grüber était de service à la réception et, après son habituel signe de tête imperturbable, ses yeux transmirent un signal d'alarme. Alors que le petit groupe s'approchait de lui, Corso vit que le concierge se retournait pour regarder d'un air détaché la case de sa chambre, puis qu'il portait une main au revers de sa veste et la soulevait légèrement avec une mimique suffisamment éloquente pour passer toutes les frontières.

— Ne vous arrêtez pas, dit Corso aux deux autres.

Il lui fallut presque tirer La Ponte par la manche, alors que la jeune fille les précédait, décidée et tranquille, dans l'étroit couloir qui conduisait au café-restaurant donnant sur la place du Palais-Royal. Au moment où il passait devant la réception, Corso vit Grüber poser la main sur le téléphone.

Ils se retrouvèrent dans la rue. La Ponte regardait nerveusement derrière lui.

— Que se passe-t-il ?

— Police, lui expliqua Corso. Dans ma chambre.

— Comment le sais-tu ?

La jeune fille ne posa pas de questions. Elle se contentait de regarder Corso, attendant ses instructions. Celui-ci prit dans sa poche l'enveloppe à en-tête de l'hôtel que le concierge lui avait remise la veille au soir, en sortit le message qui l'informait de l'adresse de La Ponte et de Liana Taillefer, puis glissa à sa place un billet de cinq cents francs. Il le fit avec des gestes posés, s'efforçant de garder son calme pour que les autres ne s'aperçoivent pas que ses doigts tremblaient. Quand ce fut fait, il referma l'enveloppe avant de biffer son nom et d'écrire celui de Grüber, puis il la remit à la jeune fille.

— Donne ça à un garçon — il essuya ses paumes moites sur la doublure de ses poches, puis montra une cabine téléphonique de l'autre côté de la place. Ensuite, tu viens me retrouver là-bas.

— Et moi ? demanda La Ponte.

Même si l'heure n'était pas à la plaisanterie, Corso faillit bien éclater de rire au nez de son ami. Mais il se contenta de lui lancer un regard moqueur.

— Tu peux faire ce que tu voudras. Encore que j'aie bien peur, Flavio, que tu ne viennes de passer à la clandestinité.

Il traversa la place au milieu des voitures, cap sur la cabine téléphonique, sans se soucier de regarder si l'autre le suivait ou pas. Quand il referma la porte de verre et qu'il introduisit sa carte dans la fente, il le vit à quelques mètres, l'air égaré, qui regardait autour de lui avec des yeux inquiets.

Corso composa le numéro de l'hôtel et demanda la réception :

— Quoi de neuf, Grüber ?

— Deux policiers sont venus, monsieur Corso — l'ancien SS parlait d'une voix un peu basse, mais il était calme et parfaitement maître de la situation. Ils sont toujours en haut, dans votre chambre.

— Ils ont donné des explications ?

— Rien du tout. Ils ont demandé la date de votre arrivée et si nous savions où vous étiez vers deux heures du matin. Je leur ai dit que je n'en savais rien et je les ai adressés au collègue qui était de service cette nuit. Ils ont également demandé votre signalement, ce qui veut dire qu'ils ne savent pas de quoi vous avez l'air. Je leur ai promis de les prévenir si vous arriviez. Et c'est ce que je vais faire tout de suite.

— Qu'est-ce que vous allez leur dire ?

— La vérité, naturellement. Que vous avez fait une apparition dans le hall, mais que vous êtes ressorti aussitôt, accompagné d'un homme barbu que je ne connais pas. Quant à la jeune fille, ils ne s'intéressaient pas à elle ; je n'ai donc pas cru utile de mentionner sa présence.

— Merci, Grüber — il attendit un peu, puis ajouta en adressant un sourire à l'écouteur. Je suis innocent.

— Naturellement, monsieur Corso. Tous les clients de

notre établissement le sont — on entendit alors un bruit de papier froissé. Ah ! On vient de me remettre votre enveloppe.

— À plus tard, Grüber. Gardez-moi la chambre quelques jours ; j'espère pouvoir revenir prendre mes affaires. S'il y avait un problème, servez-vous du numéro de ma carte de crédit pour les frais. Et encore merci.

— À votre service.

Corso raccrocha. La jeune fille était déjà de retour, à côté de La Ponte. Le chasseur de livres sortit de la cabine.

— La police a mon nom. Et si elle l'a, c'est que quelqu'un le lui a donné.

— Ne me regarde pas comme ça, fit La Ponte. Toute cette histoire commence vraiment à me les briser.

Et Corso se fit une réflexion amère : lui aussi trouvait que cette histoire commençait à les lui briser. Tout s'en allait cul par-dessus tête, comme un poivrot perdu dans les vignes du Seigneur.

— Tu as une idée ? demanda-t-il à la jeune fille.

Elle était le seul fil de l'énigme qu'il lui restait encore entre les mains ; son dernier espoir.

La jeune fille regarda par-dessus l'épaule de Corso, vers les autos et les grilles du Palais-Royal. Elle avait enlevé son sac à dos qu'elle avait posé par terre, entre ses pieds. Elle réfléchissait, silencieuse comme d'habitude, absorbée, grave, les sourcils légèrement froncés. Avec cette expression de garçon têtu qui refuse de faire ce qu'on attend de lui. Corso lui sourit comme un loup épuisé.

— Je ne sais plus quoi faire, dit-il.

Il vit que la jeune fille acquiesçait lentement, peut-être en guise de conclusion après un raisonnement dont elle n'avait rien laissé paraître. Ou peut-être se montrait-elle simplement d'accord avec le fait que Corso ne savait effectivement plus quoi faire.

— Tu es ton pire ennemi, dit-elle enfin, distante. — Elle aussi semblait fatiguée, comme la veille au soir quand ils étaient rentrés à l'hôtel. Ton imagination — elle se toucha le front avec l'index. Les arbres te cachent la forêt.

La Ponte poussa un grognement.

— Laissez donc la botanique pour plus tard, si vous n'y voyez pas d'inconvénient — il était de plus en plus inquiet, regardait constamment autour de lui, terrorisé à l'idée que la police puisse leur tomber dessus d'un moment à l'autre. On devrait foutre le camp d'ici. Je peux louer une voiture avec mes papiers. Si nous ne perdons pas de temps, nous passerons la frontière demain. Qui d'ailleurs est le premier d'avril.

— Ferme-la, Flavio — Corso regardait les yeux de la jeune fille, espérant y trouver une réponse. Il n'y vit que des reflets : la lumière de la place, les voitures autour d'eux, son image déformée, grotesque. Le lansquenet vaincu. Non, il n'y avait plus de défaites héroïques. Il y avait longtemps qu'il n'y en avait plus.

L'expression de la jeune fille avait changé. Elle regardait La Ponte comme si, pour la première fois, elle voyait en lui quelque chose qui vaille la peine.

— Répétez donc, dit-elle.

Le libraire hésita, surpris.

— Louer une voiture ? — il les regardait, la bouche ouverte. Mais c'est élémentaire. Dans un avion, il y a une liste des passagers. Dans le train, on risque de contrôler les passeports...

— Je ne parlais pas de ça. Dis-nous la date de demain.

— Premier avril. Un lundi — La Ponte tripotait sa cravate, troublé. Mon anniversaire.

Mais la jeune fille ne faisait plus attention à lui. Elle s'était penchée sur son sac et y cherchait quelque chose. Quand elle se redressa, elle tenait à la main *Les Trois Mousquetaires*.

— Tu négliges tes lectures, dit-elle à Corso en lui tendant le livre. Chapitre premier, première ligne.

Corso, pris au dépourvu, saisit le livre et y jeta un coup d'œil. *Les Trois Présents de M. d'Artagnan père*, disait le titre du chapitre. Et quand il lut la première ligne, il sut où il leur fallait chercher Milady.

XIV

Les souterrains de Meung

C'était une nuit lugubre.
(P. du Terrail, Rocambole)

C'était une nuit lugubre. Turbulente, la Loire coulait avec force et la crue menaçait les vieilles digues du bourg de Meung. La tourmente rugissait depuis la fin de l'après-midi et, par intervalles, un éclair découpait dans la noirceur la masse du château, avec des zigzags de clarté qui claquaient comme des coups de fouet sur le pavé désert et ruisselant de pluie des vieilles rues médiévales. De l'autre côté du fleuve, dans le lointain, parmi les rafales de vent, d'eau et de feuilles arrachées aux arbres, comme si la tempête eût établi une frontière entre le passé proche et un lointain présent, les lumières silencieuses des voitures filaient sur l'autoroute Tours-Orléans.

À l'auberge Saint-Jacques, seul hôtel de Meung, une fenêtre était éclairée. Ouverte, elle donnait sur une petite terrasse où l'on avait accès de la rue. Dans la chambre, une femme blonde et grande, séduisante, les cheveux noués sur la nuque, s'habillait devant un miroir. Elle venait de tirer la fermeture de sa robe, couvrant un petit tatouage en forme de fleur de lys sur sa cuisse. Très droite, les mains derrière le dos, elle attachait son soutien-gorge sur une abondante poitrine couleur de lait qui frémissait doucement à chacun de ses mouvements. Puis elle enfila un corsage de soie et sourit un peu en le boutonnant, les yeux fixés sur son image. Elle se trouvait certainement belle et peut-être pensait-elle à un rendez-vous prochain, car personne ne s'habille à onze heures du soir si ce n'est pour accourir à la rencontre de quelqu'un. Encore que son sourire satisfait mais un tantinet cruel devant le miroir fût peut-être motivé par la présence d'une chemise noire en cuir, flambant neuve, posée sur le lit, d'où sortaient les pages du manuscrit du *Vin d'Anjou* d'Alexandre Dumas père.

Un éclair tout proche illumina la petite terrasse devant la fenêtre. Et là, à l'abri d'un petit toit d'où la pluie coulait à verse, Lucas Corso prit une dernière bouffée de la cigarette trempée qu'il tenait entre les doigts avant de la laisser tomber, puis il releva le col de son manteau pour mieux se protéger de la pluie et du vent. À la lumière de l'éclair suivant, il put deviner dans l'intensité d'un gigantesque flash photographique le visage cadavérique de Flavio La Ponte au milieu d'une explosion de lumières et d'ombres qui lui donnaient, avec ses cheveux et sa barbe dégoulinants de pluie, l'aspect d'un moine tourmenté, ou peut-être d'un Athos taciturne comme le désespoir, sombre comme le châtiment. Pendant quelque temps, il n'y eut pas d'autres éclairs, mais Corso distinguait dans la troisième ombre, blottie avec eux sous le toit, la silhouette svelte d'Irene Adler, emmitouflée dans son blouson. Et quand un autre éclair fendit enfin la nuit en diagonale et que le tonnerre roula parmi les toits d'ardoise, la lumière arracha deux reflets verts jumeaux sous le capuchon qui masquait le visage de la jeune fille.

Le voyage jusqu'à Meung n'avait pas pris longtemps, mais l'atmosphère était tendue dans la voiture louée par La Ponte. Un trajet pratiquement sans visibilité sur l'autoroute Paris-Orléans, puis seize kilomètres en direction de Tours, tandis que La Ponte, assis à côté du conducteur, étudiait à la flamme d'un briquet Bic la carte Michelin qu'ils avaient achetée dans une station-service. Complètement perdu, le pauvre La Ponte : encore un peu plus loin ; je crois que c'est la route ; oui, c'est bien la route. Et la jeune fille sur la banquette arrière, silencieuse, les yeux fixés sur Corso dans le rétroviseur chaque fois que les phares d'une voiture les éclairaient de face. La Ponte se trompa, naturellement. Ils laissèrent derrière eux la sortie sans voir le panneau indicateur et s'éloignèrent en direction de Blois. Quand ils eurent découvert leur erreur, il leur fallut rebrousser chemin à contresens pour retrouver la sortie de l'autoroute. Cramponné à son volant, Corso priait le Ciel que la tempête oblige les gendarmes à rester chez eux. Beaugency. La

Ponte voulait à tout prix traverser le fleuve et prendre à gauche. Fort heureusement, les autres firent la sourde oreille. Ils revinrent sur leurs pas, cette fois par la nationale 152 — le même itinéraire qu'avait suivi d'Artagnan dans ce premier chapitre — parmi les rafales de vent et de pluie, la Loire sur la droite semblable à une lande noire et rugissante, les essuie-glaces qui balayaient sans arrêt le pare-brise, des centaines de petits points noirs, ombres de pluie, qui dansaient devant le visage de Corso lorsqu'ils croisaient d'autres voitures. Enfin, des rues désertes, un vieux bourg aux toitures médiévales, des façades aux grosses poutres en croix de Saint-André : Meung-sur-Loire. Fin du voyage.

— Elle va se tirer, murmura La Ponte ; il était trempé et le froid faisait trembler sa voix. Pourquoi ne pas y aller tout de suite ?

Corso se pencha un peu pour jeter un autre coup d'œil. Liana Taillefer avait passé sur son corsage un sweater très ajusté qui mettait en valeur son anatomie de façon spectaculaire et elle sortait maintenant de l'armoire une longue cape noire qui aurait pu faire penser à un domino de carnaval. Il la vit hésiter un moment tandis qu'elle regardait autour d'elle, puis elle jeta la cape sur ses épaules et ramassa sur le lit la chemise du manuscrit. Elle s'aperçut alors que la fenêtre était ouverte et s'avança pour la refermer.

Corso tendit la main pour l'en empêcher. Au même instant, un éclair éclata presque au-dessus de sa tête et la lumière éclaira son visage dégoulinant de pluie, sa silhouette qui se découpait au milieu de la fenêtre, cette main tendue devant lui comme pour montrer, accusatrice, cette femme que la stupeur paralysait. Et Milady lança un cri sauvage, un cri prodigieux de terreur, comme si elle avait vu le diable.

Elle ne cessa de crier que lorsque Corso lâcha l'appui de la fenêtre et, du revers de la main, lui donna une gifle qui la fit tomber sur le lit en envoyant voler en l'air les feuillets manuscrits du *Vin d'Anjou*. Le changement de température embua les lunettes de Corso qui les retira rapidement et les lança sur la table de nuit avant de se jeter sur Liana Taillefer, alors qu'elle essayait d'atteindre la porte pour sortir dans le couloir. Il l'immobilisa d'abord par une jambe, puis par la ceinture, sur le lit, tandis qu'elle se tordait dans tous les sens en lançant des coups de pied. La femme était forte et il se demanda ce que pouvaient bien fabriquer La Ponte et la jeune fille. En attendant les secours, il voulut l'immobiliser par les poignets sans approcher son visage qu'elle essayait de griffer avec ses ongles. Ainsi enlacés, ils se retournèrent sur le lit et Corso se retrouva avec une de ses cuisses entre celles de son adversaire, le nez plongé dans la plénitude rebondie de deux énormes mamelles qui, de si près et à travers le mince sweater de laine, lui parurent de nouveau incroyablement douillets. Il sentit sans la moindre équivoque le stimulus d'une érection et jura dans sa barbe, exaspéré, tandis qu'il luttait contre cette Milady aux épaules de championne olympique, spécialité brasse. Et où es-tu quand j'ai besoin de toi, se dit-il avec amertume. C'est alors qu'arriva La Ponte qui s'ébrouait comme un chien mouillé, résolu à venger sa vanité mise à mal et, surtout, la facture du Crillon qui le cuisait dans son portefeuille. L'affaire commençait à prendre l'allure d'un lynchage en bonne et due forme.

— Je suppose que vous n'allez pas la violer, dit la jeune fille.

Elle était assise sur l'appui de la fenêtre, le capuchon de son blouson sur la tête, en train d'observer la scène. Liana Taillefer ne se débattait plus, paralysée sous le poids de Corso, tandis que La Ponte lui tenait un bras et une jambe.

— Espèce de porc, lança-t-elle d'une voix haute et claire.

— Putasse, grogna La Ponte, hors d'haleine après cette escarmouche.

Ce bref échange terminé, ils se calmèrent tous un peu. Sûrs qu'elle ne pouvait leur échapper, ils la laissèrent s'asseoir sur le lit, encore ivre de rage, et se frotter les poignets tandis qu'elle distribuait des regards venimeux à La Ponte et à Corso qui alla se poster devant la porte. Quant à la jeune fille, elle était toujours à la fenêtre, maintenant fermée derrière son dos ; elle avait abaissé son capuchon et regardait la veuve Taillefer avec une curiosité passablement effrontée. Après s'être essuyé les cheveux et la barbe avec un coin du couvre-lit, La Ponte commença à rassembler les feuilles du manuscrit dispersées dans toute la chambre.

— Nous allons bavarder un peu, dit Corso. Comme des gens raisonnables.

Liana Taillefer le foudroya du regard.

— Nous n'avons rien à nous dire.

— Vous vous trompez, jolie madame. Maintenant que nous vous avons mis la main au collet, je ne vois plus aucun inconvénient à m'adresser à la police. Ou vous parlez avec nous, ou vous vous expliquez avec les gendarmes. Choisissez.

Ils la virent froncer les sourcils en regardant autour d'elle comme une bête traquée. On aurait dit un animal à l'affût du moindre interstice pour se faufiler hors du piège.

— Attention, prévint La Ponte. Elle mijote sûrement quelque chose.

Les yeux de la femme avaient quelque chose de mortel, comme des pointes d'acier. Corso fit un sourire en coin, un peu théâtral.

— Liana Taillefer, dit-il. Ou peut-être devrions-nous l'appeler Anne de Brieul, comtesse de la Fère. Également connue sous les noms de Charlotte Backson, baronne Sheffield et lady de Winter. Celle qui trahissait ses maris et ses amants. Celle qui assassinait et empoisonnait, l'espionne de Richelieu... Mieux connue encore sous le pseudonyme de... — et il fit une pause éloquente — sous le pseudonyme de Milady.

Il s'interrompit, car il venait de se prendre les pieds dans la bandoulière de son sac qui sortait de sous le lit. Il tira dessus, sans perdre de vue ni Liana Taillefer ni la sortie vers laquelle elle avait manifestement l'intention de se précipiter dès qu'on lui en laisserait l'occasion. Il glissa une main dedans pour voir ce qu'il contenait, puis poussa un soupir de soulagement qui fit que tous, y compris la femme, le regardèrent avec surprise. *Les Neuf Portes*, l'exemplaire de Varo Borja, était là, intact.

— En plein dans le mille ! s'exclama-t-il en montrant le volume aux autres.

La Ponte fit un geste de triomphe, comme si Quiequeg venait de planter son harpon dans la baleine ; quant à la jeune fille, elle resta immobile, sans manifester la moindre émotion, en apparence spectatrice indifférente à l'incident.

Corso remit le livre dans le sac. Le vent sifflait par les fentes de la fenêtre devant laquelle la jeune fille était figée comme une statue. De temps en temps, un éclair découpait sa silhouette en ombres chinoises. Le coup de tonnerre arrivait un peu plus tard, assourdi, faisant vibrer les vitres mouchetées de pluie.

— Une nuit tout à fait appropriée, dit Corso qui regarda ensuite la femme. Comme vous voyez, Milady, nous n'avons

pas voulu manquer le rendez-vous... Nous sommes venus dans
l'intention de rendre justice.

— À plusieurs et la nuit, comme des poltrons, répondit-elle
en crachant les mots avec mépris. Comme avec l'autre. Il ne
manque plus que le bourreau de Lille.

— Chaque chose en son temps, rétorqua La Ponte.

La femme s'était ressaisie et retrouvait par moments son
assurance. L'allusion qu'elle-même avait faite au bourreau ne
semblait pas l'impressionner outre mesure. Elle soutenait leur
regard, provocante.

— Je vois, ajouta-t-elle, que tout le monde connaît bien
son rôle.

— Ce qui ne doit pas vous étonner, répondit Corso. Vous
et vos complices vous êtes donné beaucoup de mal pour qu'il en
soit ainsi... — il esquissa un sourire de loup cruel, sans humour
ni pitié. Et nous nous sommes tous bien amusés.

La femme serra les lèvres. Un de ses ongles vernis rouge
sang glissait sur le couvre-lit. Corso suivit son mouvement,
fasciné, comme s'il s'agissait d'un aiguillon mortel, et il frissonna en pensant qu'il avait frôlé plusieurs fois son visage
pendant la bagarre.

— Vous n'avez aucun droit, dit-elle enfin. Vous n'avez rien
à faire ici.

— Vous vous trompez. Nous faisons partie du jeu, comme
vous.

— Un jeu dont vous ne connaissez pas les règles.

— Vous vous trompez encore, Milady. La preuve, c'est que
nous sommes ici — Corso chercha autour de lui ses lunettes et
les découvrit finalement sur la table de nuit ; il les mit, puis les
redressa avec son index. C'était justement la difficulté : accepter la nature du jeu ; consentir à cette fiction en entrant dans le
récit, en pensant avec la logique qu'impose le texte, au lieu de
recourir à celle du monde extérieur... Ensuite, il n'est pas
difficile de continuer, car si dans la réalité bien des choses se
produisent par hasard, dans la fiction, presque tout se déroule
selon des règles logiques.

L'ongle rouge de Liana Taillefer s'était immobilisé.

— Également dans les romans ?

— Surtout dans les romans. Si le héros du roman raisonne
selon cette logique intérieure qui est celle du criminel, il finit
forcément par arriver au même point. C'est pour cette raison

que le héros et le traître, le détective et l'assassin, finissent toujours par se rencontrer dans les derniers chapitres — il sourit, satisfait de son raisonnement. Qu'en pensez-vous ?

— Formidable, répondit Liana Taillefer sur un ton ironique. — La Ponte regardait lui aussi Corso, bouche bée, quoique son admiration fût sincère dans son cas. Frère Guillaume de Baskerville, je suppose.

— Ne soyez pas superficielle, Milady. Oubliez Conan Doyle et Allan Poe, par exemple. Et même Dumas... J'avais cru un moment que vous aviez des lectures plus vastes.

La femme regarda fixement le chasseur de livres.

— Vous voyez que vous gaspillez votre talent avec moi, conclut-elle, dédaigneuse. Je ne suis pas le public que vous méritez.

— Je le sais. Je suis justement venu jusqu'ici pour que vous nous conduisiez à lui — il regarda sa montre. Dans un peu plus d'une heure, nous serons le premier lundi d'avril.

— J'aimerais vivement savoir comment vous avez deviné cela.

— Je ne l'ai pas deviné — il se retourna vers la jeune fille, toujours debout devant la fenêtre. C'est elle qui m'a mis le livre sous les yeux... Et en matière d'enquête, un livre vaut mieux que le monde extérieur : fermé, sans distraction pour vous déranger. Comme le laboratoire de Sherlock Holmes.

— Arrête un peu de faire ton cirque, Corso, lança la jeune fille qui en avait manifestement assez. Tu l'as déjà suffisamment impressionnée.

La femme haussa un sourcil et la regarda, comme si elle la voyait pour la première fois.

— Qui est-ce ?

— Ne me dites pas que vous l'ignorez... Vous ne l'aviez jamais vue ?

— Jamais. On m'avait parlé d'une jeune fille, mais sans me dire d'où elle sortait.

— Qui vous en a parlé ?

— Un ami.

— Grand, brun, moustache, une cicatrice sur la figure ? Une lèvre fendue ?... Ce bon Rochefort ! J'aimerais bien savoir où le trouver. Pas très loin, je suppose... Vous et votre bande avez choisi deux dignes personnages.

Pour une raison ou pour une autre, cette phrase fit perdre

à Liana Taillefer son impassibilité. L'ongle rouge fouailla dans le couvre-lit, comme s'il y cherchait la chair de Corso, et la glace de ses yeux sembla fondre en éclairs de rage.

— Les autres personnages du roman sont peut-être meilleurs ?... — il y avait du mépris, une arrogance insultante dans la façon dont Milady dressait la tête pour les regarder tour à tour. Athos, un ivrogne ; Porthos, un imbécile ; Aramis, un hypocrite plongé jusqu'au cou dans les intrigues...

— C'est un point de vue, reconnut Corso.

— Taisez-vous. Qu'est-ce que vous savez de mes points de vue ?... — Liana Taillefer s'arrêta, le menton levé, les yeux plantés dans ceux de Corso, comme si c'était maintenant son tour. Quant à d'Artagnan, reprit-elle, c'est le pire de tous... Une fine lame ? Il ne se bat que quatre fois en duel dans *Les Trois Mousquetaires*, et il remporte la victoire quand Jussac se relève ou quand Bernajoux, dans une attaque aveugle, s'enferre tout seul sur son épée. Dans l'attaque contre les Anglais, il se contente de désarmer le baron et il lui faut trois estocades pour venir à bout du comte de Wardes... Quant à sa générosité — elle adressa à La Ponte un geste méprisant du menton —, d'Artagnan est encore plus pingre que votre ami. La première fois qu'il offre une tournée générale à ses amis, c'est en Angleterre, après l'affaire Monk. Trente-cinq ans après.

— Je vois que vous êtes une spécialiste, et j'aurais dû m'en douter plus tôt. Tous ces feuilletons que vous sembliez détester tellement... Je vous félicite. Vous avez joué à la perfection votre rôle de veuve fatiguée des extravagances de son mari.

— Je n'ai rien simulé du tout. La quasi-totalité de cette collection n'était que de la vieille paperasse, inutilisable, médiocre. Comme Enrique. Mon mari était un simple. Il n'a jamais su lire entre les lignes ; séparer la pépite de sa gangue... Il était de ces imbéciles qui se promènent partout dans le monde, qui collectionnent des photos de monuments et qui ne se rendent jamais compte de quoi que ce soit.

— Ce n'était pas votre cas.

— Bien sûr que non. Savez-vous quels sont les deux premiers livres que j'ai lus de ma vie ? *Les Quatre Filles du docteur March* et *Les Trois Mousquetaires*. Tous les deux m'ont marquée, à leur manière.

— Je suis ému.

— Ne soyez pas idiot. Vous avez posé des questions et je

Et sur l'autre rive, le bourreau brandissant son épée.

suis en train de vous donner quelques réponses... Il y a des lecteurs primaires, comme le pauvre Enrique. Et des lecteurs qui vont plus loin, qui ne se limitent pas aux stéréotypes : d'Artagnan courageux, Athos chevaleresque, Porthos le brave homme, Aramis fidèle... Laissez-moi rire ! — et son rire éclata, effectivement, dramatique et sinistre comme celui de Milady. Personne ne comprend rien à rien. Vous savez quelle est l'image que je conserve de tout cela, celle que j'ai toujours admirée ?... Cette dame blonde, fidèle à une idée de soi-même qu'elle a résolu de prendre pour guide et qui lutte seule, envers et contre tous, misérablement assassinée par quatre héros de carton-pâte... Et ce fils caché, orphelin, qui apparaît vingt ans plus tard ! — elle pencha la tête, sombre, et il y avait tant de haine dans son regard que Corso faillit faire un pas en arrière. Je me souviens de l'illustration comme si je la voyais en ce moment même : une rivière, la nuit, les quatre canailles à genoux, mais impitoyables. Et sur l'autre rive, le bourreau brandissant son épée au-dessus du cou nu de la femme...

Un éclair illumina brutalement son visage d'une pâleur mortelle, la peau blanche de son cou, ses iris plongés dans les images tragiques qu'elle évoquait comme si elle les avait vécues un jour. Puis le tonnerre gronda en faisant trembler les vitres.

— Canailles, siffla-t-elle à voix basse, comme pour elle-même, et Corso n'aurait su dire si elle voulait parler de lui et de ses compagnons, ou de d'Artagnan et de ses amis.

Contre la fenêtre, la jeune fille avait fouillé dans son sac à dos pour en sortir *Les Trois Mousquetaires* qu'elle tenait maintenant à la main. Elle cherchait une page avec toute la tranquillité de la spectatrice neutre qu'elle semblait vouloir être. Quand elle la trouva, elle lança le livre ouvert sur le lit, sans dire un mot. C'était l'illustration décrite par Liana Taillefer.

— *Victa iacet Virtus*, murmura Corso qui frémit en constatant la ressemblance entre cette scène et la huitième planche des *Neuf Portes*.

La femme avait retrouvé son calme en voyant la gravure. Elle haussa un sourcil, froide et suffisante. Ironique.

— Exactement, dit-elle. Parce que vous n'allez pas me dire que c'est d'Artagnan qui incarne cette vertu. Un Gascon opportuniste... Sans parler de ses dons de séducteur. Dans tout le roman, il ne fait la conquête que de trois femmes, dont deux par des subterfuges. Son grand amour est une petite-bourgeoise aux grands pieds, femme de chambre de la reine. L'autre est une Anglaise, une petite bonne, dont il profite misérablement — le rire de Liana Taillefer résonnait comme une insulte. Et qu'allez-vous me dire de sa vie intime dans *Vingt ans après* ?... En ménage avec la propriétaire d'une pension de famille pour faire l'économie du loyer.. Ah oui ! Fameux Don Juan, spécialiste des bonnes, des aubergistes et des servantes !

— Mais d'Artagnan séduit Milady, souligna Corso de mauvaise foi.

Un rayon de colère brisa une fois de plus la glace des yeux de Liana Taillefer. Si les regards pouvaient tuer, le chasseur de livres serait tombé sur-le-champ à ses pieds, foudroyé.

— Ce n'est pas lui qui fait la conquête, répondit la femme. Quand le misérable se couche dans le lit de Milady, c'est par la ruse ; en se faisant passer pour un autre — elle avait retrouvé sa froideur glacée et le bleu d'acier de ses yeux continuait à clouer Corso comme une dague. Vous et lui, vous auriez fait un couple parfaitement horrible.

La Ponte écoutait avec beaucoup d'attention, au point qu'on pouvait presque entendre le bruit de ses méninges en train de réfléchir. Tout à coup, il fronça les sourcils.

— Vous n'allez pas me dire que vous deux...

Il se retourna vers la jeune fille, cherchant son appui ; il était toujours le dernier à comprendre ce qui se passait autour de lui. Mais elle les observait, impassible, comme si elle n'avait rien à voir avec cette affaire.

— Je suis complètement idiot, conclut le libraire. Puis, il se dirigea vers la fenêtre et se mit à donner de grands coups de tête dans l'encadrement.

Liana Taillefer le regarda avec mépris avant de s'adresser à Corso.

— Était-il vraiment nécessaire de l'emmener ?

— Je suis vraiment complètement idiot, répétait La Ponte en se donnant des coups furieux.

— Il se prend pour Athos, expliqua Corso, comme pour le justifier.

— Plutôt Aramis. Présomptueux et plein de lui-même. Vous saviez qu'il fait l'amour en regardant du coin de l'œil l'ombre de son profil sur le mur ?

— Mais non, première nouvelle.

— Je vous assure que c'est la vérité.

La Ponte décida d'oublier la fenêtre.

— Nous nous écartons... dit-il, avec une gêne évidente. Nous nous écartons de la question.

— Très juste, confirma Corso. Nous parlions de la vertu, Milady. Vous nous donniez des leçons sur la question, à propos de d'Artagnan et de ses amis.

— Et pourquoi pas ?... Pourquoi des matamores qui se servent des femmes, qui acceptent leur argent, qui ne pensent qu'à faire fortune, devraient-ils être plus vertueux qu'une Milady intelligente et courageuse qui se choisit un chef, Richelieu, le sert avec loyauté et joue pour lui sa vie ?

— Et qui assassine pour son compte.

— Vous l'avez dit il y a un instant : la logique interne du récit.

— Interne ?... Tout dépend du point de vue. On a tué votre mari *en dehors* du roman, pas dedans. Sa mort était bien réelle.

— Vous êtes fou, Corso. Personne n'a tué Enrique. Il s'est pendu tout seul.

— Et Victor Fargas, il s'est noyé tout seul ?... Et hier soir, la baronne Ungern y est peut-être allée un peu fort avec le four micro-ondes ?

Liana Taillefer se retourna vers La Ponte, puis vers la jeune fille, espérant que quelqu'un lui confirmerait ce qu'elle venait d'entendre. Pour la première fois depuis qu'ils étaient entrés par la fenêtre, elle semblait déconcertée.

— De quoi me parlez-vous ?

— Des neuf bonnes gravures, répondit Corso. Des *Neuf Portes du Royaume des Ombres*.

Dans le vent et la pluie, à travers la fenêtre close, leur parvint le tintement de l'horloge d'une église. Presque au même moment, onze coups retentissaient quelque part dans la maison.

— Je vois qu'il y a d'autres fous dans cette histoire, dit Liana Taillefer.

Elle surveillait la porte. Au dernier coup, on frappa et un éclair de triomphe traversa les yeux de la femme.

— Attention, murmura La Ponte en sursautant, tandis que Corso comprenait enfin ce qui allait bientôt se produire. Du coin de l'œil, il vit la jeune fille se dresser devant la fenêtre, en alerte, et il sentit l'effet soudain de l'adrénaline qui courait à toute allure dans ses veines.

Tous regardèrent le bouton de la porte. Il tournait tout doucement, comme dans les films d'horreur.

— Bonsoir, dit Rochefort.

Il était vêtu d'un imperméable dégoulinant de pluie, boutonné jusqu'au col, et portait un feutre sous lequel brillaient fixement ses yeux sombres. La balafre dessinait un zigzag plus clair sur la peau basanée de son visage dont l'allure méridionale était encore accentuée par une épaisse moustache noire. Il resta immobile une quinzaine de secondes dans l'embrasure de la porte, les mains dans les poches de son imperméable, tandis qu'une flaque d'eau grandissait sous ses souliers trempés, sans que personne n'ouvre la bouche.

— Je suis contente de te voir, finit par dire Liana Taillefer. L'homme fit un petit signe de tête, sans répondre. Toujours assise sur le lit, la femme montra Corso. Ils commençaient à devenir impertinents.

— Pas trop, j'espère, dit Rochefort.

Il avait cette voix éduquée et agréable, sans accent bien défini, que Corso se souvenait avoir entendue sur la route de Sintra. L'homme était toujours immobile à la porte, les yeux rivés sur le chasseur de livres, comme si La Ponte et la jeune fille n'existaient pas. Sa lèvre inférieure était encore enflée, avec des traces de mercurochrome, et deux points de suture fermaient la plaie récente. Souvenir des quais de la Seine, se dit Corso méchamment en guettant la réaction de la jeune fille. Mais le premier moment de surprise passé, elle avait repris son rôle de spectatrice qui ne s'intéressait que vaguement à la scène.

Sans perdre de vue Corso, Rochefort se dirigea vers Milady.

— Comment sont-ils arrivés jusqu'ici ?

La femme fit un geste vague.

— Ce sont des petits malins — après avoir fait glisser son regard sur La Ponte, elle s'arrêta sur Corso. Au moins l'un d'eux.

Rochefort hocha une seconde fois la tête. Les yeux mi-clos, il semblait analyser la situation.

— Je vois... Mais ça complique les choses, dit-il enfin en ôtant son chapeau qu'il jeta sur le lit. Et beaucoup.

Liana Taillefer ne dit pas le contraire. Elle lissa sa robe et se leva avec un grand soupir. La voyant bouger, Corso se tourna un peu vers elle, tendu et indécis. C'est alors que Rochefort sortit une main de la poche de son imperméable. Le chasseur de livres en déduisit qu'il était gaucher. Mais il n'eut pas grand mérite à faire cette découverte, car il s'agissait en effet de la main gauche, et celle-ci tenait un petit revolver à canon court, d'un noir bleuté. Pendant ce temps, Liana Taillefer s'approchait de La Ponte pour lui prendre le manuscrit Dumas des mains.

— Répète donc un peu ce que tu disais de la putasse, tout à l'heure — elle était si près de lui et elle le regardait avec tant de mépris qu'il crut qu'elle allait lui cracher au visage. Si tu en as.

La Ponte n'en avait pas. C'était le survivant par excellence et ses façons de harponneur intrépide étaient réservées aux moments d'euphorie éthylique. Il se garda donc bien de répéter quoi que ce soit.

— Je passais simplement par ici, déclara-t-il sur un ton conciliant, cherchant des yeux une cuvette pour se laver les mains de toute cette histoire.

— Qu'est-ce que je ferais, Flavio, dit Corso, résigné. Sans toi.

Le libraire s'excusa en faisant une mine de circonstance :

— Je crois que tu es injuste — les sourcils froncés, l'air offensé, il se rapprocha de la jeune fille ; sans doute l'endroit lui paraissait-il le plus sûr dans cette chambre. Tout bien considéré, il s'agit de ton aventure, Corso... Et qu'est-ce que c'est que la mort pour un type comme toi ? Rien. Une formalité. En plus, on te paie une misère. Et la vie est fondamentalement désagréable — il regardait fixement le canon du revolver de Rochefort, puis il prit la jeune fille par l'épaule et poussa un soupir, mélancolique. J'espère qu'il ne va rien t'arriver. Mais s'il t'arrivait quelque chose, le plus dur sera encore pour nous : continuer à vivre sans toi.

— Tu es un porc. Un traître.

La Ponte le regarda d'un air chagriné.

— Je préfère oublier ce que tu viens de dire, mon ami. Tu n'es pas dans ton assiette.

— Évidemment que je ne suis pas dans mon assiette, espèce de rat d'égout.

— Je vais également oublier cette dernière phrase.

— Fils de pute.

— Comme si je ne t'entendais pas, mon vieux camarade. L'amitié est faite de ces petits détails.

— Je me félicite, intervint Milady d'une voix caustique, de voir que rien ne peut vous faire perdre votre esprit d'équipe.

Corso réfléchissait à toute vitesse, mais dans les circonstances, il était inutile de réfléchir. Aucun exercice mental n'aurait été capable d'arracher l'arme de la main de l'homme qui la tenait ; encore que Rochefort le fît avec un certain ennui, sans viser personne en particulier, croyant qu'il suffisait de la montrer pour bien situer les choses. D'autre part, s'il éprouvait un vif désir de régler avec l'homme à la cicatrice les comptes qu'il avait encore en suspens avec lui, Corso ne possédait pas non plus la violente adresse technique qu'il aurait fallu pour ce faire. La Ponte s'étant mis sur la touche, le seul espoir de voir se modifier le rapport de forces résidait dans la jeune fille. Mais, à moins qu'elle ne fût une comédienne consommée, il y avait peu à attendre de ce côté ; l'espoir de Corso s'éteignit au premier coup d'œil. Celle qui prétendait s'appeler Irene Adler s'était libérée du bras de La Ponte pour s'appuyer de nouveau contre la fenêtre, d'où elle les observait maintenant, inexplicablement distante. Décidée, selon les apparences absurdes, à rester en dehors de l'action.

Le manuscrit Dumas à la main, Liana Taillefer s'approcha de Rochefort, très satisfaite de l'avoir si rapidement récupéré. Corso s'étonna qu'elle ne montrât point un intérêt semblable pour *Les Neuf Portes* qui se trouvait toujours dans son sac de toile, au pied du lit.

— Et maintenant ? entendit-il la femme demander à l'autre à voix basse.

À la surprise de Corso, Rochefort ne semblait pas très sûr de la suite. Il braquait son revolver d'un côté et l'autre, sans savoir qui viser. Puis, après avoir échangé avec Milady un long regard lourd de significations secrètes, il sortit la main droite de sa poche et se la passa sur le visage, indécis.

— On ne peut pas les laisser ici, dit-il finalement.

— Ni les emmener avec nous, ajouta la femme.

L'autre hocha la tête très lentement, tandis que le revolver semblait écarter le doute qui s'était présenté plus tôt à lui. Corso constata qu'il s'était redressé dans la main de l'homme et que le canon était maintenant pointé vers son estomac. Il sentit ses muscles abdominaux se crisper en même temps qu'il essayait, sujet, verbe et complément, de formuler une protestation syntaxiquement cohérente. Mais il ne fit que pousser un son guttural et informe.

— Vous n'aurez jamais le courage de le tuer, fit La Ponte qui tentait une fois de plus la chance pour mieux se dédouaner.

— Flavio, parvint à articuler Corso en dépit de sa bouche sèche. Si je m'en sors, je te jure que je te casse ta gueule. Que je te passe à la moulinette.

— Je voulais seulement me rendre utile.

— Tu ferais mieux d'aider ta mère à ne plus faire le tapin.

— Bon, d'accord, j'ai compris, je la ferme.

— C'est ça, fermez-la, intervint Rochefort, menaçant.

Il avait échangé un dernier regard avec la Taillefer et venait apparemment de prendre une décision. Il ferma la porte derrière lui sans cesser de pointer son revolver sur Corso, puis glissa la clé dans la poche de son imperméable. Perdu pour perdu..., se dit le chasseur de livres qui sentait son pouls tambouriner sous la peau de ses tempes et de ses poignets. Le tambour de Waterloo battait dans quelque recoin de sa conscience quand, dans ce dernier éclat de lucidité qui précède le désespoir, il se surprit en train de calculer la distance qui le séparait du revolver et le temps qu'il lui faudrait pour la franchir, à quel moment retentirait le premier coup de feu, dans quelle position il recevrait la balle. Les possibilités qu'il puisse s'en sortir le cuir intact étaient minimes, mais dans cinq secondes, elles risquaient fort de devenir nulles ; si bien que le clairon sonna le rappel. Dernière charge menée par Ney, le brave parmi les braves, sous les yeux las de l'Empereur. Avec Rochefort à la place des Écossais gris mais, bien sûr, une balle était une balle. Complètement absurde, se dit-il à l'avant-dernière seconde avant de passer à l'action. Et il se demanda si, dans ce contexte, la mort qui allait le frapper à la poitrine une infime particule de temps plus tard serait réelle ou irréelle, et s'il allait se retrouver en train de flotter dans le néant ou dans le Walhalla des héros de papier. Pourvu que ces yeux clairs qu'il sentait fixés sur son dos — l'Empereur ? Le diable amoureux ? — soient là pour l'attendre dans le crépuscule, pour le guider de l'autre côté de la rivière des ombres.

C'est alors que Rochefort fit quelque chose d'étrange. Il

leva sa main libre pour réclamer un peu de temps — geste absurde dans les circonstances —, tandis qu'il déplaçait son revolver comme pour le remettre dans sa poche. Le geste ne dura qu'un instant et l'arme reprit son orientation initiale, mais le trou noir du canon semblait pointé sans trop de conviction. Et Corso, le pouls battant la chamade, les muscles tendus, sur le point de bondir dans l'inconnu, se retint, estomaqué, quand il comprit que l'heure de mourir n'était pas venue.

Encore incrédule, il vit Rochefort traverser la pièce, s'approcher du téléphone, composer un chiffre pour obtenir une ligne extérieure, puis un numéro de téléphone. De là où il était, il entendit le son lointain de la tonalité d'appel, jusqu'à ce qu'un déclic l'interrompe.

— Corso est ici, dit Rochefort qui attendit ensuite sans dire un mot, comme si un silence identique lui eût répondu à l'autre bout de la ligne. Le revolver était toujours paresseusement dirigé vers un point imprécis de l'espace. Ensuite, l'homme à la cicatrice hocha deux fois la tête, écouta encore un moment sans bouger, puis murmura « d'accord » avant de raccrocher.

— Il veut le voir, dit-il à Milady. Elle et lui se retournèrent pour regarder Corso ; la femme, avec irritation ; Rochefort, plutôt préoccupé.

— C'est absurde, protesta-t-elle.

— Il veut le voir, répéta l'autre.

Milady haussa les épaules. Elle fit quelques pas dans la chambre en feuilletant d'un air furieux les pages du *Vin d'Anjou*.

— Quant à nous..., commença à dire La Ponte.

— Vous restez ici, répondit Rochefort en braquant sur lui le canon de son arme ; puis il toucha la blessure de sa bouche. Et la fille aussi.

Malgré sa lèvre fendue, il ne semblait pas trop en vouloir à la jeune fille. Corso crut même deviner une lueur de curiosité dans la façon dont il la regarda avant de se retourner vers Liana Taillefer pour lui confier le revolver.

— Ils ne doivent pas sortir d'ici.

— Et pourquoi ne restes-tu pas, toi ?

— Il veut que je l'emmène moi-même. C'est plus sûr.

Milady fit un signe de tête, fâchée. Il ne fallait pas être bien perspicace pour deviner que ce n'était pas là le rôle qu'elle avait compté jouer cette nuit-là ; mais comme son homologue romanesque, c'était un sicaire discipliné. En échange de l'arme, elle remit à Rochefort le manuscrit Dumas. Puis elle dévisagea Corso, inquiète.

— J'espère qu'il ne va pas te causer d'ennuis.

Tranquille, Rochefort sourit avec assurance et sortit de sa poche un grand couteau à cran d'arrêt qu'il regarda d'un air songeur, comme s'il ne se souvenait pas très bien qu'il l'avait sur lui. La blancheur de ses dents contrastait avec la peau mate de son visage balafré.

— Je ne crois pas, répondit-il en remettant dans sa poche le couteau qu'il n'avait même pas ouvert, tandis qu'il faisait à Corso un geste à la fois amical et sinistre. Puis il prit son chapeau sur le lit, fit tourner la clé dans la serrure et montra le couloir à Corso en faisant une révérence exagérée, comme s'il le saluait avec un shako empanaché.

— Son Éminence attend, Monsieur. — Et il poussa un parfait éclat de rire, bref et sec, de sbire qualifié.

Corso lança un regard à la jeune fille avant de sortir de la chambre. Elle avait tourné le dos à Milady qui pointait sur elle et La Ponte le canon de son arme, comme si elle se désintéressait de ce qui pouvait se passer autour d'elle. Appuyée contre la fenêtre, elle regardait dehors, méditant sur le vent et la pluie, découpée à contre-jour par les éclairs qui illuminaient la nuit.

Ils sortirent dans la rue, en pleine tempête. Rochefort avait glissé la chemise du manuscrit Dumas sous son imperméable pour le protéger de la pluie et il guidait Corso dans les ruelles qui conduisaient à la partie ancienne du bourg. Des rafales de pluie agitaient les branches des arbres, crépitaient bruyamment sur les flaques et les pavés ; de grosses gouttes ruisselaient sur les cheveux et le visage de Corso. Il releva le col de son manteau. Le bourg était plongé dans l'obscurité et l'on ne voyait pas âme qui vive ; seuls les éclairs illuminaient les rues par moments, découpant le toit des maisons médiévales, le profil sombre de Rochefort sous les cataractes qui tombaient du bord de son chapeau, les silhouettes des deux hommes sur les pavés mouillés, sillonnées de violents zigzags quand éclataient des éclairs, suivis de claquements semblables à ceux qu'aurait pu faire le diable s'il avait frappé à coups de fouet les eaux turbulentes de la Loire.

— Belle nuit, dit Rochefort en se tournant vers Corso pour se faire entendre au-dessus du fracas.

Il semblait bien connaître la petite ville. Il avançait sans hésiter, se retournant de temps en temps pour s'assurer que son compagnon était toujours à côté de lui. Geste inutile car, en ce moment, Corso l'aurait suivi jusqu'aux portes mêmes de l'enfer ; séjour qu'il n'écartait d'ailleurs nullement comme destination finale de ce funeste voyage. Les éclairs illuminèrent successivement une arche médiévale, un pont qui enjambait une ancienne douve, l'enseigne d'une boulangerie-pâtisserie, une place déserte, une tour coiffée d'un toit conique et une grille de fer sur laquelle une pancarte annonçait : *Château de Meung-sur-Loire.* XIIe-XIIIe *siècles.*

Derrière la grille, on voyait au loin une fenêtre éclairée, mais Rochefort prit à droite et Corso lui emboîta le pas. Ils suivirent un pan de muraille couvert de lierre jusqu'à arriver devant une certaine poterne, à moitié cachée dans le mur. Rochefort sortit alors une vieille clé, un énorme morceau de fer, et l'introduisit dans la serrure.

— Jeanne d'Arc a emprunté cette porte, annonça-t-il à Corso tandis qu'il faisait tourner la clé et qu'un dernier éclair révélait des marches qui s'enfonçaient vers les ténèbres.

Dans la clarté fugace, Corso vit aussi le sourire de Rochefort, ses yeux noirs qui brillaient sous le bord de son chapeau, la balafre livide sur sa joue. Au moins, se dit-il, c'était un digne adversaire : personne n'aurait pu trouver à redire à cette irréprochable mise en scène. Il commençait, bien malgré lui, à éprouver une sympathie malsaine pour ce personnage, qui qu'il fût, capable d'exécuter avec tant d'application un rôle de pareil gredin. Alexandre Dumas se serait amusé comme un enfant.

Rochefort empoigna une petite lanterne qui éclaira l'escalier long et étroit qui se perdait dans la direction d'un souterrain.

— Passez devant, dit-il.

Leurs pas résonnaient entre les murs du boyau qui se perdait en détours. Au bout d'un moment, Corso frissonna sous son manteau trempé ; un air froid qui sentait le renfermé et l'humidité des siècles montait à leur rencontre. Le pinceau de lumière éclairait des marches usées par d'innombrables pas, des taches de salpêtre sur les voûtes. L'escalier venait mourir dans un étroit couloir bordé de grilles rouillées. Rochefort éclaira un instant une fosse circulaire, sur la gauche.

— Ce sont les anciens cachots de l'évêque Thibault d'Aus-
signy, expliqua-t-il à Corso. C'est par là qu'on jetait les cadavres
à la Loire. François Villon a été emprisonné ici.

Et il se mit à réciter entre ses dents, d'une voix railleuse :

Ayez pitié, ayez pitié de moi...

Un gredin cultivé, sans aucun doute. Sûr de lui, avec un
certain côté professoral. Corso ne put déterminer si la situation
s'en trouvait améliorée ou pas ; mais une idée lui trottait dans
la tête depuis qu'ils avaient pénétré dans le passage. En fin de
compte, tant va la cruche à l'eau... — et sa mauvaise plaisanterie ne lui parut pas très drôle.

Le souterrain remontait maintenant sous la voûte d'où
suintaient des filets d'eau. Les yeux brillants d'un rat apparurent au bout de la galerie, puis s'évanouirent avec un petit
cri. La lanterne éclaira la fin du passage qui s'élargissait en une
salle circulaire dont le plafond, soutenu par des nervures en
ogive, reposait sur une grosse colonne centrale.

— La crypte, expliqua Rochefort, toujours plus loquace, en
balayant la salle avec le faisceau de sa lanterne. XIIᵉ siècle. Les
femmes et les enfants se réfugiaient ici quand le château était
attaqué.

Très instructif. Mais Corso n'était pas en état d'apprécier
les informations que lui communiquait son extravagant cicé-
rone ; tendu, tous les sens en alerte, il guettait la moindre
occasion. Ils montaient maintenant un escalier en colimaçon
dont les meurtrières laissaient filtrer en étroits rais de lumière
les éclairs qui continuaient à zébrer le ciel derrière les murs.

— Encore un peu et nous y sommes, annonça Rochefort
qui se trouvait quelques marches plus bas que lui ; la lanterne
éclairait les degrés entre les jambes de Corso et la voix de son
guide était plutôt aimable. Et maintenant que nous sommes sur
le point d'en finir, ajouta-t-il, je dois vous dire une chose :
malgré tout, vous avez vraiment très bien joué. La preuve, c'est
que vous êtes arrivé jusqu'ici... J'espère que vous ne m'en voudrez pas trop pour le quai de la Seine et l'hôtel Crillon. Ce sont
les inconvénients du métier.

Il ne précisa pas de quel métier il s'agissait, mais c'était
égal. Car Corso se retournait déjà vers lui, s'arrêtait comme s'il
voulait répondre quelque chose ou poser une question. Son
mouvement semblait parfaitement naturel, absolument pas

suspect, et en toute justice Rochefort n'aurait pu y opposer aucune défense. Peut-être est-ce pour cette raison qu'il ne sut comment réagir lorsque, dans le même geste, Corso se laissa tomber sur lui tout en étendant bras et jambes contre les murs pour ne pas débouler en bas des marches. Il en alla tout autrement de Rochefort : les degrés étaient étroits, le mur lisse, sans aucune prise où s'accrocher, et de plus, l'homme était à cent lieues de s'attendre à cette attaque. La lanterne, miraculeusement intacte, éclaira pendant quelques instants la scène tandis qu'il roulait en bas de l'escalier : Rochefort, les yeux écarquillés, la stupeur peinte sur le visage, Rochefort les pattes en l'air qui essayait désespérément de se rattraper au vide, Rochefort sur le point de disparaître au détour de l'escalier en colimaçon, le chapeau de Rochefort qui roulait de marche en marche avant de s'arrêter enfin... Et un peu plus tard, six ou sept mètres plus bas, un bruit sourd, quelque chose comme un *clonk*. Ou peut-être *plaf*. Toujours est-il que Corso, qui continuait à pousser de toutes ses forces, bras et jambes en croix contre les murs pour ne pas accompagner son adversaire dans un voyage si incommode, retrouva soudain toute sa mobilité. Son cœur battait à tout rompre tandis qu'il descendait l'escalier quatre à quatre. Il se baissa un instant pour ramasser la lanterne et arriva finalement en bas où Rochefort, couché en chien de fusil, s'agitait faiblement, en fort piteux état.

— Inconvénients du métier, lui dit Corso en s'éclairant le visage avec la lanterne pour que, du sol, l'autre puisse voir son sourire amical.

Puis il lui donna un coup de pied à la tempe et entendit la tête de Rochefort cogner très fort contre la première marche. Il leva le pied pour lui en donner un autre, pour plus de sûreté, mais un coup d'œil lui montra que ce n'était pas nécessaire : Rochefort avait la bouche ouverte et un filet de sang coulait d'une de ses oreilles. Corso se pencha au-dessus de lui pour voir s'il respirait, constata que oui et, après avoir déboutonné son imperméable, se mit à lui fouiller les poches, faisant main basse sur le couteau à cran d'arrêt, un portefeuille avec de l'argent, une carte d'identité française et le manuscrit Dumas qu'il glissa sous son manteau, entre sa ceinture et sa chemise. Puis il braqua le faisceau de la lanterne vers l'escalier en colimaçon et reprit son ascension, cette fois jusqu'au bout. Il se trouva alors sur un palier fermé par une porte barrée de grosses ferrures et constellée de clous hexagonaux sous laquelle filtrait un peu de lumière. Il resta immobile une trentaine de secondes pour reprendre son souffle et apaiser un peu les battements de son cœur. La solution de l'énigme se trouvait de l'autre côté et il se prépara à l'affronter en serrant les dents, la lanterne dans une main, dans l'autre le couteau de Rochefort qui s'ouvrit dans sa paume avec un déclic menaçant.

Et c'est ainsi, couteau à la main, cheveux en bataille, dégoulinant de pluie, les yeux brillant d'une résolution meurtrière, que je vis Corso entrer dans la bibliothèque.

XV

Corso et Richelieu

> *Et moi qui avais imaginé*
> *sur lui toute une histoire,*
> *je me suis complètement*
> *trompé.*
> *(Souvestre et Allain, Fantômas)*

Le moment est venu de situer notre point de vue narratif. Fidèle au vieux principe qui veut que le lecteur d'un récit à suspense doive posséder les mêmes informations que le héros, j'ai tenté de m'en tenir aux faits vus dans l'optique de Lucas Corso, sauf en deux occasions : au premier et au cinquième chapitre de cette histoire où je n'ai eu d'autre choix que de me mettre en scène. Dans ces deux cas, comme maintenant où je m'apprête à le faire pour la troisième et dernière fois, j'ai utilisé la première personne du passé pour des raisons de cohérence ; il aurait été absurde de me citer moi-même en utilisant le *il*, truc publicitaire qui, s'il a considérablement rehaussé l'image de Caius Julius Caesar dans sa campagne des Gaules, aurait été qualifié dans mon cas, et à juste titre, de pédanterie injustifiable. Il y a également une autre raison, peut-être relativement perverse : j'avais envie de raconter l'histoire à la manière d'un docteur Sheppard en face de Poirot, stratagème qui n'est pas tant ingénieux — tout le monde fait aujourd'hui ce genre de choses — que divertissant. Et en fin de compte, les gens écrivent pour leur divertissement, pour vivre plus intensément, pour s'aimer eux-mêmes ou pour que d'autres les aiment. Je partage certaines de ces intentions. Pour citer le vieil Eugène Sue, les méchants d'une seule pièce, si on me permet l'expression, sont des phénomènes rares. À supposer — et peut-être est-ce beaucoup supposer — que je sois véritablement un méchant.

Le fait est que celui qui signe ces lignes, Boris Balkan, se trouvait là, dans la bibliothèque, attendant notre invité, et qu'il vit soudain entrer Corso, couteau à la main, les yeux brillants d'un mauvais feu justicier. Je constatai qu'il semblait ne pas avoir d'escorte, ce qui m'inquiéta quelque peu, encore que je parvinsse à conserver le masque imperturbable que je m'étais composé pour l'occasion. J'avais d'ailleurs bien préparé mes effets : la bibliothèque dans la pénombre, lueur de chandeliers sur la table derrière laquelle j'étais assis, un exemplaire des *Trois Mousquetaires* entre les mains... J'étais même habillé — pur hasard en ce qui concernait Corso, mais tout à fait à propos dans les circonstances — d'une veste de velours rouge que l'on pouvait facilement associer à la pourpre cardinalice.

Mon grand atout était que j'attendais le chasseur de livres, accompagné ou pas, mais que lui ne s'attendait pas à me voir ; je décidai donc de profiter de l'effet de surprise. Ce couteau à la main, associé en une combinaison menaçante avec l'expression de son regard, me causait des inquiétudes. Je décidai donc de prendre les devants en paroles plutôt qu'en actes.

— Je vous félicite, dis-je en refermant le livre comme si son arrivée avait interrompu ma lecture. Vous avez été capable de jouer le jeu jusqu'au bout.

Il me regardait fixement de l'autre bout de la pièce et je dois préciser que je tirai un très grand plaisir de l'incrédulité qui se lisait sur son visage.

— Un jeu ? articula-t-il d'une voix rauque.

— Oui, un jeu. Concentration, incertitude, adresse, habileté... Action libre, régie par des règles obligatoires, qui trouve sa fin en elle-même et s'accompagne d'un sentiment de tension, plus la joie qu'il y a à jouer d'une autre façon que dans la vie ordinaire... — ce n'était pas de moi, mais Corso n'avait aucune raison de le savoir. La définition vous paraît adéquate ?... Le deuxième livre de Samuel le dit déjà : « *Que les enfants se lèvent et qu'ils jouent devant nous...* » Les enfants sont des joueurs et des lecteurs parfaits : ils font tout avec le plus grand sérieux. Au fond, le jeu est l'unique activité universellement sérieuse ; le scepticisme n'y est pas de mise, vous ne croyez pas ?... Pour incrédule et mécréant que l'on soit, celui qui veut participer n'a d'autre choix que d'observer les règles. Seul celui qui respecte ces règles, ou du moins les connaît et les utilise, peut vaincre... C'est la même chose lorsqu'on lit un livre : il faut accepter comme faits acquis la trame et les personnages pour jouir de l'histoire — je m'arrêtai, supposant que cette avalanche de paroles avait eu sur lui un effet sédatif salutaire. Mais vous êtes venu seul. Où est donc l'autre ?

— Rochefort ?... — Corso tordait la bouche d'une façon fort peu sympathique. Il a eu un accident.

— Vous l'appelez Rochefort ?... C'est amusant et tout à fait approprié. Je vois que vous êtes de ceux qui acceptent les règles, naturellement. Je ne sais pas pourquoi je devrais en être surpris.

Corso me fit cadeau d'un petit rire passablement inquiétant.

— Lui, par contre, paraissait plutôt surpris la dernière fois que je l'ai vu.

— Vous m'inquiétez — je souris, cynique ; mais j'étais véritablement inquiet. J'espère qu'il ne lui est rien arrivé de grave.

— Il est tombé dans l'escalier.

— Que dites-vous ?

— Ce que vous venez d'entendre. Mais rassurez-vous. Quand je l'ai laissé, votre sbire respirait encore.

— Encore heureux — je retrouvai un peu mon sourire pour essayer de dissimuler mon embarras ; tout ceci dépassait de loin les limites prévues. Ainsi, vous avez un petit peu triché ?... Bon — j'ouvris les mains, magnanime. Ne vous inquiétez pas.

— Je ne m'inquiète pas. C'est vous qui devriez être inquiet.

Je fis semblant de ne pas l'avoir entendu.

— La tricherie a d'illustres précédents... Thésée sortit du labyrinthe grâce au fil d'Ariane, Jason déroba la toison grâce à Médée... Les Kaurabas gagnèrent par subterfuge le jeu de dés du *Mahabharata*, et les Achéens firent échec et mat aux Troyens grâce à un cheval de bois... Votre conscience est sauve.

— Merci. Mais ma conscience me regarde.

Il sortit de sa poche, pliée en quatre, la lettre de Milady et la jeta sur la table. Je reconnus sans peine ma propre écriture, toujours un peu affectée dans les majuscules. C'est par mon ordre et pour le bien de l'État que le porteur du présent, etc.

— J'espère, dis-je en approchant la feuille de la flamme d'une chandelle, que le jeu a été au moins amusant.

— Par moments.

— J'en suis heureux — nous regardions tous les deux la lettre brûler dans le cendrier où je l'avais déposée. Dès qu'il y a littérature, le lecteur intelligent peut apprécier jusqu'à la stratégie qui fait de lui une victime. Et je suis de ceux qui croient que le divertissement est un excellent mobile pour jouer. Également pour lire une histoire, ou pour l'écrire.

Je me levai, *Les Trois Mousquetaires* entre les mains, et fis quelques pas dans la pièce en regardant l'horloge du coin de l'œil ; il manquait encore vingt longues minutes avant minuit. Les dorures des anciennes reliures luisaient doucement sur les rayons. Je les regardai un moment, comme si j'avais oublié Corso, puis je me retournai vers lui.

— Les voici — je fis un geste qui embrassait toute la bibliothèque. On les croirait tranquilles et silencieux, mais ils se parlent entre eux, même si l'on pourrait croire qu'ils s'ignorent... Ils se servent des auteurs pour communiquer les uns avec les autres, comme l'œuf se sert de la poule pour produire un autre œuf.

Je remis *Les Trois Mousquetaires* sur leur rayon. Dumas était en bonne compagnie : entre *Les Pardaillan* de Zévaco et *Le Chevalier au pourpoint jaune* de Lucus de René. Comme ce qui faisait défaut n'était certainement pas le temps, j'ouvris ce dernier ouvrage à la première page et me mis à lire à haute voix :

> *Alors que les douze coups de minuit sonnaient à Saint-Germain-l'Auxerrois, trois chevaliers dissimulés sous leurs capes descendaient la rue des Bourdonnais, apparemment aussi sûrs d'eux que du trot de leurs chevaux...*

— Les premières lignes, dis-je. Toujours ces extraordinaires premières lignes... Vous vous souvenez de notre dialogue à propos de Scaramouche : « *Il naquit avec le don du rire...* » ? Il y a des premières phrases qui parfois marquent toute une vie, vous ne croyez pas ?... « *Je chante les armes et le héros...* », par exemple. Vous n'avez jamais joué à ce jeu avec un ami ?... « *Un simple jeune homme se rendait au plein de l'été...* », ou cette autre encore : « *Longtemps je me suis couché de bonne heure...* » Et bien sûr : « *Le 15 mai 1796, le général Bonaparte fit son entrée dans Milan...* »

Corso fit une grimace.

— Vous oubliez celle qui m'a amené jusqu'ici : « *Le premier lundi du mois d'avril 1625, le bourg de Meung, où naquit l'auteur du Roman de la Rose, semblait être dans une révolution aussi entière...* »

— Premier chapitre, en effet, confirmai-je. Vous avez vraiment très bien joué.

— C'est à peu près ce que disait Rochefort avant de tomber dans l'escalier.

Le silence s'installa que vint rompre l'horloge en sonnant minuit moins le quart. Corso montra le cadran :

— Encore quinze minutes, Balkan.

— Oui — décidément, ce type avait une intuition diabolique. Quinze minutes avant le premier lundi du mois d'avril.

Je posai *Le Chevalier au pourpoint jaune* sur son étagère et me mis à arpenter la pièce. Corso m'observait toujours, immobile, son couteau à la main.

— Vous pourriez peut-être ranger ceci, me risquai-je à lui proposer.

Il hésita une seconde avant de refermer la lame et de remettre le couteau dans sa poche sans me quitter des yeux. Je lui fis un sourire approbateur, puis me retournai vers la bibliothèque.

— On n'est jamais seul avec un livre à portée de la main, vous ne croyez pas ?... lui dis-je pour meubler le silence. Chaque page nous rappelle un jour passé, nous fait revivre les émotions dont elle était remplie. Heures heureuses marquées à la craie, heures sombres au charbon... Où étais-je alors ? Quel prince me dit que j'étais son ami, quel mendiant son frère... ? — j'hésitai un instant, cherchant des termes nouveaux pour parfaire ma rhétorique.

— Quel fils de pute votre ami de cœur ? suggéra Corso.

Je le regardai d'air réprobateur. Ce trouble-fête s'acharnait à ternir la noblesse que j'entendais donner à notre affaire.

— Il n'est pas nécessaire de vous rendre désagréable.

— Je me rends comme je veux. Éminence.

— Je sens de la moquerie dans cet *Éminence*, répondis-je, piqué au vif cette fois. J'en déduis, monsieur Corso, que vous vous laissez vaincre par vos préjugés... C'est Dumas qui a fait de Richelieu ce méchant homme qu'il n'était pas, falsifiant la réalité pour parvenir à ses fins de romancier... Je crois vous l'avoir expliqué lors de notre dernière rencontre, dans ce café de Madrid.

— Saleté ! opina Corso, sans préciser s'il parlait de Dumas ou de moi.

Je levai l'index énergiquement, prêt à mettre les choses au point.

— Liberté parfaitement légitime, objectai-je, inspirée par l'habileté et le génie du plus grand romancier de tous les temps. Et pourtant... — arrivé là, je me mis à sourire avec amertume, pénétré d'une tristesse sincère. Sainte-Beuve le respectait, mais refusait de le considérer comme un homme de lettres. Victor Hugo, son ami, se bornait à louer Dumas pour son aptitude à créer une action dramatique, mais rien de plus. Abondant et prolixe, disait-il. Guère de style. Ils l'accusaient de ne pas fouiller les angoisses de l'être humain, de manquer de sub-tilité... De manquer de subtilité ! — et je touchai les volumes des *Mousquetaires* alignés sur leur rayon. Je partage l'avis du bon père Stevenson : il n'y a pas un chant à l'amitié aussi long, aussi mouvementé et aussi beau que celui-ci. Dans *Vingt ans après*, quand les héros réapparaissent, ils n'ont plus la même intimité au début ; ce sont des hommes mûrs, égoïstes, avec la mesquinerie que la vie impose, des hommes qui se battent même dans des camps opposés... Aramis et d'Artagnan se mentent et dissimulent, Porthos a peur qu'on lui demande de l'argent... À leur rendez-vous de la Place Royale, ils arrivent armés de pied en cap, ils sont sur le point de se battre. Et en Angleterre, quand l'imprudence d'Athos les met tous en danger, d'Artagnan refuse de lui serrer la main... Dans *Le Vicomte de Bragelonne*, avec l'intrigue du masque de fer, ce sont Aramis et Porthos qui affrontent leurs vieux camarades... Mais s'il en est ainsi, c'est parce qu'ils sont vivants ; parce que ce sont des personnages contradictoires et humains. Et toujours, au moment suprême, l'amitié finit par l'emporter de nouveau. Une grande chose, l'amitié !... Vous avez des amis, Corso ?

— Bonne question.

— Pour moi, l'incarnation de l'amitié a toujours été Por-thos dans la grotte de Locmaria : le géant sur le point de succomber sous le rocher pour sauver ses compagnons... Vous vous souvenez de ses dernières paroles ?

— *Trop lourd* ?

— Exact !

Je faillis m'émouvoir, je l'avoue. À la manière de ce jeune homme décrit au milieu d'un nuage de fumée de pipe par le capitaine Marlow, Corso était l'un des nôtres. Mais il avait aussi un caractère têtu et rancunier qui s'obstinait à rester insensible.

— Vous êtes, me dit-il, l'amant de Liana Taillefer.

— Oui, lui répondis-je en oubliant non sans mal le bon Porthos. Une femme splendide, n'est-ce pas ? Avec ses obsessions particulières... Belle et loyale comme la Milady de l'histoire. C'est curieux. En littérature, il existe des personnages de fiction doués d'une identité propre, connus de millions de personnes qui n'ont pas lu les livres où ils apparaissent. L'Angleterre en a trois : Sherlock Holmes, Roméo et Robinson. En Espagne, deux : don Quichotte et don Juan. En France : d'Artagnan. Mais moi, voyez-vous...

— Cessez donc une bonne fois de divaguer, Balkan.

— Je ne divague pas le moins du monde. J'allais ajouter à d'Artagnan le nom de Milady. Une femme extraordinaire ; comme Liana, d'une certaine façon. Son mari n'a jamais été à sa hauteur.

— Vous parlez d'Athos ?

— Je parle du pauvre Enrique Taillefer.

— Et c'est pour cela que vous l'avez assassiné ?

Je suppose que ma stupeur parut sincère. En réalité, j'étais effectivement sincère.

— Assassiné, Enrique ?... Ne dites pas de bêtises. Il s'est pendu. C'était un suicide. J'imagine qu'à la façon dont il voyait le monde, il a cru prendre une décision héroïque. Tout à fait regrettable.

— Je ne vous crois pas.

— C'est votre affaire. Mais sa mort a été à l'origine de toute cette histoire et elle est la cause indirecte de votre présence ici.

— Alors, racontez-moi donc. Tout doucement.

Il l'avait mérité ; sans aucun doute. J'ai déjà dit que Corso était l'un des nôtres. Même s'il n'en avait pas conscience. De plus — je venais de regarder l'horloge —, les douze coups de minuit allaient bientôt sonner.

— Vous avez *Le Vin d'Anjou* ?

Il me regarda avec méfiance, essayant de voir quelles pouvaient être mes intentions, mais dut finalement s'avouer

vaincu. À contre-cœur, il sortit la chemise de sous son manteau, avant de la cacher de nouveau.

— Parfait. Et maintenant, suivez-moi.

Sans doute, s'attendait-il à quelque passage dérobé dans la
bibliothèque, à quelque piège diabolique. Toujours est-il que je
le vis glisser la main dans sa poche pour chercher son couteau.

— Vous n'en aurez pas besoin, lui dis-je pour le rassurer.

Il se montra peu convaincu, mais s'abstint de tout commentaire. Je m'emparai d'un chandelier et nous prîmes le couloir Louis XIII décoré d'une magnifique tapisserie : Ulysse, arc
à la main, tout juste arrivé à Ithaque, Pénélope et le chien
heureux de le reconnaître, le groupe des prétendants au fond,
en train de boire du vin sans imaginer ce qui les attend.

— Le château est très ancien et il a eu une histoire mouve-
mentée, expliquai-je. Mis à sac par les Anglais, les Huguenots,
les révolutionnaires... Jusqu'aux Allemands qui y ont établi un
poste de commandement durant la guerre. Il était en très
mauvais état lorsque son propriétaire actuel en a fait l'acquisition : un millionnaire anglais, un homme charmant et un véritable gentleman qui s'est chargé de le restaurer et de le meubler
avec un goût exquis. Il a même accepté de l'ouvrir au public.

— Mais alors, qu'est-ce que vous faites ici ? On ne visite
certainement pas la nuit.

Je jetai un coup d'œil dehors en passant devant une fenêtre
aux carreaux sertis de plomb. L'orage s'éloignait enfin et la
fureur des éclairs s'éteignait au-delà de la Loire, en direction du
Nord.

— On fait une exception une fois par an, expliquai-je.
Après tout, Meung est un endroit particulier. Ce n'est pas
n'importe où dans le monde que commence un roman comme
Les Trois Mousquetaires.

Les lames du parquet grinçaient sous nos pas. Il y avait une
armure au bout du couloir ; une armure authentique du
XVIᵉ siècle, et la lumière du chandelier arrachait des reflets
mats à l'acier poli de la cuirasse. Corso passa devant en la
regardant du coin de l'œil, comme si quelqu'un eût été caché
dedans.

— L'histoire que je vais vous raconter est longue,
puisqu'elle a commencé il y a dix ans, repris-je. Avec la vente
d'un lot de documents non catalogués, à Paris... Je travaillais
sur un livre consacré au roman populaire français du XIXᵉ siècle

et ces paquets poussiéreux sont tombés par hasard entre mes mains. Quand je les ai examinés, j'ai compris qu'ils provenaient des anciennes archives du *Siècle*. Il s'agissait essentiellement d'épreuves d'imprimerie de peu de valeur, mais un paquet de feuilles bleues et blanches attira mon attention : le texte original, écrit de la main de Dumas et de Maquet, des *Trois Mousquetaires*. Les soixante-sept chapitres, tels qu'ils avaient été envoyés à l'imprimeur. Quelqu'un, peut-être Baudry, l'éditeur du journal, les avait conservés après avoir fait composer les placards, puis les avait oubliés...

Je ralentis, puis m'arrêtai au milieu du couloir. Corso ne faisait pas un geste et la lumière du chandelier que je tenais à la main éclairait son visage par en dessous, faisant danser des ombres noires dans le creux de ses orbites. Il paraissait absorbé par mon récit, totalement indifférent à tout ce qui pouvait arriver ; élucider l'énigme qui l'avait conduit jusqu'ici était la seule chose qui lui importait. Mais il avait toujours la main droite dans la poche où se trouvait le couteau.

— Ma découverte, continuai-je en feignant de ne pas voir sa main, était d'une importance extraordinaire. Nous connaissions quelques fragments de la rédaction originale, grâce aux notes et papiers de Dumas et Maquet, mais nous ignorions tout de l'existence du manuscrit complet... Au début, j'ai pensé publier ma trouvaille sous forme d'une édition fac-similé annotée ; mais je suis heurté à un grave obstacle d'ordre moral.

Les lumières et les ombres du visage de Corso glissèrent un peu et une ligne sombre lui traversa la bouche. Il souriait.

— Voyez-vous ça. Un obstacle d'ordre moral, au point où nous en sommes.

Je déplaçai le chandelier pour effacer de son visage ce sourire incrédule, sans y parvenir.

— Je vous parle très sérieusement, protestai-je tandis que nous reprenions notre marche. L'étude du manuscrit m'a permis de déduire que le véritable créateur de l'histoire était Auguste Maquet... C'est lui qui avait fait le travail de documentation, qui avait ébauché le récit à grands traits, puis Dumas, avec son immense génie et son talent, avait donné vie à cette matière première pour la transformer en un chef-d'œuvre. Mais ceci, évident à mes yeux, risquait de ne pas l'être autant pour les détracteurs de l'auteur et de son œuvre — je fis un geste de ma main libre, comme pour les écarter tous. Je n'allais pas être celui qui lancerait la pierre contre mon idole ; moins encore à notre époque de médiocrité et d'absence d'imagination... Une époque où personne n'admire plus les prodiges comme le faisait autrefois le public des feuilletons et du théâtre, quand il sifflait les traîtres et acclamait les chevaliers sans peur et sans reproche — je secouai la tête, mélancolique. Applaudissements qui malheureusement ne s'élèvent pratiquement plus nulle part, devenus qu'ils sont le patrimoine exclusif des innocents et des enfants.

Corso écoutait d'un air insolent, railleur. J'ignore s'il partageait mon point de vue ; mais c'était un type rancunier, et il se refusait à accorder à mes explications le caractère d'un alibi moral.

— Bref, dit-il, vous avez décidé de détruire le manuscrit.

Je souris avec une certaine suffisance. Il se croyait vraiment trop malin.

— Ne dites pas de sottises. J'ai décidé de faire mieux : de matérialiser un rêve.

Nous nous étions arrêtés devant la porte fermée du salon. Derrière, nous entendions une rumeur assourdie de musique et de voix. Je posai le chandelier sur une console tandis que Corso m'observait, à nouveau soupçonneux ; il se demandait certainement quel autre mauvais tour se cachait là-dessous. Je compris qu'il n'avait toujours pas saisi que nous étions vraiment arrivés au bout du mystère.

— Permettez-moi de vous présenter, dis-je en ouvrant la porte, les membres du club Dumas.

Ils étaient déjà presque tous arrivés ; par les grandes portes-fenêtres ouvertes sur l'esplanade du château, les retardataires entraient dans un salon rempli de gens, de fumée et de conversations, baigné par un filet de musique douce. Sur la table centrale couverte d'une nappe de fil blanc, un souper froid attendait : bouteilles de vin d'Anjou, saucisses et jambon d'Amiens, huîtres de La Rochelle, boîtes de cigares Montecristo. En petits groupes, les invités buvaient ou bavardaient en différentes langues. Il y avait une cinquantaine d'hommes et de femmes et je remarquai que Corso touchait ses lunettes comme s'il se demandait s'il les avait bien sur le nez. Certains visages qu'il voyait étaient extrêmement connus, par la presse, le cinéma ou la télévision.

— Surpris ? lui demandai-je en épiant sa réaction sur son visage.

Il hocha la tête d'un air renfrogné. Plusieurs invités vinrent me saluer et je me mis à serrer des mains, à échanger compliments et plaisanteries. L'atmosphère était agréable et cordiale. À côté de moi, Corso avançait avec l'expression de quelqu'un qui est sur le point de se réveiller en tombant du lit. J'appréciais vivement la situation. Je fis même quelques présentations, avec un plaisir pervers, pour le voir saluer, ahuri, perdu en territoire inconnu. Son aplomb habituel s'était envolé, et c'était ma petite revanche. Après tout, c'était lui qui était venu me voir pour la première fois avec *Le Vin d'Anjou* sous le bras, bien résolu à compliquer les choses.

— Permettez-moi de vous présenter monsieur Corso... Bruno Lostia, antiquaire milanais. Permettez-moi... Oui, c'est exact. Thomas Harvey, vous connaissez..., Harvey Joailliers : New York-Londres-Paris-Rome... Et le comte Von Schlossberg : la plus célèbre collection privée de tableaux d'Europe. Nous avons un peu de tout, comme vous pouvez voir : un prix Nobel vénézuélien, un ex-président argentin, le prince héritier du Maroc... Saviez-vous que son père est un lecteur impénitent d'Alexandre Dumas ? Et regardez qui voilà. Vous le connaissez, n'est-ce pas ?... Professeur de sémiotique à Bologne... La dame blonde qui parle avec lui est Petra Neustadt, la critique littéraire la plus influente d'Europe centrale. Dans ce groupe, à côté de la duchesse d'Albe, vous pouvez voir le financier Rudolf Villefoz et l'écrivain anglais Harold Burgess. Amaya Euskal, du groupe Alpha Press, avec l'éditeur le plus puissant des États-Unis, Johan Cross, de O&O Papers, New York... Et je suppose que vous vous souvenez d'Achille Replinger, libraire à Paris.

Ce fut le coup de grâce ; je savourai son effet sur le visage défait de mon interlocuteur, presque pris de pitié pour lui. Replinger tenait à la main un verre vide et, sous sa moustache de mousquetaire, il avait le même sourire que lorsqu'il avait identifié le manuscrit Dumas dans son échoppe de la rue Bonaparte. Il me salua avec une étreinte d'ours énorme avant de donner des tapes amicales dans le dos de notre invité et de s'en aller chercher un autre verre, soufflant comme un Porthos rubicond et jovial.

— Mais que se passe-t-il ici, nom de Dieu ! murmura Corso en m'attirant un peu à l'écart.

— Je vous ai déjà dit que c'était une longue histoire.

— Alors, passons au dénouement, si vous voulez bien.

Nous nous étions approchés de la table. Je servis deux verres, mais il refusa le sien d'un mouvement de tête.

— Gin, murmura-t-il. Il n'y a pas de gin ?

Je lui indiquai un petit bar au fond du salon et nous nous avançâmes dans cette direction en nous arrêtant trois ou quatre fois en chemin pour échanger d'autres saluts : un célèbre metteur en scène de cinéma, un millionnaire libanais, un ministre espagnol de l'Intérieur... Corso s'empara d'une bouteille de Beefeater et se remplit un verre à ras bord. Puis il en avala la moitié d'un seul trait. Il frissonna un peu et ses yeux s'éclairèrent derrière les verres — un cassé, l'autre intact — de ses lunettes ; il serrait la bouteille contre sa poitrine, comme s'il avait peur de la perdre.

— Vous alliez me raconter quelque chose, dit-il.

Je lui proposai la terrasse, derrière la porte-fenêtre, où nous pourrions bavarder sans être dérangés, et Corso se servit un autre plein verre avant de m'y suivre. L'orage s'en était allé ; des étoiles commençaient à briller au-dessus de nos têtes.

— Je suis tout ouïe, annonça-t-il en avalant une grande lampée.

Je m'appuyai sur la balustrade encore mouillée de pluie, puis trempai mes lèvres dans mon verre de vin d'Anjou.

— Le fait d'être en possession du manuscrit des *Trois Mousquetaires* m'a donné une idée, commençai-je à expliquer. Pourquoi ne pas fonder une société littéraire, une espèce de club d'admirateurs inconditionnels des romans d'Alexandre Dumas, du feuilleton classique et du roman d'aventure ?... Pour des raisons professionnelles, j'étais déjà en rapport avec un certain nombre de candidats tout trouvés... — je fis un geste vers le salon illuminé ; à travers les grandes portes-fenêtres, on voyait aller et venir les invités qui conversaient avec animation. Un succès. Un succès qui donnait la preuve de ma sagacité, et je ne dissimulai point mon amour-propre d'auteur. Une société consacrée à l'étude de ce genre de récits, qui sauverait de l'oubli auteurs et œuvres négligés, encouragerait leur réédition et leur diffusion par une maison qui vous est peut-être connue : *Dumas & Cie.*

— Je la connais, confirma Corso. Ils éditent à Paris et viennent de publier les œuvres complètes de Ponson du Terrail. L'an dernier, c'était *Fantômas*... J'ignorais que vous participiez à leurs activités.

Je souris, satisfait.

— C'est la règle : jamais de noms, jamais de publicité... Comme vous pouvez le voir, c'est une affaire à la fois érudite et un peu infantile ; un jeu littéraire et nostalgique qui nous fait retrouver d'anciennes lectures et nous retrouver nous-mêmes comme nous étions alors ; avec notre innocence de l'époque. Plus tard, on mûrit, on devient flaubertien ou stendhalien. On penche pour Faulkner, Lampedusa, García Márquez, Durrell ou Kafka... On devient différents les uns des autres ; on devient même adversaires. Mais nous nous faisons tous un clin d'œil complice quand nous parlons de certains auteurs, de certains livres magiques qui nous firent découvrir la littérature sans nous attacher à des dogmes ni nous donner des leçons équivoques. Telle est notre authentique patrie commune : des récits fidèles non pas à ce que les hommes voient, mais à ce que les hommes rêvent.

Je laissai ces paroles flotter en l'air et fis une pause, attendant de constater leur effet. Mais Corso se contenta de lever son verre de gin pour le regarder à contre-jour. C'était là que résidait sa patrie.

— Autrefois, répondit-il. Maintenant, les enfants, les adolescents et toute cette foutue racaille ne sont que des apatrides béats devant leur télévision.

Je secouai la tête, sûr de moi. J'avais justement écrit quelque chose sur le sujet dans le supplément littéraire de l'*Abc*, quelques semaines plus tôt.

— Vous faites erreur. Ils suivent même les anciennes traces, sans le savoir. Le cinéma à la télévision, par exemple, maintient le lien. Tous ces vieux films. Jusqu'à Indiana Jones que nous pouvons considérer comme héritier de cette tradition.

Corso fit une grimace dans la direction des portes-fenêtres illuminées.

— C'est possible. Mais vous étiez en train de me parler de ces gens, ici. J'aimerais savoir comment vous les avez... recrutés.

— Ce n'est absolument pas un secret, répondis-je. Depuis dix ans, je m'occupe de coordonner les activités de cette société choisie, le club Dumas, qui tient à Meung sa réunion annuelle. Vous pouvez constater que les membres y viennent ponctuellement de tous les coins de la planète. Tous, jusqu'au dernier, sont des lecteurs de première classe...

— Des lecteurs de feuilletons ? Ne me faites pas rire.

— Je n'ai pas la moindre intention de vous faire rire, Corso. Pourquoi faites-vous cette tête ? Vous savez qu'un roman ou qu'un film né pour la simple consommation peut se transformer en œuvre exquise : *Pickwick, Casablanca, Goldfinger*... Des récits remplis d'archétypes qui font courir les foules de ceux qui apprécient, consciemment ou inconsciemment, la stratégie des répétitions d'intrigues et de leurs variations mineures ; la *dispositio* plus que l'*elocutio*... D'où le fait que le feuilleton, et même le feuilleton télévisé le plus banal, puisse être un objet de culte aussi bien pour un public naïf que pour un auditoire exigeant. Certains cherchent l'émotion chez Sherlock Holmes en train de risquer sa vie, d'autres cherchent la pipe, la loupe et ce *élémentaire, mon cher Watson* que vous ne trouverez nulle part dans l'œuvre de Conan Doyle, figurez-vous. Le procédé des schémas, de leurs variations et de leurs répétitions est si vieux qu'Aristote lui-même en parle dans sa *Poétique*. En réalité, qu'est-ce qu'un feuilleton télévisé, sinon une version revue au goût du jour de la tragédie classique, du grand drame romantique ou du roman à la Dumas... ? D'où le fait qu'un lecteur intelligent puisse y trouver grand plaisir, à titre exceptionnel. C'est qu'il existe aussi des exceptions qui ont leurs propres règles.

Je crus que Corso m'écoutait avec intérêt ; mais je le vis secouer la tête comme un gladiateur qui refuse d'accepter le terrain dangereux que lui propose son adversaire.

— Laissez donc de côté l'enseignement de la littérature et revenons-en au club Dumas, proposa-t-il avec impatience. À ce chapitre qui se promenait tout seul... Où sont passés les autres ?

— Ils sont ici, répondis-je en tournant la tête vers le salon. Je me suis inspiré des soixante-sept chapitres du manuscrit pour organiser notre société : soixante-sept membres au maximum, chacun d'eux en possession d'un chapitre en guise d'action nominative. L'adjudication se fait d'après une liste stricte de candidats et les changements de titulaires doivent être approuvés par le conseil d'administration, que je préside... Chaque candidature est examinée avec le plus grand soin avant d'être acceptée.

— Comment se transmettent les actions ?

— Elles ne peuvent en aucun cas se transmettre. Au décès

d'un membre du club, ou si quelqu'un abandonne la société, le chapitre qui lui correspondait doit revenir au sein du club. Et c'est le conseil qui l'attribue à un nouveau candidat. Un actionnaire ne peut jamais disposer librement de son chapitre.

— C'est ce qu'avait voulu faire Enrique Taillefer ?

— D'une certaine façon. Au début, c'était un candidat idéal. Et il a été un membre exemplaire du club Dumas jusqu'à ce qu'il enfreigne nos règles.

Corso vida ce qu'il lui restait de gin. Il laissa son verre sur la balustrade couverte de mousse et resta un moment silencieux, les yeux fixés sur les lumières du salon. Finalement, il secoua la tête, incrédule.

— Ce n'est pas une raison pour assassiner quelqu'un, dit-il à voix basse, comme s'il s'adressait à lui-même. Et je ne peux pas croire que tous ces gens... — il me regarda, l'air buté. Ce sont des gens connus, respectables, en principe en tout cas. Jamais ils ne se laisseraient entraîner dans une affaire semblable.

Je réprimai un nouveau geste d'impatience.

— Il me semble que vous possédez un don extraordinaire pour couper les cheveux en quatre... Enrique et moi, étions amis de longue date. Une fascination commune pour ce genre de récits nous unissait, même si ses goûts littéraires n'étaient pas à la hauteur de son enthousiasme... Toujours est-il que ses succès d'éditeur de *best-sellers* gastronomiques lui permettaient d'y consacrer temps et argent. En toute justice, si quelqu'un méritait de faire partie de notre société, c'était bien lui. Et c'est pour cette raison que j'ai appuyé sa candidature. Je vous répète que nous partagions, si ce n'est le même goût, du moins la même passion.

— Vous partagiez également autre chose, si je ne m'abuse.

Corso avait retrouvé son sourire ironique, et j'en fus irrité.

— Je pourrais vous répondre que ce n'est pas votre affaire, rétorquai-je avec un certain agacement. Mais je veux tout vous expliquer... Liana a toujours été une femme spéciale, en plus d'être très belle. Et aussi une lectrice précoce... Vous savez qu'elle s'est fait tatouer une fleur de lys sur la cuisse à seize ans ?... Si elle ne l'a pas fait sur l'épaule, comme Milady de Winter, son idole, ce fut pour que ni sa famille ni les religieuses du couvent ne s'en rendent compte... Qu'en pensez-vous ?

— Émouvant.

— Vous ne semblez guère ému. Mais je vous assure que c'est une personne admirable... Quoi qu'il en soit, eh bien... Nous sommes devenus intimes. Un peu plus tôt, je vous ai parlé de la patrie que constitue, pour tout être humain, le paradis perdu de l'enfance. Vous vous souvenez ?... La patrie de Liana, ce sont *Les Trois Mousquetaires*. Passionnée par le monde qu'elle avait découvert dans ces pages, elle avait décidé de se marier avec Enrique qu'elle avait rencontré par hasard dans une réception où il avaient passé toute la soirée à échanger entre eux des citations du roman. De plus, c'était déjà un éditeur très riche à cette époque.

— En d'autres termes, un vrai coup de foudre, lança Corso.

— Je ne vois pas pourquoi vous le dites sur ce ton. Ce fut un couple des plus fidèles. Ce qui s'est passé, c'est qu'à la longue, même pour quelqu'un d'aussi bien disposé que sa femme, Enrique pouvait devenir un véritable emmerdeur... D'autre part, nous étions bons amis et j'allais souvent les voir. Liana... — je posai mon verre à côté du sien sur la balustrade. Enfin, inutile de vous faire un dessin.

— Exact. Parfaitement inutile.

— Je ne voulais pas parler de ça. Elle est devenue une excellente collaboratrice, au point que j'ai parrainé son admission dans la société, il y a maintenant quatre ans de cela. Elle est en possession du chapitre 37, *Le Secret de Milady*. Elle l'a choisi elle-même.

— Et pourquoi l'avez-vous mise à mes trousses ?

— Minute, minute. Ces derniers temps, Enrique était devenu une source de problèmes. Au lieu de se contenter de son affaire lucrative d'édition gastronomique, il s'était mis en tête d'écrire un feuilleton. Et le pire, c'est que le texte était épouvantable. Infâme, croyez-moi. Il avait plagié sans aucune vergogne tous les lieux communs du genre. Il s'intitulait...

— *La Main du mort*.

— Exactement. Même le titre n'était pas de lui. Et pour comble d'horreur, il nourrissait l'ambition inouïe de le faire publier par *Dumas & Cie*. J'ai refusé, naturellement. Le fruit de ses labeurs n'aurait jamais obtenu l'approbation du conseil. Et de plus, Enrique avait plus d'argent qu'il ne lui en fallait pour s'éditer lui-même, ce que je lui ai dit.

— Je suppose qu'il ne l'a pas bien pris. J'ai vu sa bibliothèque.

— Pas bien pris ?... C'est le moins qu'on puisse dire. Notre discussion s'est déroulée dans son bureau. Je le vois encore, dressé sur la pointe des pieds, petit et rondouillard, au bord de l'apoplexie, en train de me regarder avec des yeux de fou. Tout à fait désagréable. Qu'il avait consacré toute sa vie à cette œuvre. Et qui étais-je pour juger son travail. Que la postérité seule en déciderait. Que j'étais un critique partial et un insupportable pédant. Et qu'en plus, j'avais une liaison avec sa femme... Ce dernier point me surprit considérablement : j'ignorais qu'il fût au courant. Mais, à ce qu'il paraît, Liana parle dans ses rêves et, entre malédictions et jurons lancés à d'Artagnan et à ses amis, qu'elle déteste effectivement comme si elle les avait vraiment connus, elle avait claironné toute notre histoire à son mari... Vous imaginez ma situation ?

— Très désagréable.

— Infiniment désagréable. Mais le pire était encore à venir. Enrique était bien lancé : il me dit alors que si lui était un écrivain médiocre, Dumas ne valait pas grand-chose non plus. Et qu'aurait-il fait sans Auguste Maquet qu'il avait exploité misérablement ? La preuve se trouvait dans les feuillets blancs et bleus du *Vin d'Anjou*, gardés dans son coffre-fort... Le ton montait. Il me traita d'adultère pour m'insulter, comme dans les drames d'autrefois, et pour ma part, je le qualifiai d'analphabète, en ajoutant quelques commentaires mal intentionnés sur ses derniers succès gastronomico-éditoriaux. Finalement, je l'ai comparé au pâtissier de Cyrano... C'est alors qu'il m'a dit : « Je me vengerai », sur le ton et avec les gestes du comte de Monte-Cristo. « Je vais faire un battage du tonnerre sur cette imposture de Dumas que tu admires tant et qui a réussi à donner son nom à des romans qui n'étaient pas de lui. Je vais rendre public le manuscrit, et tout le monde verra comment ce farceur fabriquait ses feuilletons. En passant, je me fous totalement des statuts de la société. Le chapitre est à moi et je le vendrai à qui j'en ai envie. Va te faire foutre, Boris »...

— Il n'y est pas allé avec le dos de la cuiller.

— Non, vraiment pas. Vous n'imaginez pas non plus jusqu'où peut aller un auteur éconduit. J'ai eu beau protester, il m'a jeté à la porte. Ensuite, j'ai su par Liana qu'il avait téléphoné à ce libraire, La Ponte, pour lui proposer le manuscrit ; il a dû se croire astucieux et retors comme Edmond Dantès. Ce qu'il voulait, c'était déclencher un scandale sans se faire éclabousser, en se lavant les mains de l'affaire. Et c'est alors que vous avez fait votre apparition dans notre histoire. Vous comprendrez ma surprise quand je vous ai vu devant moi avec *Le Vin d'Anjou.*

— Vous avez très bien caché votre jeu.

— J'avais plus de raisons qu'il n'en fallait pour le faire. Enrique mort, Liana et moi pensions que le manuscrit était définitivement perdu.

Corso cherchait quelque chose dans son manteau. Il en sortit finalement une cigarette toute froissée qu'il se colla au coin de la bouche avant de se mettre à faire les cents pas sur la terrasse, comme s'il ne pensait plus à l'allumer.

— Votre histoire est absurde, conclut-il. Jamais un Edmond Dantès ne se suiciderait avant de savourer sa vengeance.

J'acquiesçai, même s'il me tournait le dos à ce moment-là et qu'il ne pouvait voir mon geste.

— C'est que ce n'est pas tout, ajoutai-je. Le lendemain de notre conversation, Enrique est venu chez moi dans une dernière tentative pour me convaincre... J'en avais assez et je ne tolère pas qu'on essaie de me faire chanter. Et c'est ainsi que sans savoir exactement ce que je faisais, je lui ai porté un coup mortel. Son feuilleton, même très mauvais, m'avait laissé à la lecture une impression familière. Alors, quand Enrique est venu me faire sa deuxième scène, je me suis dirigé vers ma bibliothèque, j'ai sorti un ouvrage parfaitement décati et peu connu de la fin du siècle dernier, *Le Roman populaire et illustré*, et je l'ai ouvert à la première page d'un récit signé par un certain Amaury de Vérone, imaginez un peu, intitulé : *Angélique de Gravaillac, ou l'honneur sans tache.* Quand je me suis mis à lire à haute voix le premier paragraphe, j'ai vu Enrique pâlir comme si le spectre de ladite Angélique était sorti de sa tombe. Ce qui était d'ailleurs plus ou moins le cas. Sûr que personne ne se souviendrait du roman, il l'avait plagié en le copiant presque mot à mot, à l'exception d'un chapitre intégralement volé à Fernández y González, à vrai dire le meilleur de l'histoire... J'ai bien regretté de ne pas avoir mon appareil-photo avec moi, car je l'ai vu porter la main à son front et s'exclamer « Malédiction ! » ; en fait, je n'ai pas entendu le mot. Seulement une sorte de gargarisme asthmatique, comme quelqu'un en train de se noyer. Puis il a fait demi-tour, il est rentré chez lui et il s'est pendu au lustre de son salon.

Corso s'était retourné vers moi. Sa cigarette pendait encore au coin de sa bouche, toujours éteinte.

— Ensuite, les choses se compliquent, continuai-je, convaincu qu'il commençait à me croire à présent... Vous étiez déjà en possession du manuscrit et votre ami La Ponte n'était pas disposé, au début, à s'en dessaisir. Je ne pouvais pas jouer personnellement les Arsène Lupin : j'ai une réputation à protéger. C'est pour cette raison que j'ai confié à Liana la mission de récupérer le chapitre ; la date de notre réunion annuelle approchait et il fallait nommer un nouveau membre en remplacement d'Enrique. De son côté, Liana a commis quelques erreurs. Premièrement, elle est allée vous voir — je toussotai discrètement, mal à l'aise, peu désireux d'entrer dans les détails. Ensuite, elle a voulu s'assurer des bonnes grâces de La Ponte pour que celui-ci récupère le *Vin d'Anjou* ; mais elle ignorait à quel point vous pouvez être tenace... Le problème, c'est qu'elle avait toujours rêvé d'une aventure d'action qui la rapproche de son héroïne ; quelque chose avec beaucoup de pièges, d'intrigues amoureuses et de persécutions. Et cet épisode, fait de la matière de ses rêves, lui offrait une occasion unique. Elle s'est donc mise en marche et vous a suivi à la trace avec enthousiasme. « Je t'apporterai le manuscrit relié avec la peau de ce Corso », m'avait-elle promis... Je lui répondis qu'il ne fallait quand même pas exagérer, mais je reconnais que je suis coupable : j'ai excité son imagination, lâchant la bride à cette Milady qui attendait dans son for intérieur depuis qu'elle avait lu *Les Mousquetaires*.

— Franchement, elle aurait pu lire autre chose. *Autant en emporte le vent*, par exemple. Si elle s'était identifiée à Scarlett O'Hara, elle serait allée emmerder Clark Gable, et pas moi.

— Je dois admettre qu'elle en a un peu trop fait. Il est certainement regrettable qu'elle ait pris les choses tellement au sérieux.

Corso se frotta la nuque derrière l'oreille. Il n'était pas difficile de deviner ce qu'il pensait : celui qui avait vraiment pris les choses au sérieux, c'était l'autre. Le type à la cicatrice.

— Qui est Rochefort ?

— Il s'appelle Laszlo Nicolavic. Un acteur spécialisé dans les rôles secondaires... Il interprétait Rochefort dans la série qu'Andreas Frey a tournée pour la télévision anglaise il y a quelques années. En fait, il a joué presque tous les méchants spadassins du répertoire : Gonzague dans *Lagardère*, Levasseur dans *Le Capitaine Blood*, La Tour d'Azyr dans *Scaramouche*, Rupert de Hentzau dans *Le Prisonnier de Zenda*... C'est un passionné du genre et il a posé sa candidature au club Dumas. Liana s'est entichée de lui et elle a absolument voulu le prendre comme collaborateur dans cette affaire.

— Le moins qu'on puisse dire, c'est que ce Laszlo a lui aussi interprété avec beaucoup de conscience son personnage...

— J'ai bien peur que oui. Et je le soupçonne de chercher à gagner des bons points pour entrer plus vite dans notre société... Je le soupçonne également de faire office d'amant occasionnel — j'ébauchai un sourire d'homme du monde que j'espérais convaincant. Liana est jeune, belle et passionnée. Disons que je cultive son côté érudit dans de paisibles effusions romantiques et que Laszlo Nicolavic s'occupe, je présume, des aspects plus prosaïques de sa nature impétueuse.

— Quoi d'autre encore ?

— Pas grand-chose. Nicolavic-Rochefort s'est occupé de trouver le moyen de vous enlever le manuscrit Dumas. C'est pour cette raison qu'il vous a suivi de Madrid à Tolède, puis à Sintra, tandis que Liana s'en allait à Paris en emmenant avec elle La Ponte comme solution de rechange au cas où l'autre ne réussirait pas et où vous refuseriez d'entendre raison. Le reste, vous le connaissez déjà : vous ne vous êtes pas laissé dérober le manuscrit, Milady et Rochefort ont dépassé les bornes, et vous voici ici — je réfléchissais aux faits. Vous savez quelque chose ?... Je me demande si, au lieu de Laszlo Nicolavic, je ne devrais pas plutôt vous proposer comme membre du club.

Il ne me demanda même pas si je plaisantais ou si j'étais sérieux. Il avait ôté ses lunettes à moitié cassées et les essuyait machinalement, à mille kilomètres de là.

— C'est tout ? l'entendis-je dire enfin.

— Naturellement, répondis-je en montrant le salon. Vous en avez ici la preuve.

Il remit ses lunettes et prit une grande respiration. L'expression de son visage ne me plaisait pas du tout.

— Et le *Delomelanicon* ?... Et le lien entre Richelieu et *Les Neuf Portes du royaume des ombres* ?... — il se rapprocha et me frappa du doigt sur la poitrine jusqu'à ce que je fasse un pas en arrière. Vous me prenez pour un imbécile ? Vous n'allez pas me dire que vous ne savez rien du rapport qui existe entre Dumas et ce livre, le pacte avec le diable et tout le reste : l'assassinat de Victor Fargas à Sintra, l'incendie de l'appartement de la baronne Ungern à Paris. Est-ce vous personnellement qui m'avez dénoncé à la police ?... Et qu'est-ce que vous avez à me dire sur le livre caché dans trois volumes ? Ou sur les neuf planches gravées par Lucifer et réimprimées par Aristide Torchia à son retour de Prague *avec privilège et licence des supérieurs,* qu'est-ce que vous me dites de tout ce bordel...

Il avait parlé comme un torrent, le menton agressivement pointé vers moi, son regard dur planté dans mes yeux. Je reculai encore un peu et le regardai, bouche bée.

— Vous avez perdu la tête, protestai-je, indigné. Voulez-vous bien m'expliquer de quoi vous parlez ?

Il avait sorti une boîte d'allumettes et allumait sa cigarette en protégeant la flamme dans le creux de ses mains, sans cesser de m'observer derrière les reflets des verres de ses lunettes. Et c'est alors qu'il me raconta sa version de l'histoire.

Quand il eut terminé, nous restâmes tous les deux silencieux. Nous étions appuyés contre la balustrade humide, côte à côte, les yeux fixés sur les lumières du salon. Le récit de Corso avait duré le temps qu'il lui avait fallu pour fumer sa cigarette qu'il écrasait maintenant par terre avec le bout de sa chaussure.

— Je suppose, dis-je, que je devrais maintenant vous dire « oui, c'est exact » et vous tendre les mains pour que vous me passiez les menottes... Vous espérez vraiment cela ?

Il tarda un peu à répondre. Le fait de s'écouter parler à haute voix ne semblait pas l'avoir renforcé dans la foi qu'il prêtait à ses conclusions.

— Pourtant, murmura-t-il, il y a un lien.

Je regardais sa silhouette mince et noire sur les dalles de la terrasse. Les rectangles de lumière des portes-fenêtres du salon la découpaient sur le marbre, l'allongeant au-delà de l'escalier, jusque dans la noirceur du jardin.

— J'ai bien peur, finis-je par dire, que votre imagination ne vous ait joué un mauvais tour.

Il secoua lentement la tête.

— Je n'ai pas imaginé Victor Fargas noyé dans le bassin, ni la baronne Ungern carbonisée avec ses livres... Ces choses se sont bel et bien produites. Ce sont des faits réels. Les deux histoires s'imbriquent l'une dans l'autre.

— Vous venez de le dire : deux histoires. Peut-être ne sont-elles unies que par leur propre intertextualité.

— Trêve de grands mots. Ce chapitre d'Alexandre Dumas a tout déclenché — il me regardait d'un air mauvais. Votre fichu club. Vos petits jeux.

— Ne me le reprochez pas. Il est parfaitement légitime de jouer. Si au lieu d'une histoire vraie, nous avions ici un récit de fiction, vous, comme lecteur, seriez le principal responsable.

— Ne soyez pas absurde.

— Je ne le suis pas. D'après ce que vous venez de me raconter, je déduis qu'en jouant vous aussi avec les faits et avec vos références littéraires personnelles, vous avez élaboré une théorie dont vous avez tiré des conclusions erronées... Mais les faits sont objectifs et vous ne pouvez leur imputer vos erreurs personnelles. L'histoire du *Vin d'Anjou* et celle de ce livre mystérieux, *Les Neuf Portes*, n'ont rien à voir l'une avec l'autre.

— Vous m'avez fait croire...

— Nous, et je veux parler de Liana Taillefer, de Laszlo Nicolavic et de moi-même, nous ne vous avons rien fait croire. C'est vous qui avez rempli tout seul les blancs, comme s'il s'agissait d'un roman échafaudé sur des pièges et de Lucas Corso, lecteur qui se croyait malin... Personne ne vous a jamais dit que les choses se sont passées comme vous l'avez cru. C'est pour cette raison que vous êtes seul responsable, mon cher ami... Le véritable coupable, c'est votre abus de l'intertextualité, votre goût excessif pour découvrir des relations entre des références littéraires trop nombreuses.

— Et que pouvais-je faire d'autre... ? Pour avancer, il me fallait une stratégie, et je ne pouvais pas rester à attendre sans bouger. Dans toute stratégie, on finit par élaborer un modèle de l'adversaire qui conditionne ensuite ce que vous allez faire... Wellington fait ceci en pensant que Napoléon pense qu'il fera cela. Et Napoléon...

— Napoléon commet lui aussi l'erreur de confondre Blücher et Grouchy, car la stratégie militaire comporte autant de risques que la littéraire... Écoutez, Corso : il n'y a plus de lecteurs innocents. Devant un texte, chacun lui applique sa propre perversité. Un lecteur est ce qu'il a lu auparavant, plus les films qu'il a vus au cinéma et à la télévision. Aux informations que lui procure l'auteur, il ajoutera toujours les siennes. Et c'est là que réside le danger : l'excès de références peut vous avoir conduit à vous fabriquer un adversaire qui n'est pas le bon, ou un adversaire irréel.

— Les informations étaient fausses.

— Ne vous entêtez pas. L'information que procure un livre est d'ordinaire objective. Peut-être un auteur dévoyé pourrait-il la manipuler pour vous induire en erreur, mais elle n'est jamais fausse. C'est vous qui faites une lecture fausse.

Il parut réfléchir profondément. Il s'était un peu déplacé pour s'accouder de nouveau sur la balustrade, le dos au jardin plongé dans l'ombre.

— Alors, il y a un autre auteur, dit-il entre ses dents, à voix très basse.

Et il resta ainsi, immobile. Au bout d'un moment, je vis qu'il sortait la chemise du *Vin d'Anjou* de sous son manteau pour la poser à côté de lui, sur la pierre moussue.

— Cette histoire a deux auteurs, insista-t-il.

— C'est possible, fis-je en récupérant le manuscrit Dumas. Et peut-être l'un était-il plus dévoyé que l'autre... Mais mon domaine est le feuilleton. Pour le roman policier, il faudra vous adresser ailleurs.

XVI

Diabolus ex machina

> — *Vous ici ? s'écria-t-il.*
> — *Et vous ? répliqua d'Artagnan. Ah ! sournois !*
> (A. Dumas, *Le Vicomte de Bragelonne*)

La nuque posée sur l'appuie-tête du siège du conducteur, Lucas Corso regardait le paysage. L'auto était arrêtée sur un petit terre-plein en bordure de la route, à l'endroit où celle-ci décrivait son dernier virage avant de descendre vers la ville. Ceinturée de murailles, l'antique cité flottait au-dessus du brouillard du fleuve, suspendue en l'air comme un îlot bleuté et fantomatique. C'était un monde intermédiaire, sans lumières ni ombres. Une de ces aubes de Castille, froides et indécises, quand les premières lueurs du jour dessinent les silhouettes des toits, des cheminées et des clochers en direction de l'est.

Il voulut jeter un coup d'œil à sa montre, mais elle avait pris l'eau durant l'orage de Meung et le cadran était illisible sous le verre embué. Corso vit ses propres yeux fatigués dans le rétroviseur. Meung-sur-Loire, veille du premier lundi d'avril : ils en étaient très loin maintenant, et c'était le mardi. Le voyage de retour avait été long, au point qu'ils avaient eu l'impression de les laisser tous derrière sur la route : Balkan, le club Dumas, Rochefort, Milady, La Ponte. Ombres d'un récit qui s'achève lorsqu'on tourne la page ; quand l'auteur donne ou assène — clavier Qwerty, rangée du bas, avant-dernière touche — un dernier petit coup en guise de point final. Lui rendant avec cet acte arbitraire sa nature de simple ligne sur des feuillets dactylographiés : papier inerte, étrange. Vies subitement étrangères.

Dans cette aube qui ressemblait tant au sortir d'un rêve, les

yeux rouges, sale, barbe de trois jours, le chasseur de livres
n'avait plus que son vieux sac de toile et le dernier exemplaire
des *Neuf Portes*. Avec la jeune fille. C'était tout ce que le ressac
avait laissé sur la rive. Il l'entendit gémir doucement à côté de
lui et se retourna pour la regarder. Elle dormait, enveloppée
dans son blouson, la tête posée sur l'épaule droite de Corso.
Elle respirait doucement, les lèvres entrouvertes, parcourue de
petits frissons qui parfois la faisaient sursauter. Elle poussait
alors un autre gémissement, très bas, avec entre les sourcils
une minuscule ride verticale qui lui donnait une expression de
petite fille contrariée. Une main qui sortait de sous la toile
bleue était tournée vers le haut, les doigts entrouverts, comme
si quelque chose venait de s'en échapper, ou comme si elle
attendait.

Corso se remit à penser à Meung et au voyage. À Boris
Balkan, deux nuits plus tôt, à côté de lui sur cette terrasse
encore trempée de pluie. Les pages du *Vin d'Anjou* entre les
mains, Richelieu avait souri à la manière d'un vieil adversaire à
la fois admiratif et compatissant : « Vous êtes un type tout à fait
spécial, mon ami »... La phrase était un dernier salut, en guise
de consolation ou d'adieu ; seuls mots qui avaient eu un sens,
car la suite avait consisté à lui proposer sans grande conviction
de se joindre aux invités. Non pas que Balkan fuyait sa compagnie — il paraissait plutôt contrarié de se séparer de lui —,
mais parce qu'il prévoyait déjà que Corso allait refuser, rester
longtemps comme il le fit sur la terrasse, accoudé sur la balustrade, seul et immobile, écoutant le fracas de sa propre déroute.
Puis le chasseur de livres avait lentement repris ses esprits,
regardé autour de lui comme pour situer l'endroit précis où il
se trouvait, avant de s'éloigner des portes-fenêtres illuminées et
de rentrer sans hâte à l'hôtel, marchant au hasard dans les rues
noires. Il n'avait plus revu Rochefort et, à l'auberge Saint-
Jacques, on lui avait dit que Milady s'en était allée. Elle et lui
sortaient de sa vie pour retourner dans ces régions immaté-
rielles d'où ils étaient sortis, pour retrouver leur caractère de
personnages de fiction, aussi irresponsables que les pièces d'un
jeu d'échecs. Quant à La Ponte et à la jeune fille, il les avait
retrouvés sans difficulté. Il se moquait pas mal de La Ponte,
mais il fut rassuré de voir qu'elle était toujours là ; il s'était
attendu à les perdre en même temps que les autres personnages
de l'histoire, ou plutôt il l'avait craint. Il s'empressa de lui serrer

le bras avant qu'elle ne s'envole elle aussi dans la poussière de la bibliothèque du château de Meung ; puis il la conduisit à la voiture, au grand désarroi de La Ponte qu'il vit disparaître dans le rétroviseur, perdu, invoquant inutilement leur vieille amitié passablement mise à mal ; lui qui ne comprenait rien et n'osait même pas demander, harponneur discrédité et inutile, homme de peu de confiance, celui qu'on abandonne à la dérive avec une provision de biscuits de mer et d'eau douce pour trois jours : essayez d'atteindre Batavia, monsieur Bligh. Pourtant, au bout de la rue, Corso freina et resta un moment immobile, les mains sur le volant, regardant l'asphalte entre les phares, les yeux inquisiteurs de la jeune fille posés sur son profil. La Ponte n'était pas un personnage réel lui non plus. Avec un soupir, Corso fit donc marche arrière pour ramasser le libraire qui resta avec eux toute la journée et la nuit suivante, jusqu'à ce qu'il le laisse planté à côté d'un feu rouge dans une rue de Madrid, sans qu'il eût ouvert la bouche une seule fois. Il ne protesta même pas lorsque Corso l'informa qu'il pouvait faire ses adieux pour toujours au manuscrit Dumas. Il est vrai qu'il n'y avait pas grand-chose à dire.

Corso regarda le sac de toile entre les jambes de la jeune fille endormie. Naturellement, ce sentiment de défaite faisait mal aussi, douloureux comme un coup de couteau dans la conscience. La certitude d'avoir joué selon les règles, *legitime certaverit*, mais dans la mauvaise direction. La satisfaction du triomphe qui s'envole en fumée juste au moment où il remportait sa victoire, incomplète et partielle. Fictive. Autant vaincre des fantômes inexistants, se battre à coups de poing contre le vent ou crier au silence. Peut-être était-ce pour cette raison que Corso regardait depuis un moment, d'un air soupçonneux, la ville suspendue dans le brouillard, attendant pour y pénétrer que ses fondations reposent sur la terre ferme.

Il entendait la respiration de la jeune fille contre son épaule, douce et rythmée. Il contempla son cou nu entre les plis du blouson ; puis il approcha la main gauche jusqu'à sentir la chaleur de la peau tiède battre sous ses doigts. Comme toujours, elle sentait la peau jeune et la fièvre. Il n'était pas difficile de parcourir par l'imagination et le souvenir les longues lignes souples et ondulées de son corps jusqu'à ses pieds nus, posés à côté de ses tennis blanches et du sac. Irene Adler. Il ignorait encore tout d'elle, jusqu'à son nom ; mais il se souviendrait d'elle dans la pénombre, la courbe de ses hanches dessinée à contre-jour, sa bouche entrouverte. Incroyablement belle et silencieuse, absorbée dans sa propre jeunesse et en même temps sereine comme une eau calme, emplie de la sagesse des siècles. Et, dans ses yeux clairs qui le regardaient fixement dans l'ombre, le reflet, l'image obscure de Corso dans toute cette lumière arrachée au ciel.

Les yeux l'observaient de nouveau, iris émeraude sous les longs cils. La jeune fille s'était réveillée. Encore somnolente, elle se frottait contre son épaule, puis elle se redressa enfin, aux aguets, regardant autour d'elle jusqu'à ce qu'elle le découvre à côté d'elle.

— Salut, Corso ! — le blouson glissa à ses pieds ; la chemisette de coton blanc modelait son torse souple et parfait d'animal jeune et beau. Qu'est-ce qu'on fait ici ?

— On attend — il montra la ville qui paraissait flotter sur le brouillard du fleuve. Qu'elle redevienne réelle.

Elle regarda dans la même direction, d'abord sans comprendre. Puis elle esquissa lentement un sourire.

— Peut-être qu'elle n'y arrivera jamais.

— Alors, nous resterons ici. Ce n'est pas si mal comme endroit, après tout... Tout en haut, avec cet étrange monde irréel à nos pieds — il se retourna vers la jeune fille et resta un instant silencieux avant de continuer — *Je te donnerai tout si tu te prosternes pour m'adorer*... Tu ne vas pas me donner un peu de cela ?

Le sourire de la jeune fille était rempli de tendresse. Elle pencha la tête, pensive, puis leva les yeux pour rencontrer le regard de Corso :

— Non. Je suis pauvre.

— Oui, je sais — et c'était vrai ; Corso le savait sans avoir besoin de lire dans la clarté de ses yeux. Tes bagages, et ce wagon dans le train... C'est curieux. J'ai toujours cru que là-bas, au pied de l'arc-en-ciel, tu disposais de ressources illimitées — il sourit d'un sourire aussi tranchant que la lame du couteau qu'il avait toujours dans sa poche. Le sac d'or de Peter Schlehmil, et tout le reste.

— Tu te trompes — elle serrait les lèvres d'un air buté. Je n'ai que moi-même.

C'était également vrai, et Corso l'avait également su depuis le début. Elle n'avait jamais menti. Innocente et sage tout à la fois, petite jeune fille loyale et amoureuse en quête d'une ombre.

— Je vois — il fit un geste de la main, comme s'il dessinait un stylo imaginaire. Et tu ne me donnes aucun document à signer ?

— Un document ?

— Oui. Un pacte, comme on disait autrefois. Aujourd'hui, ce serait un contrat imprimé en tout petits caractères, n'est-ce pas ? *En cas de litige, les parties conviennent de se soumettre à la compétence des tribunaux de...* Écoute, c'est amusant. J'aimerais bien savoir de quel tribunal relève toute cette affaire.

— Ne sois pas idiot.

— Et pourquoi m'as-tu choisi, moi ?

— Je suis libre — elle soupira mélancoliquement, comme si elle avait payé le droit de lui faire cette réponse. Et je peux choisir. Tout le monde peut le faire.

Corso fouilla dans les poches de son manteau et trouva finalement son paquet de cigarettes froissé. Il n'en restait qu'une ; il la sortit, la regarda, indécis, puis la remit à sa place. Peut-être allait-il avoir besoin de fumer plus tard. Sûrement.

— Tu le savais depuis le début, dit-il. Il s'agissait de deux histoires, sans aucun rapport entre elles ; c'est pour cette raison que la variante Dumas ne t'a jamais intéressée... Milady, Rochefort, Richelieu, ce n'était que des figurants pour toi. Je comprends maintenant ta passivité déconcertante ; tu devais t'ennuyer férocement. Et tu tournais les pages de tes *Mousquetaires*, en me laissant jouer les mauvais pions...

Elle regardait à travers le pare-brise la ville voilée d'une brume bleue. Elle fit le geste de lever la main, peut-être pour dire quelque chose, mais elle la laissa retomber, comme si ce qu'elle avait en tête était inutile.

— Je ne pouvais pas vraiment faire autrement que t'accompagner, répondit-elle finalement. Mais chacun doit parcourir seul certains chemins. Tu n'as jamais entendu parler du libre arbitre ?... — elle fit un sourire mélancolique. Certains payent très cher pour le faire.

— Mais tu n'étais pas toujours dans les coulisses. Cette nuit-là, sur les quais de la Seine... Pourquoi m'as-tu aidé contre Rochefort ?

Il la vit toucher de son pied nu le sac de toile.

— Il voulait te voler le manuscrit Dumas, mais il y avait

aussi *Les Neuf Portes* dedans. J'ai voulu éviter des problèmes stupides — elle haussa les épaules... Et puis, je n'ai pas aimé qu'il te frappe.

— Et à Sintra ? C'est toi qui m'as prévenu pour Fargas.

— Évidemment. À cause du livre cette fois.

— Et la clé du rendez-vous de Meung...

— J'ignorais tout de cette histoire ; je me suis contentée de faire une déduction, d'après le roman.

Corso fit une grimace désagréable.

— Vous vous pensiez omnisciente.

— Eh bien, tu te trompes — elle lui lança un regard irrité. Et je ne vois pas non plus pourquoi tu t'adresses à moi au pluriel. Il y a longtemps que je suis seule.

Des siècles, Corso en eut la certitude. Des siècles de solitude, impossible de se tromper là-dessus. Il l'avait prise dans ses bras, nue, s'était perdu dans la clarté de ses yeux. Il avait été dans ce corps, avait savouré sa peau, senti sur ses lèvres la douce pulsation de son cou ; il l'avait entendue gémir tout bas, petite fille effrayée ou ange déchu et solitaire en quête de chaleur. Et il l'avait vue dormir les poings fermés, angoissée par des cauchemars d'archanges blonds et resplendissants dans leurs armures, implacables, dogmatiques comme le Dieu même qui les faisait marcher au pas de l'oie.

Et maintenant, à travers elle mais trop tard, il comprenait Nikon, ses fantasmes et l'angoisse désespérée avec laquelle elle voulait s'accrocher à la vie. Sa peur, ses photos en noir et blanc, sa vaine tentative de conjurer les souvenirs transmis par les gènes survivants d'Auschwitz, le matricule tatoué sur la peau de son père, l'Ordre noir qui n'avait jamais été nouveau, mais vieux comme l'esprit et la malédiction de l'homme. Car Dieu et le diable pouvaient être la même chose que chacun interprétait à sa façon.

Pourtant, comme du temps de Nikon, Corso était toujours cruel. C'était un poids trop lourd pour ses épaules et il n'avait pas le noble cœur de Porthos.

— C'était ta mission ? demanda-t-il à la jeune fille. Protéger *Les Neuf Portes* ?... Alors, je ne crois pas qu'on te donnera une médaille.

— Tu es injuste, Corso.

Presque les mêmes mots. Encore une fois Nikon perdue à la dérive, petite et fragile. À qui se cramponnait-elle maintenant la nuit, pour échapper à ses cauchemars ?

Il regarda la jeune fille. Peut-être le souvenir de Nikon était-il son châtiment particulier, mais il n'était pas disposé à l'accepter avec résignation. Il se vit du coin de l'œil dans le rétroviseur : un rictus d'homme perdu, amer.

— Injuste ? Nous avons perdu deux des trois livres. Et ces morts absurdes : Fargas et la baronne — il s'en moquait éperdument, mais il se força à accentuer sa grimace. Tu aurais pu les éviter.

Elle secoua la tête, très sérieuse, sans le quitter des yeux.

— Il y a des choses qu'on ne peut pas éviter, Corso. Il y a des châteaux qui doivent brûler et des hommes qui doivent se pendre ; des chiens dont le destin est de se mettre en pièces les uns les autres, des vertus qu'il faut décapiter, des portes qu'il faut ouvrir que pour d'autres y passent... — elle fronça les sourcils et pencha la tête. Ma mission, comme tu dis, était de m'assurer que tu faisais la route sans courir de danger.

— Mais la route a été bien longue pour revenir au point de départ — Corso montrait la ville suspendue dans le brouillard. Et maintenant, je dois entrer là-bas.

— Non, ce n'est pas que tu *dois*. Personne ne t'y oblige. Tu peux tout oublier et t'en aller.

— Sans connaître la réponse ?

— Sans affronter la preuve. La réponse, tu l'as en toi.

— Quelle belle phrase. Fais-la graver sur ma tombe quand je serai en train de brûler en enfer.

Elle lui donna un coup sur les genoux, sans aucune violence, presque amical.

— Ne sois pas idiot, Corso. Plus souvent qu'on ne le croit, les choses sont ce qu'on veut qu'elles soient. Le diable lui-même peut revêtir divers aspects. Ou essences.

— Le remords, par exemple.

— Oui. Mais aussi la connaissance et la beauté — il la vit regarder de nouveau la ville, d'un air soucieux. Ou le pouvoir et la fortune.

— De toute façon, le résultat final est le même : la condamnation — il refit le geste de signer en l'air un contrat imaginaire. Le prix à payer est l'innocence de l'âme.

Elle soupira encore.

— Il y a longtemps que tu as payé, Corso. Et tu payes encore. Étrange habitude que de tout remettre à la fin, comme pour le dernier acte d'une tragédie... Chacun traîne sa propre condamnation depuis le début. Quant au diable, il n'est que la douleur de Dieu ; la colère d'un dictateur pris à son propre piège. L'histoire racontée du côté des vainqueurs.

— Et quand cela s'est-il passé ?

— Il y a plus longtemps que tu ne pourrais l'imaginer. Et le combat a été très dur. Je me suis battue cent jours et cent nuits sans quartier ni espérance... — un doux sourire, à peine perceptible, se dessinait au coin de sa bouche. C'est mon unique orgueil, Corso : avoir lutté jusqu'au bout. J'ai battu en retraite sans tourner le dos, parmi d'autres qui eux aussi tombaient de haut, la voix rauque d'avoir crié mon courage, ma peur et ma fatigue... Et finalement, je me suis vue après la bataille, marchant à pied sur une lande désolée ; aussi seule que l'éternité est froide... Il m'arrive encore parfois de tomber sur un vestige du combat, ou sur un ancien compagnon qui me croise sans oser lever les yeux.

— Alors, pourquoi moi ? Pourquoi n'as-tu pas cherché parmi ceux de l'autre camp, parmi ceux qui gagnent ?... Moi, je ne gagne que des batailles sur les cartes au 1 :5000.

La jeune fille se tourna pour regarder dans le lointain. Le soleil se levait en cet instant précis et le premier rayon horizontal de lumière fendit le matin comme un trait fin et rougeâtre qui tombait directement sur son regard. Quand elle se retourna de nouveau vers Corso, celui-ci se sentit pris de vertige, penché au-dessus de l'abîme de lumière reflété dans ces yeux verts.

— Parce que la lucidité ne gagne jamais. Et qu'il n'a jamais valu la peine de séduire un imbécile.

Alors, elle approcha ses lèvres et l'embrassa très lentement, avec une infinie douceur. Comme si elle avait attendu une éternité pour le faire.

Le brouillard se dissipait lentement. On aurait dit que la ville suspendue en l'air décidait enfin de reposer ses fondations sur terre. L'aube dessinait déjà en ocre et en gris la masse de l'Alcazar, la flèche de la cathédrale ; le pont de pierre et ses piles plongées dans les eaux noires du fleuve, si semblable à une main suspecte tendue d'une rive à l'autre.

Corso fit tourner la clé de contact et le moteur démarra. Il laissa l'auto descendre en roue libre sur la route déserte. À mesure qu'ils dévalaient la côte, la lumière du soleil levant reculait derrière eux, plus haut, retenue dans leur dos. La ville se rapprochait peu à peu tandis qu'ils pénétraient lentement dans le monde des tons froids et de l'immense solitude qui persistait dans les derniers vestiges de brume bleutée.

Il hésita un moment avant de traverser le pont et arrêta l'auto sous l'arche de pierre qui enjambait l'entrée ; les deux mains sur le volant, la tête un peu penchée, le menton en avant : profil de chasseur, tendu et aux aguets. Il ôta ses lunettes et les essuya inutilement, lentement, les yeux fixés sur le pont qui se transformait maintenant en un vague chemin aux contours flous, inquiétants. Il ne voulut pas regarder la jeune fille, même s'il la sentait attentive à ses moindres gestes. Il remit ses lunettes, les redressa sur son nez avec l'index, et le paysage retrouva ses contours, sans pour autant devenir plus rassurant. D'où ils étaient, on devinait au loin l'autre rive, sombre ; le courant noir qui coulait entre les piles faisait penser aux eaux noires du temps et du Léthé. La sensation de danger était concrète, aiguë comme une aiguille d'acier dans les restes de cette nuit qui refusait de mourir. Corso remarqua que les veines de son poignet battaient quand il posa la main droite sur le levier de vitesses. Il était encore temps de faire demi-tour, se dit-il. Ainsi, rien de ce qui s'était passé ne se serait jamais passé, rien de ce qui allait arriver n'arriverait jamais. Quant aux vertus pratiques du *Nunc scio*, du *Maintenant je sais* forgé par Dieu ou par le diable, elles se révélaient très discutables. Il se fit une grimace. De toute façon, tout cela n'était que des phrases. Il savait que, dans quelques minutes, il allait se retrouver de l'autre côté du pont et du fleuve. *Verbum dimissum custodiat arcanum*. Il leva encore les yeux au ciel, guettant un archer avec ou sans flèches dans son carquois, avant de passer la première et d'appuyer doucement sur l'accélérateur.

Il faisait froid hors de la voiture et il releva le col de son manteau. Il sentait les yeux de la jeune fille fixés sur son dos quand il traversa la rue sans regarder derrière lui, s'éloignant avec *Les Neuf Portes* sous le bras. Elle ne s'était pas offerte à l'accompagner et, pour quelque raison obscure, il sut que c'était mieux ainsi. La maison occupait presque tout un pâté et sa masse de pierre grise présidait au fond d'une place étroite, entre des constructions médiévales dont les fenêtres et les portes fermées leur donnaient l'apparence de figurants immobiles, aveugles et muets. La façade était en pierre grise, ornée de quatre gargouilles disposées le long du chéneau : un bouc, un crocodile, une gorgone, un serpent. Il y avait aussi une étoile de David sur l'arc mudéjar de l'entrée, au-dessus de la grille de fer forgé qui donnait accès au patio intérieur et aux deux lions vénitiens de marbre, tapis à côté du puits fermé par des plaques de fer. Tout cela était familier au chasseur de livres ; mais jamais jusqu'alors il n'avait franchi ces limites avec l'appréhension qu'il ressentait à présent. Une vieille citation lui vint à la mémoire : « *Peut-être les hommes qui furent caressés par beaucoup de femmes traversent-ils la vallée des ombres avec moins de remords, ou avec moins de craintes* »... C'était à peu près cela, encore qu'on ne l'avait peut-être pas suffisamment caressé : il se sentait la bouche sèche et aurait vendu son âme pour une demi-bouteille de Bols. Quant aux *Neuf Portes*, elles pesaient comme si au lieu de neuf gravures, elles eussent renfermé neuf chapes de plomb.

Rien ne troubla le silence quand il poussa la grille. Les semelles de ses chaussures n'éveillèrent pas le moindre écho lorsqu'il se mit à marcher sur les dalles du patio, usées par des pas depuis longtemps disparus et par la pluie des siècles. L'escalier commençait là, étroit et raide, sous une voûte en plein cintre au bout de laquelle on voyait la lourde porte cloutée, noire, hermétiquement close : l'ultime porte. Un instant, Corso fit un clin d'œil dans le vide, pour lui-même, découvrant son croc de loup sarcastique, auteur involontaire et victime, tout à la fois, de sa propre plaisanterie ou de sa propre erreur. Une erreur préparée soigneusement par une main sans scrupules, avec toutes ces pirouettes de fausse sollicitude et de coopération qui l'incitaient à faire des prévisions ensuite réfutées, pour qu'en fin de compte il les voie confirmées par le texte même ; s'il s'était agi d'un fichu roman, mais ce n'était pas le cas. Ou l'était-ce ?... Le fait est que ce fut son image réelle qu'il vit pour la dernière fois sur la plaque de métal bruni vissée sur la porte : reflet déformant qui contenait un prénom et un nom en plus d'une silhouette, la sienne, immobile et nettement dessinée par la clarté qu'il laissait derrière lui, dans son dos, dans la volée de marches qui descendait jusqu'au patio et à la rue. Au dernier arrêt d'un si étrange voyage vers l'envers des ombres.

Il sonna. Une fois, deux fois, trois fois : pas de réponse. La sonnette de laiton était muette, n'éveillait aucun écho derrière la porte. Glissée dans sa poche, une de ses mains touchait le paquet froissé où se trouvait sa dernière cigarette ; mais de nouveau, il écarta la tentation qui le poussait à la fumer. Il sonna une quatrième fois. Et une cinquième. Puis il serra le poing pour cogner très fort : deux coups, l'un après l'autre. Alors la porte s'ouvrit. Non pas avec un grincement sinistre, mais tout doucement, sur des charnières bien huilées. Et, sans aucun effet théâtral, de la façon la plus naturelle du monde, Varo Borja apparut sur le seuil.

— Bonjour, Corso.

Il ne paraissait pas surpris de le voir. Des gouttes de sueur perlaient sur son crâne et son front. Pas rasé, il était en bras de chemise, les poignets retroussés jusqu'au coude, le gilet déboutonné. Les yeux cernés, il avait l'air fatigué d'une nuit de veille ; mais ses yeux brillaient étrangement, fébriles et intenses. Il ne demanda pas à son visiteur ce qu'il faisait là à cette heure, et c'est à peine s'il manifesta quelque intérêt pour le livre qu'il tenait sous son bras. Il resta ainsi un moment immobile, comme quelqu'un que l'on vient d'interrompre dans un travail minutieux, ou dans un rêve, et dont l'unique désir est de retourner à ses affaires.

C'était donc lui, et Corso acquiesça intérieurement en voyant se matérialiser sa propre stupidité. Varo Borja, naturellement : millionnaire, libraire international, prestigieux bibliophile et assassin méthodique. Avec une curiosité presque scientifique, le chasseur de livres se mit à examiner le visage qu'il revoyait devant lui. Il essayait à présent d'identifier les traits, les indices qui auraient dû l'alerter bien plus tôt. Des traces passées inaperçues, des angles de folie, d'horreur ou d'ombre dans cette physionomie vulgaire qu'il avait cru connaître à une autre époque. Mais il ne trouva rien, sauf ce regard fébrile, distant, exempt de curiosité comme de passion, perdu dans des images qui n'avaient rien à voir avec la présence inopportune de l'homme qui frappait à sa porte. Pourtant, Corso avait sous le bras son exemplaire du livre maudit. Et c'était lui, Varo Borja, qui à l'ombre de ce même livre, collé à ses talons comme un serpent criminel, avait tué Victor Fargas et la baronne

Ungern. Non seulement pour réunir les vingt-sept planches et combiner les neuf bonnes, mais aussi pour détruire toutes les pistes, en sorte que personne ne puisse jamais plus résoudre l'énigme posée par l'imprimeur Torchia. Dans toute cette trame, Corso avait été un instrument pour confirmer une hypothèse qui s'était révélée juste, celle du livre divisé en trois. Et aussi, comme entre parenthèses, le personnage choisi pour supporter toutes les séquelles policières de l'affaire. En un hommage pervers à son instinct, il se souvenait maintenant de l'étrange sensation qu'il avait ressentie sous les peintures du plafond de la Quinta da Soledade ; le sacrifice d'Abraham sans autre victime à offrir : c'était lui qui faisait office de bouc expiatoire. Et c'était Varo Borja, naturellement, le libraire, qui allait tous les six mois chez Victor Fargas pour lui acheter un de ses trésors. Ce jour-là, alors que Corso rendait visite au bibliophile, l'autre était déjà à l'affût à Sintra, mettant la dernière main à son plan, dans l'espoir de voir confirmer sa théorie : que les trois exemplaires étaient nécessaires pour résoudre l'énigme de l'imprimeur Torchia. C'était à lui qu'était destiné le reçu inachevé. Et c'était pour cette raison que Corso n'avait pu le joindre au téléphone à Tolède et que, plus tard, cette même nuit, avant de se présenter à son dernier rendez-vous avec Fargas, Varo Borja lui avait téléphoné à son hôtel, simulant un appel international. Non seulement le chasseur de livres avait confirmé ses soupçons, mais il lui avait même donné la clé du mystère, condamnant ainsi Fargas et la baronne Ungern. Avec une amère certitude, Corso voyait s'emboîter les pièces du puzzle. À part les aspects accidentels de l'affaire — ses faux rapports avec l'histoire du club Dumas —, Varo Borja était la clé qui expliquait tous les faits inexplicables de l'autre fil de la trame ; la facette diabolique du problème. C'eût été à mourir de rire si, tout bien pesé, cette machination avait été le moindrement drôle.

— Je vous rapporte votre livre, dit Corso en montrant *Les Neuf Portes*.

Varo Borja hocha vaguement la tête en prenant le livre qu'il regarda à peine. Il était légèrement tourné de côté, comme s'il était à l'écoute d'un bruit derrière lui, d'un bruit qui sortirait de la maison. Au bout d'un moment, il se retourna vers Corso qui le vit battre des paupières, surpris de le voir toujours là.

— Vous m'avez rendu le livre... Que voulez-vous encore ?

— Me faire payer pour ma peine.

Varo Borja le regardait, sans comprendre. De toute évidence, ses pensées voguaient très loin de là. Finalement, il haussa les épaules, donnant à entendre à Corso qu'il ne s'intéressait pas à ces choses, et il rentra en lui laissant le choix de fermer la porte, de rester là ou de s'en retourner d'où il était venu.

Corso le suivit dans une pièce qui communiquait avec le couloir et l'entrée au moyen d'une porte blindée. Les volets étaient fermés pour que n'entre pas la lumière du jour et l'on avait repoussé les meubles tout au fond pour laisser libre le centre du dallage de marbre noir. Quelques vitrines remplies de livres étaient ouvertes. Des douzaines de bougies à moitié consumées éclairaient la pièce. La cire coulait partout : sur le manteau de la cheminée où ne brûlait aucun feu, par terre, sur les meubles et les objets de la pièce qui baignait dans une sorte de lueur rougeâtre et tremblante, vacillant au moindre courant d'air, au moindre mouvement. L'odeur faisait penser à une église, ou à une crypte.

Comme si Corso n'était pas là, Varo Borja s'arrêta au milieu de la pièce. Là, à ses pieds, tracé à la craie, il y avait un cercle d'environ un mètre de diamètre dans lequel s'inscrivait un carré divisé en neuf cases. Des chiffres romains et d'étranges objets l'entouraient : un bout de corde, une clepsydre, un couteau rouillé, un bracelet d'argent en forme de dragon, un anneau d'or, un charbon incandescent dans une cassolette de métal, une fiole de verre, un petit tas de terre, une pierre. Mais il y avait encore autre chose par terre, et Corso fit une grimace de déplaisir. Un grand nombre des livres qu'il avait admirés quelques jours plus tôt, alignés dans les vitrines, se trouvaient là, salis, déchirés, leurs pages maculées de dessins et de signes étranges, certaines phrases soulignées, d'autres pages arrachées. Sur plusieurs volumes brûlaient des bougies qui laissaient couler sur leur couverture ou leurs pages ouvertes de grosses gouttes de cire. Certaines commençaient déjà à roussir le papier. Parmi ces restes, il reconnut les gravures des *Neuf Portes* provenant des exemplaires de Victor Fargas et de la baronne Ungern. Elles étaient mêlées par terre avec les autres, elles aussi tachées de cire et couvertes d'annotations énigmatiques.

Corso s'accroupit pour examiner de près les vestiges, incapable de croire à l'ampleur du désastre. Une planche des *Neuf Portes*, celle qui portait le numéro VI, celle du pendu attaché par le pied droit au lieu du gauche, était à moitié brûlée par la flamme agonisante d'une bougie. Deux exemplaires de la planche VII, l'une avec l'échiquier blanc et l'autre avec l'échiquier noir, gisaient à côté des pages arrachées d'un *Theatrum diabolicum* de 1512. Une autre gravure, la première, dépassait d'entre les pages d'un *De magna imperfectaque opera* de Valerio Lorena, incunable rarissime que le libraire lui avait montré quelques jours plus tôt, lui permettant à peine de l'effleurer, et qui traînait maintenant par terre, presque en lambeaux.

— Ne touchez à rien, fit Varo Borja.

Toujours debout devant le cercle, il feuilletait son exemplaire des *Neuf Portes*, absorbé, comme s'il n'en voyait pas les pages mais plutôt quelque chose de plus lointain, dans le carré et le cercle, ou plus loin encore : dans les profondeurs de la terre.

Un instant, immobile, Corso le regarda comme on regarde quelqu'un que l'on voit pour la première fois. Puis il se releva lentement en faisant vaciller la flamme des bougies à côté de lui.

— J'ai l'impression que je peux toucher ce que je veux, dit-il en montrant les livres et les papiers qui jonchaient le sol. Après ce que vous avez fait.

— Vous ne savez rien, Corso... Vous croyez savoir, mais vous ne savez pas. Vous êtes ignare et parfaitement stupide. Vous êtes de ceux qui attribuent au chaos un caractère fortuit et qui ignorent l'existence d'un ordre occulte.

— Cessez de divaguer. Vous avez tout détruit, et vous n'aviez pas le droit de le faire. Personne n'avait le droit.

— Vous vous trompez. Tout d'abord, ce sont *mes* livres. Et surtout, ils n'avaient qu'un caractère utilitaire. Une valeur pratique, plus qu'artistique ou esthétique... Celui qui progresse dans la voie de la connaissance doit s'assurer que personne ne suit le même parcours. Ces livres ont rempli leur mission.

— Espèce de fou ! Vous m'avez trompé depuis le début.

Varo Borja ne semblait pas entendre. Il était immobile, le dernier exemplaire des *Neuf Portes* entre les mains, scrutant la page de la gravure numéro I.

— Trompé ?... — quand il répondit, ce fut sans quitter le livre des yeux, avec un mépris qu'accentuait encore le fait qu'il ne daigna même pas regarder Corso. Vous vous faites trop d'honneur. J'ai loué vos services, sans vous confier mes raisons ni mes plans ; un serviteur n'a pas à participer aux décisions de celui qui le paye... Vous alliez lever le gibier que je voulais ramasser, avec les conséquences techniques de certains actes inévitables, soit dit en passant. Je suppose qu'en ce moment, les polices du Portugal et de France sont à vos trousses.

— Et vous ?

— Je suis très loin, à l'abri de tout cela. Dans un instant, plus rien n'aura d'importance.

Et lorsqu'il eut prononcé ces mots, il arracha des *Neuf Portes* la page de la première gravure, devant Corso stupéfait.

— Qu'est-ce que vous faites ?

Varo Borja arrachait encore d'autres pages, sans s'émouvoir.

— J'incendie mes navires, je coupe les ponts derrière moi. Et je m'avance en *terra incognita*... — il avait arraché toutes les gravures du livre, une par une, jusqu'à réunir les neuf qu'il observait attentivement. Dommage que vous ne puissiez me suivre où je vais... Comme le montre la quatrième gravure, la chance n'est pas la même pour tout le monde.

— Et où croyez-vous aller ?

Le libraire laissa tomber son livre mutilé parmi les débris qui jonchaient le sol. Il observait les neuf gravures et le cercle, vérifiant de mystérieuses correspondances entre celui-ci et celles-là.

— À la rencontre de quelqu'un, répondit-il, énigmatique. Chercher la pierre que le Grand Architecte a rejetée, la maîtresse de l'angle ; le fondement de l'œuvre philosophique. Du pouvoir. Le diable, Corso, aime les métamorphoses : depuis le chien noir qui accompagnait Faust jusqu'au faux ange de lumière qui tenta de vaincre la résistance de saint Antoine. Mais surtout, la stupidité l'ennuie et il déteste la monotonie... Si j'en avais le temps et l'envie, je vous inviterais à jeter un coup d'œil à certains de ces livres qui se trouvent à vos pieds. Plusieurs d'entre eux citent une ancienne tradition : l'avènement de l'Antéchrist surviendra dans la péninsule Ibérique, dans une cité nourrie par trois cultures superposées, sur les rives d'un fleuve profond comme un coup de hache, comme le Tage.

— C'est ce que vous essayez de faire ?

— C'est ce que je suis sur le point de réussir. Le frère Torchia m'a montré le chemin : *Tenebris Lux*.

Il s'était penché au-dessus du cercle tracé par terre, disposant tout autour certaines planches, en écartant d'autres qu'il jetait au loin après les avoir froissées ou déchirées. La lumière des bougies éclairait son visage par en dessous, lui donnant un air de spectre, creusant de profonds abîmes dans les orbites de ses yeux.

— J'espère que tout concorde, murmura-t-il au bout d'un moment ; son visage n'était plus qu'un trait d'ombre profonde. Les anciens maîtres de la magie noire auprès desquels l'imprimeur Torchia a appris les arcanes les plus terribles et les plus précieux connaissaient le chemin qui mène au royaume de la nuit... *L'animal ourovore qui circonscrit le lieu.* Vous comprenez ? L'*ourovoros* des alchimistes grecs : le serpent du frontispice, le cercle magique, la fontaine de sagesse. Le cercle où tout s'inscrit.

— Je veux mon argent.

Varo Borja ne parut pas entendre.

— Vous n'avez jamais eu de curiosité pour ces choses ? continua-t-il en tournant vers lui ces profondes orbites où l'on ne voyait rien. Creuser, par exemple, la constante diable-serpent-dragon qui se répète de façon suspecte dans tous les textes sur la question, depuis l'Antiquité ?...

Il s'était emparé d'un récipient de cristal posé à côté du cercle, une coupe dont les anses étaient deux serpents enlacés, puis il la porta à ses lèvres et but. C'était un liquide foncé, constata Corso. Presque noir, comme du thé très fort.

— *Serpens aut draco qui caudam devoravit...* — Varo Borja souriait dans le vide en s'essuyant la bouche du revers de la main ; deux taches sombres restèrent imprimées sur sa joue gauche et sa main. Ils gardent les trésors : l'arbre de la sagesse au Paradis, les pommes des Hespérides, la Toison d'Or... — il était ailleurs, absent, tandis qu'il décrivait de l'intérieur un songe. Ce sont ces serpents ou dragons que les anciens Égyptiens représentaient en train de former un cercle, de se mordre la queue pour indiquer qu'ils procédaient d'une même chose et qu'ils se suffisaient à eux-mêmes... Gardiens toujours éveillés, orgueilleux et sages ; dragons hermétiques qui tuent l'indigne et ne se laissent séduire que par celui qui a combattu selon les règles. Gardiens de la parole perdue : la formule magique qui ouvre les yeux et fait de vous l'égal de Dieu.

Corso avança le menton. Il était debout, tranquille, maigre

comme un clou dans son manteau, et la lumière des bougies creusait ses joues mal rasées, dansait sous ses paupières mi-closes. Les mains dans les poches, il touchait un paquet de cigarettes où il n'en restait plus qu'une, et de l'autre caressait un couteau refermé, à côté d'une flasque de gin.

— Je vous ai dit de me donner mon argent. Je veux m'en aller.

Il y avait comme une ombre de menace dans sa voix, mais il était difficile de dire si Varo Borja s'en rendait compte. Corso le vit revenir à lui lentement, à contre-cœur.

— De l'argent ?... — il le regardait avec un nouveau mépris. De quoi me parlez-vous, Corso ? Vous ne comprenez donc pas ce qui va bientôt se produire ?... Vous avez devant les yeux le mystère auquel des milliers d'hommes ont rêvé durant les siècles... Savez-vous combien se sont laissé brûler, torturer, mettre en pièces pour ne serait-ce que s'approcher de ce que vous êtes sur le point de voir ?... Vous ne pouvez pas m'accompagner, naturellement. Vous vous contenterez de rester tranquille et de regarder. Mais jusqu'au plus méprisable des mercenaires communie avec le triomphe du maître.

— Payez-moi tout de suite. Et allez au diable.

Varo Borja ne le regarda même pas. Il tournait autour du cercle en touchant certains des objets posés à côté des chiffres.

— Vous avez parfaitement raison de me confier au diable. Tout à fait dans votre style mal dégrossi. Je vous ferais même un sourire si je n'étais pas si occupé. Quoique vous soyez ignorant et que vous manquiez de précision : car ce sera le diable qui viendra à moi — il s'arrêta et tourna un peu la tête comme s'il entendait déjà des pas lointains. Et je l'entends venir.

Il parlait entre ses dents en mêlant à ses commentaires d'étranges invocations gutturales, des paroles qui semblaient tantôt adressées à Corso, tantôt à une troisième présence obscure qui se serait trouvée près d'eux, parmi les ombres de la pièce :

— *Tu traverseras huit portes avant le dragon...* Vous comprenez ? Huit portes précèdent *la bête qui garde la parole*, la neuvième, celle qui possède l'ultime secret... Le dragon dort les yeux ouverts et il est le Miroir de la Connaissance... Huit gravures plus une. Ou encore une plus huit. Ce qui correspond, et ce n'est pas un hasard, au nombre que Jean de Patmos attribue à la Bête : 666

Corso le vit s'agenouiller et commencer à écrire des chiffres avec un bout de craie sur les dalles de marbre :

$$666$$
$$6 + 6 + 6 = 18$$
$$1\text{-}8$$
$$1 + 8 = 9$$

Puis il se redressa, triomphant. Un instant, les bougies illuminèrent ses yeux. Ses pupilles étaient très dilatés : sans doute avait-il absorbé quelque drogue mêlée au liquide obscur. Le noir occupait la totalité de l'iris dont il faisait disparaître toute la couleur et le blanc de la cornée s'était teint à la lueur rougeâtre qui régnait dans la pièce.

— Neuf gravures, ou neuf portes — l'ombre le recouvrit de nouveau, comme un masque. Qui ne peuvent s'ouvrir devant n'importe qui... *Chaque porte a deux clés*, chaque gravure fournit un chiffre, un élément magique et un mot-clé, si on l'étudie à la lumière de la raison, de la Cabale, des arts occultes, de la véritable philosophie... Du latin et de ses combinaisons avec le grec et l'hébreu — il montra à Corso une feuille de papier couverte de signes et d'étranges correspondances. Jetez un coup d'œil à ceci, si vous le voulez. Vous n'y comprendriez jamais rien :

Aleph	Eis	I	ONMAD	Air
Beth	Duo	II	CIS	Terre
Gimel	Treis	III	EM	Eau
Daleth	Tessares	IIII	EM	Or
He	Pente	V	OEXE	Corde
Vau	Es	VI	CIS	Argent
Zayin	Epta	VII	CIS	Pierre
Cheth	Octo	VIII	EM	Fer
Teth	Ennea	VIIII	ODED	Feu

Des gouttes d'eau perlaient sur son front et autour de sa bouche, comme si la flamme des bougies brûlait aussi à l'intérieur de son corps. Il se mit à tourner autour du cercle, lentement, attentif. Une ou deux fois, il s'arrêta et se pencha pour corriger la position d'un objet : le couteau de fer rouillé, le bracelet d'argent en forme de dragon.

— *Tu placeras les éléments dans la peau du serpent...* récitat-il sans regarder Corso. Il suivait le contour du cercle avec le doigt, sans le toucher. Les neuf éléments sont disposés autour, dans le sens *de la lumière du Levant* : de droite à gauche.

Corso fit un pas vers lui.

— Encore une fois, donnez-moi mon argent.

Varo Borja resta impassible. Il lui tournait le dos et lui montrait le carré inscrit dans le cercle :

— *Le serpent engloutira le sceau de Saturne...* Le sceau de Saturne est le plus simple et le plus ancien des carrés magiques : les neuf nombres premiers sont disposés dans neuf cases de telle sorte que toutes les rangées, verticales, horizontales et diagonales, donnent le même total lorsqu'on les additionne.

Il se pencha pour écrire à la craie neuf chiffres dans le carré :

4	9	2
3	5	7
8	1	6

Corso fit encore un pas en avant et marcha sur un papier couvert de

4 + 9 + 2 = 15	4 + 3 + 8 = 15	4 + 5 + 6 = 15
3 + 5 + 7 = 15	9 + 5 + 1 = 15	2 + 5 + 8 = 15
8 + 1 + 6 = 15	2 + 7 + 6 = 15	

Une bougie consumée s'éteignit en crachotant sur le frontispice roussi d'un *De occulta Philosophia* de Cornélius Agrippa. Varo Borja était toujours captivé par son cercle et son carré. Il les observait attentivement, bras croisés sur la poitrine, tête baissée, comme un joueur qui calcule son prochain coup devant un étrange échiquier.

— Il y a un détail, dit-il, mais il ne s'adressait plus à Corso ; entendre sa propre voix l'aidait apparemment à réfléchir. Quelque chose que n'ont pas prévu les anciens, du moins explicitement... En totalisant dans n'importe quel sens, de haut en bas, de bas en haut, de gauche à droite ou de droite à gauche, le résultat est quinze, mais en appliquant les clés cabalistiques, le résultat se transforme aussi en 1 et 5, nombres qui donnent 6 lorsqu'on les additionne... Ce qui enferme chaque côté du carré magique dans le serpent, le dragon ou la Bête, comme on voudra l'appeler.

Corso n'eut pas besoin de vérifier le calcul. La preuve se trouvait par terre, sur une autre feuille couverte de chiffres et de signes :

	6	6	6	
6	4	9	2	6
6	3	5	7	6
6	8	1	6	6
	6	6	6	

Varo Borja s'était agenouillé devant le cercle. Les gouttes de sueur qui ruisselaient sur son visage reflétaient la lumière de cire qui brûlait autour de lui. Une autre feuille à la main, il suivait l'ordre des étranges paroles qui y étaient inscrites :

— *Tu ouvriras le sceau neuf fois*, dit le texte de Torchia... Ce qui veut dire placer les mots-clé obtenus dans les cases correspondant à leur numéro. De cette façon, on obtient une combinaison qui se lit dans l'ordre suivant :

1	2	3	4	5	6	7	8	9
ONMAD	CIS	EM	EM	OEXE	CIS	CIS	EM	ODED

— ... Et si on les inscrit dans le serpent, ou le dragon — il effaça les chiffres qui se trouvaient dans les cases du carré pour les remplacer par les mots correspondants —, nous obtenons ceci, pour la plus grande honte de Dieu :

EM	ODED	CIS
EM	OEXE	CIS
EM	ONMAD	CIS

— Tout est consommé, murmura Varo Borja en écrivant les dernières lettres ; sa main tremblait et de grosses gouttes de sueur coulaient de son front jusqu'à son nez d'où elles tombaient par terre, sur les traits tracés à la craie. D'après le texte de Torchia, il suffit que *le miroir reflète le chemin* pour prononcer la parole perdue qui fait jaillir la lumière des ténèbres... Ces phrases sont en latin. En elles-mêmes, elles ne signifient rien ; mais elles renferment l'essence exacte du *Verbum dimissum*, la formule qui fait apparaître Satan : notre prédécesseur, notre miroir et notre complice.

Il était à genoux au centre du cercle, entouré des signes, des objets et des mots inscrits dans le carré. Ses mains tremblaient tellement qu'il dut les serrer, nouant ses doigts couverts de craie, tachés d'encre et de cire. Il se mit à rire de lui-même comme un fou, entre ses dents, superbe et sûr de lui. Mais Corso savait déjà qu'il n'était pas fou. Il regarda autour de lui, comprenant qu'il n'avait plus beaucoup de temps, et fit le geste de s'approcher du libraire. Mais il ne se décidait pas à franchir la ligne pour le retrouver à l'intérieur du cercle.

Varo Borja devina ses craintes et lui lança un regard méchant.

— Allons, Corso. Vous ne voulez pas lire avec moi ?... Vous avez peur, ou vous avez oublié votre latin ?... — les lumières et les ombres se succédaient plus rapidement sur son visage, comme si la pièce s'était mise à tournoyer autour de lui ; mais la pièce était immobile. Vous n'êtes pas curieux de savoir ce que contiennent ces mots ?... Au verso de cette gravure glissée entre les pages du Valerio Lorena, vous trouverez la traduction en espagnol. Faites-leur subir l'épreuve du miroir, comme le prescrivent les maîtres de l'art. Sachez au moins pourquoi sont morts Fargas et la baronne Ungern.

Corso regarda le livre, un incunable relié en parchemin, très vieux, très usé. Puis il s'en approcha prudemment, comme si ces pages renfermaient un piège mortel, et tira enfin du bout des doigts la gravure qui dépassait. C'était la gravure I de l'exemplaire numéro Trois, celui de la baronne Ungern : trois tours au lieu de quatre. Au verso, Varo Borja avait écrit neuf mots :

ERVIL	EM	ISNIA
EREBIL	EM	ISNIA
ENMADNOC	EM	ISNIA

— Courage, Corso, insista le libraire d'une voix aigre et désagréable. Vous n'avez rien à perdre... L'épreuve du miroir.

Il y avait de fait un miroir à portée de la main, par terre, au milieu de la cire fondue de quelques bougies qui allaient bientôt s'éteindre. C'était un objet ancien et baroque, en argent, avec un manche ouvré. Le tain était maculé de taches de vieillesse. Le miroir était tourné vers le haut et Corso s'y reflétait, très lointain et sous une étrange perspective, au fond d'un long couloir de lumière rougeâtre et tremblante. L'image et son double, le héros et son infinie lassitude, Bonaparte en train d'agoniser, enchaîné à son rocher de Sainte-Hélène. Rien à perdre, avait dit Varo Borja. Un monde désolé et froid, dans lequel les grenadiers de Waterloo étaient des ossements solitaires qui montaient la garde sur des chemins obscurs et oubliés. Il se vit lui-même devant la dernière porte : il tenait la clé à la main, comme l'ermite de la deuxième gravure, et la lettre Teth s'enroulait sur son épaule à la façon d'un serpent.

Le verre craqua sous la semelle de sa chaussure lorsqu'il posa le pied dessus. Il le fit tout doucement, sans violence ; et le miroir, lorsqu'il se brisa, claqua comme un fouet. Les fragments multipliaient à présent l'image de Corso en d'innombrables petits couloirs d'ombres au bout desquels autant de répliques de lui-même restaient immobiles ; trop lointaines et méconnaissables pour que leur sort l'inquiète.

— Noire est l'école de la nuit, disait Varo Borja.

Le libraire était toujours agenouillé au centre de son cercle et lui tournait le dos, l'abandonnant à son sort. Corso se pencha vers l'une des bougies pour que sa flamme lèche le bord de la feuille sur laquelle se trouvait la gravure Un et les neuf mots écrits à l'envers au verso. Puis il laissa brûler entre ses doigts les tours du château, la monture, le visage du chevalier qui, tourné vers le spectateur, recommandait le silence. Finalement, il laissa tomber le dernier fragment qui se transforma en cendres une seconde plus tard, avant de s'élever dans l'air chaud des bougies. C'est alors qu'il pénétra dans le cercle et qu'il s'approcha de Varo Borja.

— Je veux mon argent. Maintenant.

L'autre l'ignorait, perdu dans les ombres qui semblaient le posséder chaque fois plus. Soudain, inquiet, préoccupé par quelque chose, comme si la disposition des objets sur le sol n'était pas telle qu'il la voulait, il s'inclina pour en déplacer certains. Puis, après une légère hésitation, il commença à enchaîner des mots les uns aux autres, dans une sinistre supplique :

— *Admaï, Aday, Eloy, Agla...*

Corso le prit par l'épaule et le secoua violemment ; mais Varo Borja ne montra ni peur ni émotion. Pas plus qu'il n'essayait de se défendre. Il continuait à remuer les lèvres comme un somnambule, ou comme un martyr en prières, étranger aux rugissements des lions ou aux fers du bourreau.

— Pour la dernière fois, mon argent.

C'était inutile. Il n'avait devant lui que des yeux vides, des puits d'obscurité qui allaient au-delà de son image sans la voir ; inexpressifs et fixes dans les gouffres du royaume des ombres.

— *Zatel, Gébel, Elimi...*

Il invoquait les diables, comprit Corso, stupéfait. Planté au milieu de son cercle, détaché de tout, oublieux de sa présence et même de ses menaces, cet homme invoquait les diables par leur petit nom, comme si c'était la chose la plus naturelle du monde.

— *Gamaël, Bilet...*

Il ne s'interrompit qu'au premier coup ; un revers de la main qui fit basculer sa tête sur son épaule gauche. Les yeux perdus dans l'ombre errèrent pour s'arrêter enfin en un lieu vague de l'espace.

— *Zaquel, Astarot...*

Quand il reçut le deuxième coup, un filet de sang jaillissait déjà de la commissure de ses lèvres. Corso retira avec répugnance sa main tachée de rouge. Comme s'il venait de frapper quelque chose de visqueux et d'humide. Il respira plusieurs fois et se força à compter dix battements de son cœur avant de serrer les dents, puis les poings, pour le frapper de nouveau. Un flot de sang jaillit alors de la bouche désarticulée du libraire. Il continuait à murmurer sa prière, un sourire halluciné et absurde d'étrange jouissance imprimé sur les lèvres. Corso l'attrapa par le col de sa chemise pour le tirer brutalement hors du cercle avant de le frapper de nouveau. Ce n'est qu'alors que

Varo Borja poussa un gémissement d'animal, un gémissement d'angoisse et de douleur, et que, se débattant avec une énergie inattendue, lançant autour de lui des coups de pieds, il se traîna à quatre pattes vers le cercle. Trois fois Corso l'en arracha, trois fois il y revint, obstinément. À la troisième, un chapelet de gouttes de sang tomba sur les signes et les lettres inscrites dans le sceau de Saturne.

— *Sic dedo me...*

Quelque chose n'allait pas. À la lueur cireuse et vacillante qui éclairait la pièce, Corso le vit se relever, indécis, puis regarder d'un air perplexe les objets disposés dans le cercle magique. Mais la clepsydre distillait ses dernières gouttes et le temps dont disposait Varo Borja était apparemment compté. Il répéta ces derniers mots avec plus de conviction encore, en touchant trois des neuf cases :

— *Sic dedo me...*

Avec un goût âcre dans la bouche, Corso regarda sans espoir autour de lui tandis qu'il essuyait sa main tachée de sang dans les plis de son manteau. D'autres bougies s'éteignirent en crachant et la fumée des mèches brûlées serpentait en spirales dans la pénombre rougeâtre. Fumée ourovore, se dit-il avec une ironie amère. Puis il s'avança vers la table de travail repoussée dans un coin avec les autres meubles, jeta par terre les objets qui l'encombraient, chercha dans les tiroirs. Il n'y avait pas d'argent ; pas même un chéquier. Rien.

— *Sic exeo me...*

Le libraire continuait sa litanie ; Corso lança un dernier regard dans sa direction, vers le cercle magique. Agenouillé à l'intérieur, courbé vers le sol, le visage défiguré par l'extase, Varo Borja ouvrait la dernière des neuf portes avec un sourire désincarné de félicité ; ligne obscure et diabolique qui lui fendait le visage, sa bouche sanglante, semblable à l'entaille d'un couteau de nuit et d'ombres.

— Fils de pute, lança Corso qui, sur ces paroles, tint son contrat pour résilié.

Il descendit l'escalier vers l'arc de lumière grise qui se découpait en bas des marches, sous la voûte qui conduisait au patio. Là, à côté du puits et des lions de marbre, devant la grille qui donnait dans la rue, il s'arrêta et respira profondément, savourant l'air frais et pur du matin. Puis il fouilla dans son manteau jusqu'à trouver le paquet froissé dont il sortit l'ultime cigarette qu'il glissa entre ses lèvres, sans l'allumer. Et il resta ainsi un moment, immobile, alors que le premier rayon du soleil levant, rouge et horizontal, qu'il avait laissé derrière lui lorsqu'il était entré dans la ville, l'atteignait en se glissant parmi les façades de pierre grise de la place, dessinant sur son visage les motifs de la grille en fer forgé, lui faisant plisser ses yeux lourds d'insomnie et de fatigue. Puis le rayon de lumière grandit, avança lentement jusqu'à envahir le patio autour des lions vénitiens qui inclinèrent leurs crinières taillées dans le marbre comme s'ils recevaient et acceptaient une caresse. La même clarté, d'abord rougeâtre puis lumineuse comme de la poudre d'or en suspension, enveloppa Corso. Et à ce moment même, au bout de l'escalier qu'il laissait derrière lui, de l'autre côté de la dernière porte du royaume des ombres, là où jamais ne pénétrerait la lumière de cette aube paisible, un cri s'éleva. Un hurlement déchirant, inhumain, d'horreur et de désespoir dans lequel il eut peine à reconnaître la voix de Varo Borja.

Sans regarder derrière lui, Corso poussa la grille et sortit dans la rue. Chaque pas semblait l'éloigner infiniment de ce qu'il laissait derrière son dos, comme s'il refaisait à l'envers et en quelques secondes seulement un long chemin qu'il aurait mis immensément de temps à parcourir.

Il s'arrêta au milieu de la place, ébloui, enveloppé dans la clarté de ce soleil qui l'aveuglait. La jeune fille était toujours dans la voiture et le chasseur de livres frissonna d'une joie égoïste et profonde en constatant qu'elle ne s'était pas évanouie avec les restes de la nuit. C'est alors qu'il la vit sourire, remplie de tendresse, incroyablement jeune et belle, avec ses cheveux de garçon, sa peau bronzée, ses yeux tranquilles fixés sur lui, elle qui l'attendait. Et toute la clarté dorée, parfaite, que reflétait le liquide vert de ses yeux, la lumière devant laquelle rétrocédaient les angles noirs de l'antique cité, les silhouettes des clochers et les arcs brisés de la place, sembla s'éclairer encore de ce sourire quand Corso alla à sa rencontre. Il le fit les yeux baissés, résigné, prêt à prendre congé de son ombre. Mais il n'avait pas d'ombre sous les pieds.

Derrière, dans la maison gardée par quatre gargouilles, Varo Borja ne criait plus. Ou peut-être le faisait-il de quelque lieu obscur, trop lointain pour que le bruit parvienne jusqu'à la rue. *Nunc scio* : maintenant, je sais. Corso se demanda si les frères Ceniza avaient utilisé la résine ou le bois pour reconstituer l'illustration perdue — caprice d'enfant, barbarie de collectionneur — dans l'exemplaire numéro Un. Quoique au souvenir de leurs mains pâles et habiles, il eût tendance à pencher pour la seconde hypothèse : gravure sur bois, sans doute reproduite d'après la *Bibliographie* de Mateu. Et c'est pourquoi Varo Borja ne tombait pas juste dans ses comptes : dans les trois exemplaires, la dernière gravure était fausse. *Ceniza sculpsit.* Par amour de l'art.

Il rit entre ses dents, comme un loup cruel, lorsqu'il pencha la tête pour allumer sa dernière cigarette. Les livres jouent décidément de mauvais tours, se dit-il. Et à chacun le diable qu'il mérite.

La Navata, avril 1993.

TABLE DES MATIÈRES

*Impression réalisée sur CAMERON
par BRODARD ET TAUPIN
La Flèche
en avril 1994*

Dépôt légal : avril 1994
N° d'édition : 94111
N° d'impression : 1699 J-5

Imprimé en France